MHH 99

ANNE FRANK,
LES SECRETS D'UNE VIE

CAROL ANN LEE

ANNE FRANK,
LES SECRETS D'UNE VIE

traduit de l'anglais par
Pierre-Emmanuel Dauzat
et Denis Trierweiler

ROBERT LAFFONT

Ouvrage publié sous la direction
de Charles Ronsac

Titre original : ANNE FRANK : A BIOGRAPHY
© Carol Ann Lee, 1999
Traduction française : Éditions Robert Laffont, S.A., Paris, 1999

ISBN 2-221-08895-6
(édition originale : ISBN 0-670-881406, Viking, Londres)

« Une personne vaut plus qu'un livre. »

MIEP GIES

Note de l'auteur

Afin de comprendre le passé et les personnages centraux de ce livre, j'ai puisé dans un large éventail de sources littéraires. Toute ma reconnaissance va aux auteurs et aux éditeurs qui m'ont autorisée à citer des matériaux sous copyright. Malgré tous les efforts déployés pour retrouver les ayants droit, je tiens à m'excuser à l'avance de toute éventuelle négligence. Quiconque pense être habilité à faire valoir ses droits est prié de prendre contact avec l'auteur.

Toutes les photographies et les citations du *Journal* d'Anne Frank sont sous le copyright du Fonds Anne Frank de Bâle, en Suisse. Les lettres de la famille Frank et le Mémoire d'Otto Frank sont cités avec la gracieuse autorisation de Buddy Elias.

Préface
de Buddy Elias

Le 10 septembre 1997, le siège du Fonds Anne Frank me fit parvenir la première lettre de Carol Ann Lee. Président du Fonds, je suis le dernier parent direct d'Anne Frank encore vivant, le cousin qu'elle appelle Bernd dans son *Journal*. Je lus la première ligne : « Cher Monsieur, je vous écris pour soumettre à votre approbation un livre que je suis en train d'écrire sur la vie d'Anne Frank. » Ma première réaction fut : encore un auteur qui veut faire du fric sur le dos d'Anne Frank !

Mais je poursuivis ma lecture et, ligne après ligne, ma première impression changea. Je m'aperçus qu'il s'agissait d'autre chose, que ce projet était prometteur, intéressant : une jeune femme passionnée, dont toute la vie, depuis sa plus tendre enfance, avait été marquée par Anne Frank, son *Journal*, sa vie brève, son destin. Je fus ému.

Je fus plus ému encore par la première lettre qu'elle m'adressa personnellement, où elle me confiait que son projet de biographie avait tant d'importance à ses yeux que, s'il n'aboutissait point, elle aurait le sentiment d'avoir raté sa carrière. Du mélodrame ? Non, cela me parut crédible, surtout lorsque j'eus reçu et lu les deux premiers chapitres qui témoignaient avec éclat d'une recherche méticuleuse et d'un talent évident.

Puis je fis la connaissance de Carol venue me poser quelques questions. Au total, notre échange dura en fait près de trois heures : trois heures de questions, de réponses et de conversation sur Anne, sa famille, sa vie, la mienne, ma famille. Bref, Carol en savait déjà tellement qu'il m'apparut qu'elle était *plus* que capable de parler au monde du phénomène Anne Frank. Non seulement ses connaissances étaient étonnantes, mais son amour et son dévouement à la cause me réchauffèrent le cœur.

Ce livre ne manquera pas d'enrichir tous ceux qui s'intéressent à Anne Frank, à sa brève existence, à sa famille et aux circonstances qui l'ont conduite au-devant de son terrible destin. Mais, plus encore, ce livre est incontournable pour tous ceux qui n'auraient qu'une vague idée de l'Holocauste, en particulier pour tous ceux qui croiraient encore que tout cela n'est jamais arrivé.

Prologue

Karl Josef Silberbauer, l'homme qui a arrêté la famille Frank, interviewé en 1963 par le journaliste hollandais Jules Huf :
« – Ne regrettez-vous pas ce que vous avez fait ?
– Bien sûr, je regrette. Des fois, j'ai vraiment l'impression d'être un paria. Maintenant, chaque fois que je prends le tram, il faut que j'achète un ticket, comme tout le monde. Avant, je montrais ma carte de police et ça suffisait.
– Mais Anne Frank ? Vous avez lu son *Journal* ?
– J'ai acheté le bouquin la semaine dernière, pour voir si on y parle de moi... Pas un mot.
– Des milliers de gens ont lu ce livre avant vous. Mais vous auriez pu être le premier.
– C'est vrai. Je n'y avais jamais pensé. Peut-être que j'aurais dû le ramasser*. »

4 août 1944, milieu de matinée à Amsterdam. Une journée chaude et calme. Dans le bureau principal du 263, Prinsengracht, des ondes de lumière, le reflet du soleil sur le canal, dessinaient des motifs distrayants sur le plafond. Les

---

* Les notes indiquant la référence des citations sont placées en fin de volume, numérotées par chapitre.

seuls bruits qui parvenaient étaient assourdis : le grondement des moulins à épices de l'entrepôt, en dessous. Tous les occupants étaient absorbés dans quelque travail de routine : Bep Voskuijl, la dactylo de vingt-cinq ans, était penchée sur des livres de comptes, tandis que Miep Gies, vingt-cinq ans, et Johannes Kleiman, quarante-huit ans, étaient pareillement plongés dans leurs tâches. Aucun d'entre eux n'avait remarqué le lent vrombissement d'une voiture qui s'arrêtait à l'extérieur. Tous les jours, toutes sortes de véhicules se garaient le long du canal. Il n'y avait rien là de bien extraordinaire, même si l'automobile s'arrêta juste devant l'entrepôt [2].

Bep : « La porte d'entrée s'ouvrit, et quelqu'un gravit les escaliers. Je me demandais qui ça pouvait bien être. Nous avions souvent des visiteurs. Sauf que cette fois j'entendis clairement qu'il y avait plusieurs hommes [3]... » La porte du bureau s'ouvrit. Un homme grand et mince en civil se tenait dans le couloir. Il avait un « long visage jaunâtre aux traits secs [4] » et tenait une arme à la main. Pointant le revolver sur eux, il ordonna : « Restez ici. Pas un geste et ne bougez pas d'ici. » Puis il sortit, les laissant tous trois cloués sur place, sous le choc : « Bep, nous sommes fichus », lâcha soudain Miep [5].

Du bureau voisin, Victor Kugler entendit des bruits de pas dans le couloir. Puis sa porte s'ouvrit à son tour. À la vue des hommes qui se tenaient devant lui, il tressaillit. Kugler ne connaissait pas encore leurs noms, mais l'un d'eux n'était autre que Karl Josef Silberbauer, un homme râblé de quarante ans passés, sans rien de bien remarquable, n'était son uniforme de la Gestapo. Il était accompagné de trois ou quatre nazis hollandais en civil, qui se conduisaient « un peu comme des détectives dans un thriller [6] ». L'un d'eux était Maarten Van Rossum, collaborateur notoire. L'officier de la Gestapo s'avança :

– Qui est le propriétaire de cette maison ?

Il avait un accent viennois prononcé. Kugler lui donna le nom et l'adresse demandés.

– On s'est mal compris. Qui est responsable ici ?

– Moi, répondit Kugler.

L'un des nazis hollandais s'approcha du bureau.

– Nous savons *tout*. Vous avez été dénoncés. Il marqua un temps de pause, puis reprit : Vous abritez des Juifs. Il y en a sous ce toit. Conduisez-nous à eux.

Kugler rougit jusqu'à la racine des cheveux. C'était fichu. Il se leva et les conduisit à l'étage.

Miep fouilla dans son sac, en retirant les cartes de rationnement illégales nécessaires pour nourrir les huit clandestins. Les posant sur ses genoux, elle se replongea dans son sac et en sortit de l'argent et le repas de Jan, son mari. Il y avait un moment que le Hollandais les avait quittés. Lorsque Jan arriva, il était midi un quart. Miep l'arrêta à la porte du bureau, lui fourra l'argent, le casse-croûte et les cartes de rationnement dans les mains tout en chuchotant d'un ton pressant : « Ça tourne mal ici. » Il savait exactement ce que cela voulait dire. Sans se départir de son calme, il quitta aussitôt le bâtiment.

Miep : « Par la suite, il y eut apparemment un autre Hollandais et un homme de langue allemande (il se confirma par la suite qu'il était autrichien, né à Vienne comme moi). C'était lui le responsable. Je les entendis monter à l'étage, où M. Kugler dut les accompagner [7]... »

Kugler, Silberbauer et les nazis hollandais étaient dans le petit couloir qui menait de l'entrée à l'arrière, à l'étage situé juste au-dessus des bureaux. Il y avait une bibliothèque à une extrémité du vestibule, une porte en pointe de diamant à l'autre, et deux fenêtres sur le côté, partiellement masquées par un papier épais.

Kugler : « Extérieurement, j'arborais un grand calme, mais au fond de moi, j'étais terrifié. [...] Nous étions arrivés à l'endroit crucial [8]. » Il montra du doigt la bibliothèque aux étagères encombrées de vieux dossiers portant les titres « Opekta » et « Pectacon ». Les hommes en civil la secouèrent brutalement, mais la bibliothèque tint bon.

Kugler : « La bibliothèque n'a pas bougé d'un pouce. Ils

essayèrent à plusieurs reprises, en vain. Mais ils finirent par découvrir le crochet qui la maintenait en place. Ils le défirent et déplacèrent la bibliothèque [9]. »

Elle pivota, laissant paraître une porte grise. L'un des nazis hollandais fit tourner la poignée : une volée de marches raides, bien usées, s'enfonçait dans l'obscurité. Au pied de l'escalier, à gauche, partait un couloir étroit. À droite, une petite salle d'eau.

Kugler : « L'instant que je redoutais depuis deux ans était arrivé. Nous avions été trahis, je le savais. Les huit locataires de l'Annexe secrète étaient condamnés ; un terrible destin les attendait tous [10]. »

Silberbauer sortit alors son revolver. Poussant Kugler en avant, son arme pressée contre son dos, il ordonna : « Entrez. »

Kugler s'avança lentement dans le couloir, à gauche de l'escalier fermé et entra dans une pièce basse de plafond. Elle était d'une humidité désagréable, comme toujours en été. La fenêtre n'était jamais ouverte, les épais rideaux jaunissants jamais tirés. Les chambres sentaient le renfermé. Décoloré par le temps, le papier peint se décollait et la peinture sombre des boiseries s'était écaillée.

Kugler leva les yeux vers la femme juive aux cheveux bruns debout à côté de la table, l'air à la fois inquiète et interdite. « La Gestapo est là. »

En bas, l'un des nazis hollandais entra dans le bureau où attendaient Bep, Miep et Kleiman. Il pria ce dernier de l'accompagner jusqu'au bureau de Kugler. Au bout d'une dizaine de minutes, Kleiman reparut seul, ayant reçu l'ordre de remettre à Miep les clés du bâtiment. Il confia son portefeuille à Bep en lui demandant de le porter chez son ami, qui tenait une pharmacie tout près, sur le Leliegracht. Avant de regagner le bureau du fond, il fourra les clés dans la main de Miep en chuchotant :

— Surtout tiens-toi à l'écart, Miep. Tu peux nous sauver, maintenant, mais tire le meilleur parti de ce sale pétrin [11].

Miep Gies demeura assise en silence. Après la guerre, lorsqu'on lui demanda si elle s'était jamais préparée à cette éventualité, elle répondit :

– Non, non. Nous étions tellement sûrs que ça n'arriverait jamais [12].

Dans la soupente étroite et humide, Otto Frank faisait faire une dictée d'anglais à Peter Van Pels, un gosse de huit ans. Il corrigeait les fautes lorsqu'il entendit quelqu'un qui montait les escaliers au pas de course, sans prendre de précautions. Otto bondit, étonné. La porte s'ouvrit brusquement, et un homme braqua son revolver sur eux :
– Haut les mains !
On les fouilla, histoire de s'assurer qu'ils n'avaient pas d'armes. Ne trouvant rien, l'homme leur fit signe d'avancer avec son revolver. Passant devant lui, ils entrèrent dans la chambre des parents de Peter, où M. et Mme Van Pels ainsi que Fritz Pfeffer, qui partageait leur planque, se tenaient debout, les mains au-dessus de la tête sous la garde d'un autre nazi hollandais.
– En bas.
Dans la chambre des Frank, Edith Frank et les deux filles, Margot et Anne, se tenaient les mains levées. Margot sanglotait doucement. Kugler était là, avec un troisième nazi hollandais et Silberbauer, qui avait dégainé son revolver. Le soleil scintillait à travers les rideaux épais.
Otto : « Pas un instant je n'avais imaginé ce qui se passerait quand ils viendraient. C'était tout simplement impensable. Et ils étaient là maintenant [13]. »
Silberbauer les regardait fixement. Aucune crise de nerfs. Il posa les yeux sur Otto Frank :
– Où sont vos objets de valeur ?
Otto indiqua un placard. Silberbauer en retira une cassette. À l'intérieur se trouvaient quelques bijoux et une liasse de billets de banque. Il jeta un œil, puis son regard s'arrêta sur la serviette d'Otto. Il la ramassa et la secoua : des billets de banque, des feuilles volantes et un gros volume à la couverture quadrillée tombèrent sur le sol. Il vida la cassette dans la serviette, y ajoutant quelques pièces d'argenterie et une *menorah* *de cuivre.

---

* Chandelier à sept branches. (*N.d.T.*)

17

– Avez-vous des armes ? demanda-t-il en refermant le porte-documents.

Tout le monde à tour de rôle fit signe que non.

– Bien. Après un temps de réflexion, Silberbauer reprit : Allez vous préparer. Rendez-vous ici dans cinq minutes.

Le groupe se dispersa. Les Van Pels montèrent chercher leurs havresacs. Au cours de leurs deux années de clandestinité, la plus grande peur des fugitifs, hormis celle d'être découverts, avait été qu'un incendie se déclarât dans cette maison aux charpentes de bois. Pour cette raison, chacun avait un « sac d'urgence », au cas où il leur faudrait évacuer l'annexe. Naturellement, ils n'avaient aucune idée de l'endroit où ils pourraient trouver un nouveau refuge.

Anne et Pfeffer entrèrent dans la chambre qu'ils partageaient, laissant Otto, Edith et Margot en compagnie de Silberbauer et des nazis hollandais. Otto décrocha son sac. Silberbauer faisait les cent pas dans la pièce. Sur le mur était accrochée une carte indiquant la progression des Alliés par de petites épingles rouges. D'autres épingles plantées dans le papier peint à fleurs délavé attendaient leur tour. À côté de la carte se trouvait une colonne de traits horizontaux au crayon avec des lettres et des dates : « A, 1942 », « A, 1943 », « A, 1944 ». À un moment, Otto avoua à Silberbauer depuis combien de temps ils se cachaient.

– *Deux ans ?* demanda Silberbauer réellement stupéfait. Je ne vous crois pas.

Otto montra du doigt les marques de crayon :

– C'est là que nous mesurons la croissance de ma fille cadette depuis que nous sommes ici.

Silberbauer se montra encore plus surpris en découvrant une petite malle grise de l'armée placée entre les lits bien faits et la fenêtre.

– Où l'avez-vous trouvée ? demanda-t-il sèchement.

– Elle m'appartient, répondit Otto. J'ai été lieutenant dans l'armée allemande au cours de la Grande Guerre.

Silberbauer s'empourpra.

– Pourquoi diable n'en avez-vous pas fait état ? On vous aurait expédié à Theresienstadt, vous auriez été traité correctement !

Otto ne répondit rien. Silberbauer évita son regard fixe.

Kugler : « J'observais Silberbauer en proie à des sentiments mélangés. [...] Il s'était placé devant M. Frank et j'avais l'impression que, sur un commandement sec, il se mettrait au garde-à-vous [14]. »

Silberbauer fit volte-face et monta. Il revint un peu plus tard en lançant :

– Il n'y a pas d'urgence, prenez votre temps, prenez votre temps !

Il dit la même chose à ses subordonnés.

Otto : « Peut-être nous aurait-il épargnés, s'il avait été seul [15]. »

Le nazi hollandais qui le premier avait menacé les trois employés reparut en bas et s'assit sur le bureau de Bep. Miep l'entendit demander une voiture par téléphone, puis Silberbauer entra dans la pièce et se posta devant elle.

– Maintenant, à vous, fit-il.

Elle décida de tenter sa chance :

– Vous êtes de Vienne. Moi aussi.

Silberbauer la dévisagea et lui demanda ses papiers.

Miep lui tendit sa carte d'identité. Il papillota des yeux en la lisant, notant qu'elle s'appelait Gies. L'une des entreprises du bâtiment s'appelait « Gies & Co ». Il se retourna et hurla à l'adresse du civil :

– Sortez !

L'homme fila à la porte.

Jetant la carte d'identité, Silberbauer cria :

– Vous n'avez pas honte ? Vous trahissez votre pays ! Aider des Juifs ! Vous méritez le pire des châtiments !

Miep garda le silence. Soudain, Silberbauer reprit le contrôle de lui-même.

– Que vais-je faire de vous ? demanda-t-il d'un air pensif. Se rapprochant, il lui prit les clés des mains et ajouta : Par sympathie personnelle, vous pouvez rester ici. Mais Dieu vienne en aide à votre mari si vous disparaissez. Parce que, en ce cas, nous l'arrêterons.

– Fichez-lui la paix ! cria Miep. Il n'a rien à voir là-dedans !

Silberbauer renifla.

– Ne faites pas l'idiote. Il est aussi impliqué que vous.

Puis il sortit en promettant de revenir.

Miep : « Que se passait-il dans le reste de la maison ? J'étais dans un état d'anxiété épouvantable, j'avais l'impression de tomber dans un trou sans fond [16]. »

Dans l'Annexe, Anne tapotait l'épaule de son père. Elle lui tendit un paquet d'objets. Otto fit un tri rapide, lui disant ce qu'il fallait prendre ou laisser.

Otto : « Anne allait et venait, sans même jeter un coup d'œil à la serviette où elle rangeait son *Journal*. Peut-être avait-elle la prémonition que tout était perdu maintenant [17]. »

Nul ne laissait paraître la moindre émotion. Tout le monde était enfin prêt. Un par un, car le passage était fort étroit, ils avancèrent dans le couloir en direction de la bibliothèque pivotante. Lorsque tous furent dans le hall, l'un des policiers verrouilla la porte et remit la bibliothèque en place.

Seule dans son bureau, Miep les entendit descendre l'escalier de bois, « comme des chiens battus [18] ».

Tous se rassemblèrent dans le bureau privé, au milieu de l'élégant mobilier qu'Otto Frank avait choisi avec fierté des années auparavant. Kugler était déjà là et Kleiman entra peu après. Un nazi hollandais se tenait entre eux tandis que Silberbauer se mit à questionner à brûle-pourpoint Kugler puis Kleiman. Et invariablement ils répondaient :

– Je n'ai rien à dire.

– Très bien, trancha Silberbauer en devenant tout rouge. Alors, vous nous accompagnez.

Jan Gies se tenait avec le frère de Kleiman, de l'autre côté du canal. Ils virent un fourgon de police sans vitre se garer devant le 263, Prinsengracht, et la foule de badauds qui s'attroupait.

Kleiman et Kugler furent les premiers à sortir, suivis par les occupants de l'Annexe secrète, à qui l'air frais et la lumière du soleil semblaient une anomalie après deux ans d'internement total.

Otto : « Nos deux employés de l'entrepôt se tenaient à l'entrée lorsque nous descendîmes, Van Maaren et l'autre, mais je m'abstins de les regarder en passant, et dans mon souvenir je ne vois que leurs visages pareils à des disques pâles et blancs, impassibles [19]. »

Dans le fourgon, Kleiman s'assit sur la banquette juste derrière le chauffeur et, lorsque ses yeux se firent à l'obscurité, il remarqua un autre homme assis en face. Les autres grimpaient et prenaient place. Le chauffeur chuchota à l'oreille de Kleiman : « Pas un mot. Il en est, lui aussi [20]. » Alors que les cloches des Westertoren sonnaient, il inclina légèrement la tête vers l'homme qui se tenait dans le coin. Puis les portes claquèrent et l'obscurité se fit autour d'eux.

La lumière du soleil entrait dans la pièce, décrivant un arc qui se répandait sur les débris laissés par des mains maladroites. Le contenu de la serviette traînait par terre, exactement en l'état où la Gestapo l'avait abandonné. La même écriture penchée recouvrait tout : des traits longs et pointus, tels des doigts accusateurs, sur du papier de couleur, des cahiers d'écolier, sous des photographies dans un vieil album endommagé. « Voici une photo où je suis comme je souhaiterais toujours être. » « Juin 1939. Margot et moi sortions juste de l'eau et je me rappelle, j'avais très froid. [...] [21] » Et sous une photo jaunie d'une jeune fille à son balcon, les cheveux bruns flottant dans la brise printanière : « Grand-mère aurait dû être sur la photographie. Margot a pressé sur l'obturateur et quand elle a été développée, nous avons vu que grand-mère avait disparu [22]... »

Au milieu de ce fatras traînaient un livre à couverture cartonnée, puis un autre, et encore un autre, tous grands ouverts, tous portant la même singulière écriture : « Ces jours-là, l'atmosphère dans la maison est oppressante, somnolente et pesante ; dehors, on n'entend pas un seul chant d'oiseau, un silence mortel, angoissant, s'abat sur tout et son poids s'accroche à moi comme pour m'entraîner dans les profondeurs d'un monde souterrain. [...] Je ne réponds même plus, je vais m'allonger sur un divan et dors pour abréger le temps, le

silence et la terrible angoisse, à défaut de pouvoir les tuer [23]. »
Sur le dernier livre, de la même curieuse écriture penchée, on
pouvait lire : « Annexe. *Journal* d'Anne Frank du 17 avril
1944 au... [24] »

... au 4 août 1944. La diariste était partie.

NOUS MENIONS ENCORE LA VIE ORDINAIRE, CELLE DE TOUS LES JOURS

1929-1940

1.

« Pourquoi t'es-tu enfui, Blury ?
– Je voudrais découvrir le monde !
– Et alors, l'as-tu découvert ?
– Oh ! j'ai vu beaucoup, beaucoup de choses, et suis devenu un ours plein d'expérience.
– Je n'en doute certes pas, mais réponds-moi donc : as-tu enfin découvert le monde ?
– Non... je ne crois pas. Je l'ai longtemps cherché, mais ne l'ai pas trouvé... »

Anne Frank, « Blury l'explorateur [1] ».

« Pim est un grand optimiste, dit un jour Anne Frank de son père, mais il trouve toujours une raison à son optimisme [2]. » Arrivés à l'âge adulte dans le prospère quartier ouest de Francfort, Otto Frank, ses deux frères et sa sœur cadette, n'avaient guère de raisons de croire que la vie avait autre chose que des bienfaits à offrir. C'était un quartier qui baignait dans la familiarité et la chaleur, essentiellement habité de familles juives libérales qui s'étaient tuées au travail pour s'installer par ici. La mère d'Otto, Alice Betty Stern, avait pu faire remonter sa famille jusqu'au tournant du XVIe siècle en poursuivant ses recherches dans les archives municipales ; nombre de ses aïeux s'étaient distingués dans la société et le commerce en Allemagne. Mais les deux parents d'Alice avaient des ancêtres qui avaient vécu dans la fameuse Judengasse. L'arrière-grand-père paternel d'Alice, Abraham Süsskind Stern, était né à « l'Épée dorée » sur la Judengasse, tandis que l'un des parents de sa mère, Nathan Michel Cahn, avait été « scribe » à l'hospice. La Judengasse formait un demi-cercle effilé, « une étroite ruelle, plus délabrée et surpeuplée qu'aucun autre quartier de Francfort. Véritable ghetto, elle était coupée du reste de la ville par de grands murs et trois portes massives. Ces portes étaient gardées par des soldats et verrouillées de nuit, toute la journée le dimanche et les jours de fête des chrétiens, ainsi que du Vendredi saint jusqu'au lendemain de Pâques. Elle abritait la plus grande communauté juive d'Allemagne, dans un état d'isolement presque total, ou d'apartheid [3] ».

Nonobstant ces humbles débuts, lorsque August Heinrich Stern et Cornelia Cahn se marièrent, le 3 mars 1865, ils n'avaient aucun souci financier et la Judengasse était derrière eux. Alice, leur fille unique, était née le 20 décembre 1865 dans la maison familiale de la Langestrasse. Elle avait vingt ans lorsqu'elle se maria à son tour, non pas avec le fils d'une autre éminente famille allemande d'origine juive comme on aurait pu l'imaginer, mais avec un homme étranger aux cercles de Francfort, un homme qui avait largement fait fortune par ses propres moyens.

Michael Frank était arrivé à Francfort plein d'aplomb, déterminé, et peut-être avec une modeste aide pécuniaire de son père. Il venait de Landau, dans la province de Rhénanie – Palatinat, une ville dont la population juive avait été chassée à maintes reprises dans des bains de sang avant d'obtenir le statut de citoyens à part entière l'année même de la naissance de Michael. Son père, Zacharias Frank, était un banquier qui avait acquis divers grands vignobles dans l'Albersweiler et était réputé pour les fêtes qu'il donnait après les vendanges. En 1870, il acheta une belle taverne à galerie du xve siècle, « Zur Blum », au centre de Landau. Le bâtiment restera dans la famille pendant près de quatre-vingts ans, puis se délabrera au cours de la Seconde Guerre mondiale et après. Dernièrement restauré, il a été rouvert au public sous la forme d'une « Maison Frank-Loeb'sches ». Il existe une photographie de Michael

Frank regardant du haut de ses murs, mais en fait Michael et la plupart de ses frères et sœurs avaient quitté Landau lorsque Zacharias acheta la maison[4].

Né le 9 novembre 1851, Michael était le septième de onze enfants. Des onze, seuls deux restèrent à Landau et, lorsque deux de ses sœurs, Rosalia et Caroline, épousèrent des hommes aisés de Francfort, il décida que c'était là-bas qu'il devait tenter sa chance.

Francfort était un point de chute naturel pour un homme désireux de grimper l'échelle sociale. La situation centrale de la ville, sur les rives du Main, en faisait un cadre idéal pour le commerce même si, lorsque Michael Frank y arriva en 1879, la population juive n'avait que récemment acquis le droit de participer pleinement à la vie commerciale. Il existait un ghetto juif à Francfort depuis des siècles. À la suite d'un pogrome de 1614, au cours duquel tous les Juifs furent chassés de la ville, ceux qui revinrent furent contraints de se « déclarer » en cousant un insigne circulaire sur leurs habits. Au XVIIIe siècle, les minuscules maisons entassées les unes sur les autres le long de la Judengasse et de la Konstablerwache étaient tellement insalubres que même la presse française, généralement peu bienveillante, consacra un article à leur triste sort. Certains jours, la rue était interdite aux Juifs, et leur liberté de commercer était strictement limitée aux affaires que les nazis devaient plus tard les accuser de monopoliser. Douze mariages seulement étaient autorisés chaque année, et la Kehillah de Francfort faisait interdiction aux jeunes filles de s'aventurer hors du ghetto. Enfin, au début du XIXe siècle, à la suite de pressions et de manœuvres exercées avec obstination par des Juifs et quelques non-Juifs, la législation fut progressivement assouplie et les Juifs bénéficièrent de l'égalité des droits. Lorsque Michael Frank arriva à Francfort, le ghetto honni était en cours de démolition. Un fond d'antisémitisme n'en persistait pas moins sous la surface du nouveau libéralisme.

À la suite de son mariage, le 3 janvier 1885, avec Alice Stern (qu'Anne décrit dans son *Journal* comme « une femme très douce et jolie, qui sait rassembler ses amis et sa famille et qui d'ailleurs y met toute son énergie[5] »), Michael Frank commença par faire le commerce d'actions et d'obligations, de devises et de lettres de change. Il investit dans diverses sociétés, notamment des fabriques de cigares, une entreprise d'aliments pour bébés, des ateliers d'imprimerie et une marque de pastilles pour la gorge. Aidée par les indemnités de guerre versées par les Français, l'économie allemande prospérait et les sociétés cotées en Bourse étaient florissantes. En 1900, Michael était un homme satisfait, après s'être défait avec profit de toutes ses parts, sauf de celles des pastilles de Fay. Bien que ses grands-parents n'aient jamais été aussi riches qu'Anne aimait à le prétendre (dans son *Journal*, elle en parle comme de « millionnaires [6] »), leur avenir paraissait assuré. La banque privée de Michael changea de siège social et choisit une adresse élégante pour faire face à ses activités croissantes, et les Frank eux-mêmes eurent besoin d'une maison plus grande : ils avaient maintenant quatre enfants.

Otto Heinrich, le père d'Anne, était le deuxième des garçons, né le 12 mai 1889. Robert était né le 7 octobre 1886, et Herbert le 13 octobre 1891. Helene, surnommée Leni, suivit le 8 septembre 1893. Fille unique, toute petite et d'apparence fragile, Leni était très protégée, en particulier par Otto, qui l'appelait affectueusement Lunni ou Lunna. En 1902, la famille emménagea dans une magnifique maison au 4 de la Jordanstrasse, dans le quartier ouest. Bien qu'elle eût été bâtie l'année précédente et qu'elle ne fût pas tape-à-l'œil, ses balcons et sa grande coupole lui donnaient un air de noble confort. De même que leurs voisins, et à peu près 80 % des Juifs allemands, les Frank appartenaient à la congrégation juive libérale et avaient des amis de confessions et d'origines diverses. Otto prétendait ne pas se souvenir « avoir jamais rencontré un antisémite dans sa jeunesse à Francfort. Il y en avait certainement, mais je n'en ai jamais rencontré aucun [7] ». Peu avant sa mort, cependant, Otto montra à un ami une photographie de ses camarades de jeux, enfants, et admit qu'ils étaient « tous devenus nazis [8] ».

Dans sa jeunesse, écrit Anne, son père avait « mené une vraie vie de gosse de riches, toutes les semaines des soirées, des bals, des fêtes, des jolies filles, des valses, des dîners, des enfilades de pièces etc., etc. [...] Jusqu'à la guerre, nous avions encore bien des parents riches, comme Olga Spitzer à Paris et Milly Stanfield à Londres. Jacob et Hermann à Luxembourg n'avaient pas à se plaindre de manquer d'argent, eux non plus ! Papa a donc eu une éducation de première classe [...] [9]. » Une photographie des Frank en 1900 dans une élégante station thermale de la Forêt-Noire les montre tous sur leur trente et un. Michael Frank, avec ses moustaches et son chapeau melon, et Alice Frank, forte et belle, posent derrière Otto, Helene et Robert. Robert, avec son casque de boucles noires de bohémien, se tient à droite et paraît plus âgé que ses quatorze ans. Otto, onze ans, dans son élégant costume de marin et un canotier à la main, est assis au premier rang à côté de Leni. La ressemblance est marquée entre Otto et sa future fille : même visage étroit et fin, mêmes dents du haut légèrement en avant, mais il y a aussi quelque chose de Leni dans Anne adolescente : la même joliesse, avec des pommettes hautes et des yeux vifs enfoncés. À voir une photo de Leni adolescente assise sur les épaules d'Otto, on ne peut s'empêcher de se demander jusqu'où serait allée cette ressemblance.

Otto fit sa scolarité au Lessing Gymnasium et reçut l'*Abitur* (certificat de fin d'études) avec les honneurs. Il avait une vraie passion pour les arts, l'archéologie, l'Antiquité grecque et romaine, mais il savait que lui et ses frères seraient finalement appelés à travailler dans la banque. Pourtant, Michael Frank ne poussa pas systématiquement ses fils dans cette direction ; il investit dans un commerce d'objets d'art à Francfort, et fit de Robert (qui poursuivait alors des études d'histoire de l'art) son directeur adjoint. Peut-être inspiré par l'intelligence qu'avait son père des inclinations de Robert, Otto s'inscrivit en 1908 à un cours d'histoire de l'art à l'université de Heidelberg. Là, il se lia d'amitié avec Nathan Straus, arrivé depuis peu de l'université américaine de Princeton [10]. Cette relation devait être l'une des plus importantes de la vie d'Otto et persistera tout au long des deux guerres mondiales et après. Straus était le fils de Nathan Straus Sr., le patron de Macy, à New York. D'après l'historien de la famille, Nathan Jr. était « très batailleur, comme son père... capable de grands gestes mais d'humeur changeante [11] ». L'un de ces grands gestes fut d'offrir à Otto un poste chez Macy, qu'Otto accepta, quittant Heidelberg au bout d'un trimestre seulement.

Otto s'éprit de l'exubérance de New York, de son rythme et de son étourdissante activité. New York *était* le siècle nouveau, et, en travaillant dans le plus vaste et le meilleur de ses grands magasins, Otto en apprit long sur la vie des affaires modernes. En septembre 1909, cependant, il apprit la mort de son père [12] et rentra aussitôt au pays.

C'est Alice, la veuve de Michael, qui hérita de la banque, mais c'est largement Otto qui la dirigea. Un an plus tard, il prit un poste administratif à plein temps dans une entreprise de génie métallique, à Dusseldorf. Il y travaillait encore, s'acquittant de ses obligations dans la banque familiale tout en effectuant de fréquents séjours à New York, lorsque éclata la Première Guerre mondiale [13].

Cent mille Juifs servirent dans l'armée allemande au cours de la Première Guerre mondiale. Otto, Robert et Herbert Frank furent tous trois mobilisés. Otto rejoignit les rangs de l'artillerie en tant que responsable de la télémétrie affecté à l'infanterie. La majorité des hommes de son unité étaient des géomètres et des mathématiciens. En août 1915, Otto suivit une formation dans un dépôt de Mayence ; il écrivit aux siens une lettre enthousiaste, convaincu que l'Allemagne allait triompher : « J'ai regagné ma paillasse à onze heures. Dix-neuf hommes dans une chambre pour huit ! Aujourd'hui, on nous a indiqué nos unités et distribué nos vêtements. Après quoi il y a eu le grand ménage. J'ai dû laver les carreaux et astiquer mes bottes, etc. Je suis ravi d'être arrivé là, car apparemment c'était le dernier convoi ici ; tout le reste a été annulé. Beaucoup se sont portés volontaires pour participer à la victoire eux aussi [14]. »

Un an plus tard était lancée l'offensive de la Somme. À l'issue de la campagne, la Grande-Bretagne avait perdu 400 000 hommes, la France 200 000 et l'Allemagne 450 000. Otto Frank, qui y participa, en réchappa. Une poignée des lettres qu'il envoya du front occidental a survécu [15]. Otto y mentionne rarement ses expériences de soldat. Sans nul doute désirait-il épargner à la destinataire de ses lettres – sa petite sœur – les aspects lugubres de sa vie quotidienne. On y voit plutôt Otto prodiguer ses conseils à Leni pour l'aider à faire face à ses problèmes de croissance, à son intérêt pour les garçons et à ses relations un peu moins harmonieuses avec leur frère aîné, Robert. Il est tentant de faire la comparaison avec les relations futures entre Otto et Anne. À maintes reprises, dans ses lettres, il évoque l'importance de la communication au sein des familles et, préfigurant les années de clandestinité où il essaierait d'être la voix de la raison, il essaie de résoudre les querelles entre Leni et Robert en lui expliquant : « J'aime à jouer les médiateurs si ça peut aider à dissiper les malentendus... J'ai aussi le sentiment que les mères, les frères et les sœurs sont les seules personnes dignes de foi. Tout au moins dans les familles juives comme la nôtre [16]. »

Son allusion à la religion ne manque pas d'intérêt car, tout au long de la guerre, Otto eut le sentiment très fort de se battre pour son pays, sans qu'on sente la moindre dichotomie entre ses attaches allemandes et juives. Dans une lettre de 1917, il attend avec impatience la victoire de l'Allemagne : « Je salive en lisant la presse, espérant que les Russes vont alimenter la pleine puissance de l'Allemagne ! La Russie ne tiendra pas un hiver de plus, et je reste donc optimiste [17]. » Après coup, il s'en expliqua ainsi : « Né en Allemagne, issu d'une famille assimilée qui vivait dans ce pays depuis des siècles, je me sentais profondément allemand [18]. » Et dans une autre lettre : « Je ne saurais prétendre que je ne me sentais aucunement juif à l'époque. Mais d'une certaine manière j'étais très délibérément allemand. Sans quoi jamais je ne serais devenu officier au cours de la Première Guerre mondiale ni ne me serais battu pour l'Allemagne. Mais par la suite, nous le savons, cela ne fit guère de différence aux yeux de nos persécuteurs [19]. »

En février 1917, les Allemands se replièrent sur la ligne Hindenburg, et le chef de l'unité d'Otto, en qui celui-ci saluait un « homme digne et éclairé, qui commandait son unité avec un sens infaillible de l'équité [20] », proposa de le nommer officier.

Sa promotion fut acceptée, et des photographies de cette époque le montrent préparant des manœuvres sur une grande planche ou assis à son bureau. Vers la fin de 1917, son unité se dirigea sur Cambrai. Ils étaient là le 20 novembre au matin, lorsque trois cent vingt et un chars britanniques surgirent inopinément des brumes matinales pour s'attaquer à la ligne Hindenburg. L'unité d'Otto fut la première unité de télémétrie à avoir affaire à des chars. En 1918, sa participation à une courageuse opération de reconnaissance lui valut d'être promu au grade de lieutenant. Il fut alors affecté sur le front, au secteur lourdement défendu de Saint-Quentin. Dans son *Journal*, Anne Frank parle souvent des nerfs fragiles de son père, sans doute une conséquence de son passage sous les drapeaux, mais rien n'indique qu'il ait jamais été grièvement blessé. De ce point de vue, il eut une chance extraordinaire : lorsque la guerre prit fin, le 11 novembre 1918, Otto et ses frères comptèrent parmi les rares à rentrer physiquement indemnes.

Si les Frank n'avaient eu aucun mort à déplorer au cours de la guerre, leur fortune s'était envolée. Tandis que sa fille et elle s'étaient portées infirmières volontaires dans un hôpital de la Croix-Rouge, Alice avait été mal inspirée en souscrivant aux emprunts de guerre qui, avec l'inflation, se soldèrent par la ruine de la banque familiale. Même l'association formée après la guerre par Otto, Herbert et le mari de Leni, Erich Elias, ne put la relancer. Le seul moyen possible de sauver leurs affaires était apparemment l'expansion à l'étranger, et en 1923, sous le nom de « Michael Frank & Sons », Otto ouvrit une succursale à Amsterdam au 604 du Keisersgracht.

Deux hommes rejoignirent la banque hollandaise dans sa première année : Jacques Heuskin, de Luxembourg, et Johannes Kleiman. Né en 1896 à Koog aan de Zaan, Kleiman devait jouer au cours des années à venir un rôle capital dans la vie d'Otto. Miep Gies, qui par la suite prit tout autant d'importance, le présente ainsi : « D'âge moyen, il semblait de constitution fragile. Il avait d'épaisses lunettes, un teint pâle, le nez pincé et un regard très doux. C'était un être silencieux, dont la personnalité inspirait immédiatement des sentiments de confiance et d'amitié [21]. » Kleiman et Otto s'entendirent aussitôt, même si leur amitié ne devait commencer pour de bon que dix ans plus tard. Malgré les efforts de toutes les personnes concernées, la succursale « Michael Frank & Sons » d'Amsterdam fut mise en liquidation en 1924.

Otto fut le dernier de ses frères et sœur à se marier. Leni avait été la première en épousant Erich Elias à Francfort, le 16 février 1921. Le couple habitait chez la mère de Leni, dans la maison de la Jordanstrasse, où ils eurent leur premier fils, Stephan. Robert était marié depuis juillet 1922 à Charlotte Witt. Que Charlotte ne fût pas juive était sans importance aucune pour la famille Frank. Ainsi qu'Otto le confia à un ami, « mon frère aîné à épousé une goy. Aucun des deux n'est pratiquant, mais ma belle-sœur a quand même proposé de se faire juive, ce que mon frère n'a pas cru nécessaire, d'autant plus qu'ils n'avaient pas d'enfants [22] ». Herbert était parvenu à s'extirper d'une désastreuse liaison de trois ans avec une Américaine du nom d'Hortense Schott. Quant à Otto, il semble avoir eu au moins une histoire sérieuse avant son mariage (on trouve dans le *Journal* d'Anne des allusions obliques à cette histoire d'amour pendant ou peu après la Grande Guerre), mais en 1924 toutes les liaisons romantiques appartenaient au passé, et il se mit à courtiser la fille d'un homme d'affaires d'Aix-la-Chapelle, Edith Hollander.

Edith était la dernière des quatre enfants d'un riche industriel. Son arrière-grand-père, Levy Elkan, s'était marié deux fois, et il y avait des enfants des deux mariages [23]. Le grand-père d'Edith, Carl Benjamin Hollander (connu sous le nom de Benjamin) était né du second mariage : c'est lui qui avait bâti la fortune des Hollander en recyclant les résidus métalliques et en ouvrant diverses usines métallurgiques. Le père d'Edith, Abraham, était né le 27 octobre 1860 à Eschweiler, ville située à la lisière des monts Eifel. On ne sait pas grand-chose des huit frères et sœurs d'Abraham, si ce n'est que la plupart émigrèrent aux Pays-Bas, en Amérique, en Espagne ou en Russie. C'est de Karl et d'Emmanuel, respectivement de cinq et d'un an plus âgés que lui, qu'il était le plus proche, et c'est à lui que revint la charge de diriger les affaires paternelles puisque

Emmanuel, à en croire une source familiale, « s'adonnait à la boisson et au jeu et dépensait son argent avec les femmes. Il fut proscrit en Amérique – une forme de bannissement en ce temps-là [24] ». Il épousa une Irlandaise et mourut sans enfant à New York, tandis que Karl tomba au champ d'honneur le 28 décembre 1915.

Abraham était apparemment plus stable que son frère Emanuel. Il dirigea les affaires de son père tout en se consacrant à sa famille. Son épouse, Rosa Stern, était née le 25 décembre 1866 à Langenschwalbach : leur premier enfant, Julius, vit le jour le 11 décembre 1894 alors qu'ils habitaient Eschweiler. Ils s'installèrent par la suite à Aix-la-Chapelle, où ils achetèrent ou louèrent une maison au 1, Pastorplatz. Ils eurent un deuxième fils, Walter, en 1897, puis une fille, Bettina, en 1898. Edith, la petite dernière, était née le 16 janvier 1900. Dans ce quartier bourgeois, elle coula une enfance paisible, n'était un incident : la mort soudaine, des suites d'une crise d'appendicite, de sa sœur aînée Betti en 1914. Par la suite, Edith ne devait jamais revenir sur cet épisode, préférant évoquer avec ses amis et en famille le bonheur de sa jeunesse et se rappeler en particulier la compagnie de ses frères et les somptueuses réceptions que donnaient ses parents, accueillant parfois jusqu'à deux cents personnes.

Edith était plutôt quelconque et assez forte, mais son physique ingrat était compensé par sa chaleur, ses yeux séduisants et une imposante chevelure couleur sable qu'elle porta rassemblée en chignon, suivant la mode de l'époque, jusqu'à trente ans passés. Plutôt farouche, mais gracieuse et douée d'un bon naturel. Edith avait vingt-quatre ans lorsqu'elle rencontra son futur mari. Comment au juste ils se connurent, nous n'en savons rien, si ce n'est que ce fut par le truchement de la banque des Frank. La famille Hollander est aujourd'hui convaincue que ce fut un mariage de complaisance pour Otto qui, assure-t-il, se servit de la dot considérable d'Edith « pour éponger de vieilles dettes... Otto Frank était visiblement le chef de famille [25] ». On ne saurait affirmer avec certitude que tel fut le cas. Assurément, ce ne fut pas un ménage de tout repos, mais Otto et Edith ne manquaient pas de points communs : leurs origines, leur amour de l'art et de la nature, leur respect mutuel puis leurs enfants.

Ils se marièrent le 12 mai 1925, à la synagogue d'Aix-la-Chapelle, jour du trente-sixième anniversaire d'Otto. Les deux familles assistèrent à la cérémonie présidée par le rabbin David Schœnberger. De onze ans plus jeune que son fiancé, Edith était vraiment belle en ce jour de noces. Elle portait une élégante robe blanche à la taille basse, qui lui allait juste au-dessous du genou, et un chemisier décoré de vraies fleurs. Un long voile brodé et des chaussures blanches avec des barrettes en T complétaient son costume. Otto portait un costume sombre avec un gilet crème et une cravate assortie. Sur les photos toute la noce a pris la pose : le père et la mère d'Edith, à droite, le père mettant la main d'un geste protecteur sur l'épaule de sa femme, et Alice Frank, très élégante et fière, assise à côté d'Otto. Le jeune couple passa sa lune de miel en Italie, et diverses photographies témoignent du bonheur évident des jeunes mariés et des goûts vestimentaires très modernes d'Edith, qu'ils se prélassent sur la plage ou déambulent sous les palmiers luxuriants de San Remo.

De retour en Allemagne, ils s'installèrent chez la mère d'Otto, avec Leni, Erich et le petit Stephan. Le deuxième enfant d'Erich et Leni, Bernhardt, était né le 2 juin 1925. Stephan surnomma son turbulent petit frère Buddy, du nom d'un boxeur, et dès lors Bernhardt devint Buddy pour tout le monde, sauf pour son oncle Otto, qui l'appela toujours Berndt et sa tante Edith, qui lui donnait du Bernd [26]. L'année suivante, un troisième enfant vint s'ajouter aux deux qui habitaient déjà la maison de la Jordanstrasse.

Margot Betti vit le jour le 16 février 1926, son deuxième prénom lui venant de la sœur d'Edith. L'intérêt d'Otto pour la photographie était devenu un véritable hobby : ainsi sur ce cliché où l'on voit la mère bercer dans ses bras sa fille qui n'a que quelques heures à peine. Dorénavant, chaque étape de la vie de Margot serait dûment retracée dans de gros albums reliés cuir, à côté de ses cousins Stephan et Buddy, ses camarades de jeu de tous les instants. Edith consigna assidûment les progrès de Margot dans un « Livre de Bébé », notant les cadeaux reçus

35

pour la naissance (« une pièce d'or et une voiture d'enfant [27] »), signalant qu'elle se réveillait tous les jours à six heures du matin ou qu'elle fut sage comme une image un jour de mai 1926 où elle se rendit avec elle à Aix-la-Chapelle en train-couchette. Ses premiers joujoux (« un singe blanc et un nounours [28] ») sont indiqués, de même que sa première dent, son premier costume de plage et sa première sortie. Margot fut un bébé chétif, qui ne prit du poids et de la force que lentement, et qui réagit mal aux vaccins ; des mois plus tard, note Edith, « l'enfant montra du doigt la cicatrice en disant " ouille [29] " ».

À l'âge où elle commença à trottiner, Margot était de toute évidence une Hollander : elle avait hérité des yeux clairs et vifs de sa mère et de son abondante chevelure brune. Une multitude de photographies prouvent qu'elle était très photogénique, même si le Livre de Bébé indique que « Margot a peur d'être photographiée [30] ». Margot était une fillette douce et gentille, que sa timidité n'empêchait pas de jouer avec les enfants du voisinage. Les amitiés qu'elle noua dans les premières années de sa vie perdurèrent alors même que les circonstances l'éloignèrent de l'Allemagne. Dans le courant de l'automne 1927, Otto, Edith et leur fillette de dix-huit mois s'installèrent en banlieue, dans une grande maison moderne au 397, Marbachweg. Ils louèrent l'appartement spacieux occupant les deux premiers étages de la bâtisse, avec des volets à toutes les fenêtres et un toit à pignons. À l'arrière, un balcon qu'Edith emplit de pots de fleurs donnait sur les maisons et les jardins voisins. Ils avaient enfin assez de place pour installer les nombreux meubles anciens qui faisaient partie de la dot d'Edith. Un grand secrétaire français du XIXe siècle et une horloge du grand-père Ackerman, fabriquée au pays, trônaient en bonne place parmi d'autres meubles au bois foncé et bien astiqués. Otto, pour sa part, se consacra à développer sa bibliothèque déjà bien garnie.

Malgré des affaires languissantes, Otto parvint toujours à garder sa famille à flot financièrement, bien que ces années aient été leur période la plus « maigre ». Pour autant, leur vie n'avait rien de frugal : ils allaient souvent en week-end à Aix-la-Chapelle ou visitaient des sites pittoresques, quand ils n'allaient pas en vacances avec les Straus dans la luxueuse villa des cousins d'Otto, à Sils-Maria. Nathan ne travaillait plus chez Macy. Après que son oncle Isidor eut trouvé la mort dans le naufrage du *Titanic* en 1912, ce sont ses fils qui héritèrent du magasin, tandis que Nathan et ses frères reprirent la société « Abraham & Straus[31] ». De la villa des Spitzer, Nathan adressa une carte postale à Leni, la sœur d'Otto, pour lui dire que sa famille et lui « étaient très heureux ici avec Otto et Edith[32] ». Il n'y est pas question de Margot, qui souffrait alors d'une otite et qui était peut-être restée chez sa grand-mère, voire chez la domestique de ses parents, Kathi Stilgenbauer, jeune femme de vingt-cinq ans passés.

Dans le courant de l'hiver 1928, Otto et Edith firent savoir qu'ils allaient être de nouveau parents. Six mois plus tard, dans la soirée du 11 juin 1929, Edith entra en couches. Ce n'est que le lendemain matin, après un travail difficile et exténuant, que l'enfant vit le jour. Otto, qui n'avait pas quitté l'hôpital, téléphona à Kathi peu après sept heures et demie pour lui annoncer fièrement que c'était une fille et que tout était en ordre – même si les registres de l'hôpital indiquent à tort la « naissance d'un garçon[33] ». Annelies Marie Frank (par la suite connue sous le nom d'Anne) fut photographiée ce matin-là par Otto. Le cliché montre un nouveau-né au visage fripé, fermant les yeux au monde. Quelques jours plus tard, alors qu'elle fut autorisée à regagner son domicile et qu'une aide maternelle, Mme Dassing, eut été engagée, tout le monde se retrouva sur le balcon pour une série de photos. C'était un chaud après-midi d'été et toutes les fenêtres étaient grandes ouvertes ; sur le rebord, les fleurs en pot étaient resplendissantes à côté du petit groupe formé de Kathi avec Margot sur ses genoux, de Mme Dassing avec Anne, sous le regard attendri d'Edith, et de leur jeune voisine Gertrud Naumann debout à côté de deux autres fillettes. Pour sa naissance, Anne avait reçu un collier d'argent de bébé, avec un pendentif triangulaire. D'un côté était gravée une inscription en hébreu, de l'autre « Porte-bonheur, 12.6.1929, Francfort ».

À l'époque de la naissance d'Anne Frank, Francfort était devenue la scène de fréquentes agitations politiques. Les nazis commençaient à affirmer leur présence, portés par la vague de rancœur née des turbulences des années 1920. Leurs attaques de plus en plus fréquentes contre les 30 000 Juifs de la ville, la deuxième communauté juive d'Allemagne après celle de Berlin, suscitaient une angoisse considérable sur ce que réservait l'avenir au cas où ils accéderaient au pouvoir. Outre les Juifs, les nazis s'en prenaient aux Noirs, aux Tziganes, aux homosexuels, aux handicapés et aux malades mentaux. Mais Hitler réservait l'essentiel de sa haine aux Juifs, qui incarnaient à ses yeux le sous-homme. Avec l'essor du nazisme, les courants antisémites qui avaient toujours existé en Allemagne devaient se fondre en un seul torrent irrésistible.

Vingt pour cent seulement des Juifs qui vivaient en Allemagne étaient nés à l'étranger. La plupart des Juifs allemands, dont beaucoup s'étaient battus pour leur pays au cours de la Première Guerre mondiale, étaient assimilés et jouaient un rôle de premier plan dans la vie économique et culturelle du pays. Les Juifs ne représentaient qu'un pour cent de la population totale et très rares étaient ceux qui avaient accumulé le genre de fortune que leur prêtait Hitler, mais les nazis, avec leur passion de l'histoire et du mythe allemands, et leur talent pour les mêler jusqu'à les rendre indiscernables, réussirent à créer une vision apocalyptique de la domination juive. L'un de leurs tout premiers succès fut la diffusion du *Protocole des Sages de Sion*, brochure haineuse longuement discutée dans les réunions du parti nazi alors même qu'il s'agissait d'un faux. C'était le tremplin idéal pour rallier les gens au nazisme en leur faisant croire qu'on avait découvert en Russie les plans de domination mondiale des capitalistes juifs. La revue du Parti national-socialiste des travailleurs allemands (NSDAP), *Der Stürmer*, dirigée par Julius Streicher, s'y référait fréquemment et donnait des Juifs l'image de déviants sexuels et de tueurs d'enfants en des termes qui remontaient à Martin Luther : « Il est courant qu'ils attirent des non-Juifs dans leurs cérémonies afin de les tuer. À leur Pâque, en particulier, le Juif préfère tuer des petits chrétiens. Il le ligote, le poignarde et le dépèce. Il ouvre les veines de l'enfant pour en recueillir le sang. Il le mélange à du vin qu'il boit et ajoute au *Matzen* (le pain sans levain) qu'il mange [34]... » En 1930, au Nouvel An, des SS assassinèrent huit Juifs à Berlin en lançant le cri de guerre des nazis : « Mort à Judas ! » À compter de ce jour, pour les 500 000 Juifs qui vivaient en Allemagne, l'avenir allait être un cauchemar d'une horreur sans précédent.

Otto et Edith avaient une conscience aiguë de la folie qui montait en Allemagne. Kathi, leur femme de ménage, n'avait pas leur clairvoyance et c'est déroutée, plutôt qu'alarmée, qu'elle leur fit part d'un incident survenu dans le voisinage impliquant des nazis : « ... La laveuse est venue de bonne heure ce matin, hors d'elle... Elle a dit : Je n'ai pas fermé l'œil de toute la nuit. Il y a eu encore un grand vacarme dans la rue. – Et pourquoi donc ? Et elle a répondu : Les chemises brunes ont à nouveau déclenché une bagarre. » Au cours du déjeuner, ce jour-là, Kathi demanda à ses employeurs qui étaient les chemises brunes : « M. Frank s'est contenté de rire et de tourner l'incident en dérision, et même si ce n'était pas très drôle, il a essayé. Mais Mme Frank a levé les yeux de son assiette, elle a posé son regard sur nous et elle a dit : " Nous saurons bien assez tôt qui ils sont, Kathi. " Et ce n'était pas une plaisanterie, et ce n'était pas dit sur le ton de la plaisanterie [35]. »

Otto a bien pu feindre de prendre les choses à la légère : en réalité, il était visiblement inquiet de la situation politique et s'ouvrit de ses craintes à sa cousine anglaise, Milly Stanfield : « Je me souviens d'avoir parlé politique avec Otto. " Je n'aime pas ça, me dit-il. Je ne sais pas ce qui va se passer. La droite m'effraye. " Il voyait ça venir, à une époque où rares étaient les Juifs, je crois, qui se faisaient du souci [36]. »

Milly ne devait plus revoir son cousin avant la naissance d'Anne : « Mère et moi étions à Francfort pour un court séjour. Je me souviens encore parfaitement de ce jour-là. Anne était dans son berceau. Elle ne parlait pas encore, naturellement. Mais elle essayait tout le temps de s'asseoir pour nous regarder. Dès cette époque, elle portait un vif intérêt à tout ce qui l'entourait, de l'air de dire : " Je voudrais bien savoir de quoi ils parlent [37] ". »

Stephan et Buddy, les cousins d'Anne et de Margot, venaient souvent en visite, et l'on emmenait fréquemment les filles chez leur grand-mère, où les enfants jouaient ensemble. Une journée se termina par un incident dont Buddy garda le souvenir : « Mon frère et moi étions sortis avec la poussette dans laquelle se trouvait Anne. Nous nous sommes mis à courir dans la rue mais la poussette a basculé en heurtant le trottoir. Anne a été projetée par terre ! Nous n'en avons parlé à personne, naturellement, et Anne s'en est tirée sans mal [38]. » Quand Stephan imitait Charlie Chaplin, qui avait beaucoup de succès auprès d'Anne et de Margot, les risques étaient moindres.

Les deux frères d'Otto étaient très appréciés des enfants. Robert avait beaucoup d'humour, se souvient Buddy : « J'ai encore chez moi un livre qu'il avait rempli de dessins et de poèmes. Magnifique. Il était si drôle. » Herbert aussi, à en croire Buddy, était un homme « terriblement drôle, merveilleux ». La grand-mère des enfants, Alice, était aussi une femme que les enfants adoraient et que Buddy compare à « une reine, très cultivée, très paisible. Je l'aimais beaucoup. Nous étions de grands amis. Tous les dimanches matin, à sept heures, j'étais autorisé à me glisser dans son lit ; nous allumions la radio pour écouter un concert et elle me racontait une histoire de petite souris. Je m'en souviens très bien. Tous les dimanches, c'était une nouvelle souris. La souris de la cuisine, la souris de l'église et la souris des champs. C'était ma grande aventure de la semaine : grimper dans le lit de Mamy et écouter l'histoire de la souris [39] ».

Buddy n'était pas le seul à être régalé de comptines pour enfants. Otto divertissait ses filles en leur racontant les histoires de deux sœurs, la Gentille Paula et la Méchante Paula. Margot préférait clairement la Gentille Paula, mais Anne ne put jamais vraiment trancher entre les deux. Par la suite, alors que les temps étaient devenus particulièrement effrayants, Otto calmait Anne en lui racontant de nouvelles histoires des deux Paula. Dans ses *Contes de l'Annexe secrète*, Anne reproduit l'une de ces histoires en la faisant précéder d'une explication : « Il y a longtemps, quand j'étais petite, Papa aimait à me raconter les histoires de la " vilaine Paula " ; il avait toute une série d'histoires et j'en étais folle. Et de nouveau, quand je suis avec papa, la nuit, il parle parfois de Paula, et j'ai couché par écrit la toute dernière histoire [40]. » C'est le « Voyage en avion de Paula », qui se déroule pendant la Grande Guerre et qui raconte comment Paula se trouve piégée dans un aéroplane en partance pour la Russie. Lorsque l'avion se pose, elle est recueillie par un paysan et sa femme. Pendant un peu plus de deux ans, elle vit dans une ferme de Minsk et gagne sa vie en dansant dans les cafés, puis elle retourne en Allemagne. À Berlin, elle se trouve un petit ami et devient actrice dans un cabaret, où elle tombe sur son père, qui est ravi de la retrouver. Ils retournent à la maison ensemble et c'est « bras dessus, bras dessous qu'ils entrent dans la gare de Francfort ». Simple, par endroits invraisemblable, l'histoire atteignit son but, détournant Anne de sa terreur des avions qui volaient au-dessus de leur maison du Prinsengracht pour la ramener à sa première maison de Francfort, au temps où, comme Paula, elle était une « petite Allemande [41] ».

Depuis son abri, sur le balcon, la curieuse petite Anne pouvait regarder les autres maisons, les arbres, la rue et les passants. Anne était aussi affable que Margot était timide ; comme les deux Paula, elles formaient déjà le couple classique, avec la sœur aînée raisonnable et réservée quand sa petite sœur était une enfant gâtée. Margot était toujours immaculée au point que Kathi l'appelait la « petite princesse [42] », tandis qu'on pouvait s'attendre à tout avec Anne dès qu'on avait les yeux tournés. « Un matin, rapporte Schnabel, Kathi retrouva Anne assise sur le balcon sous la pluie, au beau milieu d'une flaque, gloussant de plaisir. De se faire gronder ne lui fit ni chaud ni froid. Elle ne fit même pas mine de se relever. Elle voulut que Kathi lui raconte une histoire tout de suite, et peu lui importait que Kathi n'en eût pas le temps. Elle n'avait qu'à raconter une histoire courte, répondit-elle. Elle prit Anne dans ses bras, la porta dans la chambre d'enfants et l'installa sur la table pour la changer. Au-dessus de la table de lange était suspendue une belle lampe. Elle était très grosse, et M. Frank y avait peint des animaux. C'était un véritable zoo, et Anne ne manquait jamais de la regarder. Elle avait toutes sortes d'histoires d'animaux [43]. »

C'est en mars 1931, lorsque leur propriétaire se découvrit des sympathies nazies que l'ombre croissante du nazisme toucha pour la première fois la vie de la famille Frank. On ne sait pas s'il les pria de partir ou s'ils le firent de leur propre chef. Leur nouvel appartement, au 24 de la Ganghoferstrasse, se trouvait non loin du Marbachweg, dans le quartier en plein essor connu sous le nom de Quartier des Poètes. Il était plus petit que le précédent, mais il donnait sur une cour et un grand jardin idéal pour les jeux d'enfants. Juste en face de la maison, un immense terrain vague permettait aux enfants de laisser libre cours à leur imagination; dans le voisinage, s'élevaient des collines parfaites pour les glissades les jours de neige. Cela enchantait particulièrement Margot qui avait un petit traîneau pour tirer sa sœur. Au début, Anne était trop jeune pour aller dans le jardin et jouait plutôt dans le grand bac à sable ou, par temps chaud, dans une vieille baignoire de métal emplie d'eau. Outre ceux de Marbachweg, il y avait beaucoup d'autres enfants dans le voisinage, et tous s'en donnaient alors à cœur joie.

Otto et Edith encourageaient leurs filles à s'intéresser aux diverses célébrations religieuses de leurs amis. Chez leur voisine Hilde Stab, Margot et Anne jouaient à servir la messe sous le regard amusé de leurs mères. Margot assista à la première communion de Hilde, et parmi ses trésors figurait une photo de Hilde prise à cette occasion et sous laquelle elle avait écrit : « En souvenir du plus beau jour de Hilde [44]. » Quant à leur propre religion, elle était la source d'une discussion ouverte ; les enfants pouvaient poser n'importe quelle question et en attendre une réponse mûrement réfléchie. Otto et Edith n'attachaient pas la même importance au judaïsme, mais pour l'un comme pour l'autre il restait plutôt marginal. Progressiste, Otto accordait une importance considérable à l'éducation de ses filles. En grandissant, Margot et Anne commencèrent à puiser de plus en plus largement dans sa bibliothèque. Mais, alors que Margot était encline à garder pour elle ses pensées et ses opinions, Anne révéla un tempérament opposé sitôt qu'elle eut appris à parler : tout ce qui lui passait par la tête ressortait aussi par sa bouche ! Un jour, chez son amie Gertrud Naumann, elle laissa tout le monde sans voix en fixant le père de Gertrud du haut de ses trois ans et en déclarant : « Ça alors, tu as les mêmes yeux qu'un chat [45] ! »

L'appartement de la Ganghoferstrasse fit leur affaire pendant un an et demi, mais le déclin de la banque familiale se solda par une nouvelle diminution de revenu. La Grande Crise, la fermeture de la succursale hollandaise, l'arrestation – à tort – de Herbert pour une affaire de fraude et la fermeture *sine die* de la Bourse de Francfort dans le courant de l'été 1931 sont autant de facteurs qui en avaient précipité la chute. L'affaire fut alors dirigée depuis un siège social plus modeste, partagé avec une autre société, probablement sur la Boersenplatz, d'où Otto écrivit à un ami ou à un parent [46] : « Les affaires vont mal. Impossible de regarder droit devant quand rien ne marche droit. » Et de terminer sa lettre sur ces mots : « Seuls les enfants paraissent s'amuser, comme sans doute vos enfants à vous [47]. » L'appartement de la Ganghoferstrasse finit par devenir au-dessus de leurs moyens. À la fin du mois de 1932, Otto donna leur préavis : en mars 1933, ils s'installèrent de nouveau chez sa mère.

La vie continuait en gros comme à l'ordinaire, ponctuée de visites d'amis et de familiers ou de sorties. L'intérêt d'Edith pour la mode s'étendait à ses filles, et souvent elle les emmenait au centre-ville pour faire du lèche-vitrine, choisissant un jour un manteau blanc pelucheux pour Anne, le lendemain une paire de chaussures de marque pour Margot. Ces expéditions comportaient inévitablement une escale dans l'un des cafés de la Hauptwache, où Edith retrouvait des amis et régalait ses filles d'une tarte et d'un café. Quand son travail le lui permettait, Otto les accompagnait. Des photos témoignent d'une sortie de ce genre, en mars 1933, sur la Hauptwache. En rentrant chez eux à travers les rues froides, ni Otto ni Edith ne purement manquer de remarquer une nouvelle forme pernicieuse de graffitis : les slogans antisémites badigeonnés à la peinture blanche sur les vitrines des magasins dont les propriétaires étaient juifs.

Il existe aujourd'hui à Francfort une école « Anne Frank », avec une plaque apposée sur le mur au 24 de la Ganghoferstrasse.

En 1957, alors qu'Ernst Schnabel était posté devant la maison, un vieux locataire le regarda attentivement :

« Je refermai mon carnet de notes et nous nous sommes dévisagés.

– Vous habitez ici ? demandai-je.

– Non, mais tout près.

– Et depuis longtemps ?

– Oui, mais je ne l'ai pas connue. Il inclina la tête de côté. Il y a beaucoup trop d'enfants dans le quartier, vous comprenez.

Il montra du doigt un trottoir voisin où jouaient une bande de petits écoliers.

– Je n'ai cessé d'y penser depuis que j'en ai entendu parler, reprit-il. Mais il y a toujours eu tellement d'enfants [48]... »

En janvier 1933, les nazis devinrent le parti majoritaire au Reichstag et le 23 mars de la même année, prétextant l'incendie du Reichstag le mois précédent (imputé à un jeune communiste hollandais), Hitler s'empara du pouvoir absolu et entreprit de pourchasser les opposants politiques. L'un des hommes arrêtés reçut cent coups de fouet parce qu'il était communiste *et* juif. Hitler annonça le « début d'une ère nouvelle dans l'histoire de l'Allemagne ».

C'est en partie le flegme avec lequel ses connaissances accueillirent la nouvelle de l'accession de Hitler à la chancellerie qui poussa Otto Frank à décider de quitter son pays natal : « Le 30 janvier, rapporte-t-il, nous étions chez des amis. Nous étions attablés et écoutions la radio. On apprit d'abord que Hitler était devenu chancelier. Puis vint un reportage sur le défilé aux flambeaux des Sections d'assaut à Berlin, et nous entendîmes les cris et les vivats, et le reporter ajouta que Hindenburg se tenait à la fenêtre, les saluant d'un geste de la main. Pour finir, Hitler prononça son discours sur le thème de " Donnez-moi quatre ans ". De joyeuse humeur, notre hôte demanda : "Et pourquoi ne pas attendre et voir ce dont l'homme est capable ? Laissons-lui une chance ! " Je ne sus que répondre, et ma femme resta clouée sur place, comme pétrifiée [49]. »

À l'instar de maintes familles juives, les Frank vivaient aussi normalement que possible dans un pays qui ne leur reconnaissait plus la qualité de citoyens. Qu'Otto ait servi dans l'armée allemande ne voulait plus rien dire maintenant. Dans le centre de Francfort, après les élections au conseil municipal que les nazis remportèrent haut la main, une manifestation se déroula sur les marches de l'Hôtel de Ville. Brandissant la svastika et levant le bras pour faire le salut hitlérien, des nazis en uniforme hurlaient « *Juden raus ! Juden raus !* ». Le drapeau blanc, rouge et noir du Parti fut déployé sur l'édifice. Les troupes continuèrent à scander des slogans antisémites, bientôt rejointes par des sympathisants. Otto et Edith surent alors que l'heure avait sonné pour eux de partir, avant qu'il ne fût trop tard. Un nouveau décret proclamant que les enfants juifs étaient indésirables dans les écoles fréquentées par des non-Juifs les confirma dans leur décision. Anne avait été inscrite dans une maternelle qu'elle devait rejoindre en septembre 1933, mais comme elle était juive cette inscription était désormais nulle et non avenue. Quant à Margot, il lui faudrait quitter l'école Ludwig-Richter, où elle se plaisait bien, pour une autre. Leurs parents trouvèrent cette dernière mesure trop révoltante pour continuer à faire comme si de rien n'était. « On ne saurait élever les enfants comme des chevaux avec des œillères, songea Otto, dans l'ignorance du paysage social qui s'étend hors de leur petit groupe [50]. » Et d'ajouter par ailleurs : « Le monde autour de moi s'effondrait. Lorsque la plupart des habitants de mon pays se transformèrent en hordes de criminels nationalistes, cruels et antisémites, il me fallut regarder les conséquences en face, et bien que cela me fît affreusement mal je compris que l'Allemagne n'était pas le monde et partis pour toujours [51]. »

D'autres membres de sa famille avaient déjà quitté l'Allemagne. Dans le courant de l'été 1929, Erich Elias, le beau-frère d'Otto, avait été invité à ouvrir une succursale suisse d'Opekta (dont il était membre fondateur) – filiale de la société franc-fortoise Pomosin-Werke, qui produisait une substance utilisée dans la préparation des confitures, la pectine. Erich accepta l'offre, s'installa à Bâle, où Leni et Buddy le rejoignirent en 1930, et Stephan en 1931. Buddy n'en fut pas ému outre mesure : « Je trouvais ça très bien. C'était une aventure, quelque part ailleurs. Je suis tout de suite entré au jardin d'enfants à Bâle. Je tirais les queues de cheval des petites filles. Je me souviens m'être fait gronder pour ça [52]. » Les Elias passèrent plusieurs mois dans une pension avant de louer un appartement.

Le frère cadet d'Otto, Herbert, avait émigré en France après son arrestation en avril 1932 pour infraction à la loi sur les échanges de titres à l'étranger. On l'accusait d'avoir accepté des valeurs étrangères et de les avoir vendues avec profit à diverses banques. Il fut libéré le 14 mai et son procès fixé au mois d'octobre 1933. Bien que, prétextant d'un « préjudice matériel et moral [53] », il ait refusé de comparaître devant la cour, il bénéficia d'un non-lieu. Mais Herbert ne se remit jamais tout à fait du coup même s'il eut la chance d'échapper à une amende. « Il a toujours été très indépendant, se souvient Buddy. C'était le mouton noir de la famille. Il aimait la vie et il a toujours couru les filles ; même à soixante-dix et quatre-vingts ans passés, il était toujours à courir après les filles [54] ! » Eva Schloss, dont la mère épousa Otto Frank après la Seconde Guerre mondiale, devait employer la même formule au sujet d'Herbert : « C'était un joyeux luron. Il était très vif et n'a jamais vraiment travaillé. C'était en quelque sorte le mouton noir de la famille. Très chaleureux... mais il n'a jamais su *faire face* [55]. » Herbert se créa de nouvelles racines à Paris, où il avait de la famille.

C'est en 1933 que Robert, le frère aîné d'Otto, et sa femme Lotti quittèrent Francfort et embarquèrent pour l'Angleterre. « Robert était si drôle, se souvient Buddy, et il est devenu *si British*, du moins conforme à l'idée qu'il s'en faisait. Quand il est allé en Angleterre, il s'est aussitôt acheté un chapeau melon et un parapluie. Et sa femme Lotti, une Allemande elle aussi, elle est devenue également *British* jusqu'au bout des ongles. Tous deux se défirent complètement de leur accent et se mirent à parler anglais à la perfection. Ils se plaisaient là-bas [56]. » Robert et Lotti s'installèrent au 39, Roland Gardens, à South Kensington, et se livrèrent avec succès au commerce d'objets d'art à St James Street. « Voyez-vous, ajoute Buddy, si vous allez aujourd'hui à la Tate Gallery, vous y verrez deux merveilleuses peintures de John Martin léguées par Mme Robert Frank. John Martin était tombé dans l'oubli à cette époque, c'est Robert qui l'a redécouvert et a collectionné ses œuvres [57]. » Ces toiles étaient autrefois accrochées chez les Frank. Une fois de plus, Eva Schloss fait écho à Buddy : « Robert était aux antipodes de Herbert. C'était un gentleman d'allure très distingué, très précis, très exact. Il aurait pu être anglais. Un Anglais d'avant-guerre ! Et à St James, il fraya avec tous les membres des clubs... Lotti devint une femme très réservée ; quand je lui téléphonais, j'avais toujours l'estomac noué parce qu'il ne fallait pas parler trop fort. Attention à la politesse ! Mais elle était très gentille [58]. »

En Allemagne, la banque des Frank périclita progressivement et dut cesser toute activité en janvier 1934. Lorsque Erich suggéra qu'Otto ouvrît une succursale hollandaise d'Opekta, Otto étudia cette proposition à la lumière de la situation en Allemagne, de sa connaissance des Pays-Bas et des amitiés qu'il y avait nouées, mais aussi de l'attitude des Hollandais à l'égard des réfugiés, plus compréhensive que dans la plupart des autres pays. À l'origine, Otto devait prendre la direction de la succursale de Pomosin à Utrecht, mais des problèmes surgirent avec le directeur général, et il s'installa donc à Amsterdam. Erich, alors directeur d'Opekta-Suisse, lui apporta un appui financier sous la forme d'un prêt sans intérêt de 15 000 florins remboursable sur dix ans. Otto acquit le droit de se prévaloir d'Opekta, à charge pour lui d'acheter exclusivement la pectine à la maison mère de Cologne et de reverser 2,5 % de ses profits à Pomosin. Quant au prêt, il pourrait le rembourser à sa convenance en cédant ses parts d'Opekta-Amsterdam.

Les amis des enfants se bousculèrent pour arracher la promesse qu'Anne et Margot maintiendraient le contact. Un peu plus âgée que les autres, Gertrud se souvient qu'Otto semblait avoir perdu son entrain habituel : « M. Frank ne parlait jamais de ce qui le tracassait. Mais [...] on voyait bien comment ça le tracassait et le travaillait au fond de lui [59]. » Otto partit en juin 1933 pour trouver un pied-à-terre convenable, tandis qu'Edith et les enfants s'installèrent dans sa famille, à Aix-la-Chapelle. Alice Frank ferma la maison de la Jordanstrasse et émigra à Bâle. Une photo prise à son arrivée à la gare de Bâle la montre avec sa fille, son gendre et ses petits-fils, tous souriant sous le soleil d'octobre.

Les Frank comptèrent parmi les 63 000 Juifs qui quittèrent l'Allemagne en 1933, année charnière pour Hitler et ses partisans. 150 000 « opposants politiques » furent internés à des fins de « rééducation » et 10 000 militants du mouvement ouvrier placés en état d'arrestation. Chaque ménage reçut un drapeau nazi, qui devait être toujours placé bien en vue. Les SA et les SS infiltrèrent la police allemande, usant de la violence et de la propagande pour imposer un nouveau système de terreur. Hitler marchanda la loyauté de juges triés sur le volet qui acceptèrent les nouvelles lois discriminatoires, donnant ainsi à la Gestapo, aux SS et aux SA un pouvoir sans partage sur la société allemande.

Entre le 1er et le 3 avril, les magasins qui appartenaient à des Juifs furent boycottés et saccagés. Ceux qui avaient le moindre lien avec la confession juive furent chassés de leur travail, indépendamment de leurs capacités et de leur ancienneté à leur poste. De nouvelles lois interdirent l'enseignement et l'administration aux Juifs et aux opposants politiques. Les Juifs perdirent aussi leurs titres universitaires ; le contingent d'étudiants juifs mais aussi d'étudiantes de toutes origines fut réduit au minimum. Des manuels nazis célébrant l'ultranationalisme et assimilant les Juifs à des monstres remplacèrent les livres scolaires habituels. L'un des plus largement utilisés fut *Le Champignon vénéneux*, qui expliquait aux enfants que, « de même qu'un seul champignon vénéneux peut tuer une famille entière, un Juif solitaire peut détruire un village entier, toute une ville, tout un peuple [60] ». À la récréation, on encourageait les enfants à jouer au tout dernier jeu de société à la mode, *Les Juifs dehors!* Formées en 1926 pour les « Aryens » âgés de dix à quatorze ans, les Jeunesses hitlériennes continuèrent à recruter. L'adhésion finit par devenir obligatoire (en 1939), tandis que tous les autres mouvements de jeunesse étaient proscrits.

Le 10 mai 1933, tous les syndicats furent liquidés pour faire place nette au Front allemand du travail, auquel chaque salarié fut invité à adhérer. À Berlin, les livres de Juifs, d'homosexuels, de communistes et d'autres auteurs « interdits » furent déchirés page par page et jetés dans d'immenses bûchers. Les artistes qui ne voulaient pas représenter l'idéal aryen perdirent la possibilité d'acheter du matériel. Les artistes juifs furent exclus des expositions de l'Académie et interdits de travail. Et, le 25 juillet 1933, le groupe antisémite des « Chrétiens allemands » obtint la majorité aux élections de l'Église évangélique.

Quatre mois auparavant, Heinrich Himmler, chef de la police provisoire de Munich, fit une déclaration présageant des horreurs à venir. Les installations d'une usine de poudre à canon désaffectée près de Munich étaient désormais prêtes à servir. Dans une zone lugubre que l'on avait entourée d'une haute clôture de barbelés et de miradors, le camp de concentration de Dachau accueillit ses premières victimes.

Peu après leur arrivée à Aix-la-Chapelle, Kathi reçut une carte. Elle reconnut tout de suite la belle écriture d'Edith et, à juste raison, devina la main d'Anne dans le gribouillis au crayon. Gertrud trouva aussi dans sa boîte une lettre d'Edith écrite au nom d'Anne et de Margot, avec ce post-scriptum : « Anne me fait penser à toi par sa passion des bébés. À chaque landau, elle ne peut s'empêcher de jeter un coup d'œil. Si on la laissait faire, elle prendrait par la main le premier marmot venu [61]. »

Par-delà la frontière, aux Pays-Bas, Otto était devenu un homme d'affaires entreprenant et était déjà intervenu à la Bourse de Rotterdam pour le compte d'Opekta. Il avait trouvé un appartement au deuxième étage d'un immeuble au 24, Stadionkade, à vingt minutes d'Amsterdam. Les bureaux d'Opekta se trouvaient au 120-126, Nieuwe Zijds Voorburgwal, un grand immeuble aussitôt reconnaissable avec sa moderne et inhabituelle façade de verre. À l'intérieur, la société disposait de deux pièces et d'une kitchenette. Une pièce servait essentiellement de bureau à Otto, l'autre, très encombrée, de salle d'expédition. Dans la cuisine, les fruits s'entassaient sous les tables de travail. Le personnel se composait de plusieurs représentants efficaces, qui sillonnaient le pays pour promouvoir et vendre les tout derniers produits.

L'une de ses employées de bureau étant en congé de longue maladie, Otto embaucha Hermine Santrouschitz, une élégante femme de vingt-cinq ans d'origine autrichienne. Elle était née à Vienne le 15 février 1909. En raison de la pénurie alimentaire qui avait sévi à Vienne au lendemain de la Grande Guerre, elle avait souffert de sous-alimentation : une organisation caritative l'envoya pour trois mois dans une famille hollandaise, où elle recevrait une nourriture saine et se referait une santé avant de rentrer au pays.

Arrivée aux Pays-Bas en décembre 1920, Hermine s'installa dans sa famille nourricière de Leyde, qui lui donna le surnom hollandais de « Miep ». Son séjour se prolongea indéfiniment et, en 1922, elle s'installa avec sa famille dans le quartier de la Nieuwe Amsterdam-Zuid. Elle rendit visite à ses parents à Vienne en 1925 et en 1931, mais choisit de rester définitivement au sein de sa famille adoptive, parce qu'elle était « aujourd'hui une jeune et robuste Hollandaise [62] ». Chez Opekta, Miep apprit à faire de la confiture avant de rejoindre le bureau des « Réclamations et renseignements ». Elle devait aussi taper à la machine et tenir les livres de comptes, et elle continua à s'acquitter de ces tâches lorsque la dactylo qu'elle remplaçait reprit son travail. Otto lui plut d'instinct : « Je perçus immédiatement sa gentillesse sous son attitude un peu timide et inquiète. [...] Il portait une moustache et son sourire révélait des dents inégales [63]. »

Victor Gustav Kugler faisait office de contremaître. Miep le décrit comme « un homme de forte corpulence, aux cheveux noirs, l'air aimable et méticuleux. Il ne plaisantait jamais, [il était] toujours poli, presque cérémonieux [...], il aimait que les choses fussent faites comme il l'entendait [64] ». Malgré ses manières un peu rébarbatives, Kugler était à la fois franc et foncièrement bon. Né en 1900 à Hohenelbe, en Autriche, il avait dix-sept ans quand il fut appelé à rejoindre la marine impériale ; un an plus tard, alors qu'il servait dans l'Adriatique, il fut blessé et renvoyé chez lui. Après quelques mois de convalescence, il séjourna deux ans en Allemagne, où il travailla comme électricien – un métier qu'il avait appris dans la marine. En septembre 1920, il émigra à Utrecht où il travailla pour la société qu'Otto aurait dû rejoindre. Chargé de superviser la succursale amstellodamoise d'Opekta, il connut des difficultés et dut abandonner ses fonctions pour travailler sous la houlette d'Otto. Il habitait à Hilversum avec sa femme.

Otto se sentait affreusement seul sans les siens et consacrait tous ses moments de liberté à leur chercher un toit convenable. Sa recherche le conduisait à Nieuwe Amsterdam-Zuid, où il finit par dénicher l'appartement idéal. Edith et Margot prirent le train pour les Pays-Bas le 5 décembre 1933. Anne demeura à Aix-la-Chapelle, chez sa grand-mère qu'elle adorait, jusqu'en février 1934, date à laquelle, comme elle l'écrivit plus tard, on l'a « mise sur la table, parmi les cadeaux d'anniversaire de Margot [65] ». Elle n'avait pas tout à fait cinq ans. « Les deux enfants sont très drôles, écrivit Edith à une amie. Anne est une vraie petite comédienne [66]. »

2.

« Au Merry [1], aux amies, à l'école, aux amuse-
ments, à tout cela je pense comme si une autre que
moi l'avait vécu... »
Journaux d'Anne Frank, 8 novembre 1943.

Au début des années 1930, de plus en plus de Juifs fuyant le
nazisme s'installèrent aux Pays-Bas. Le gouvernement de coalition hollandais n'avait pas de véritable politique d'immigra-
tion, excepté l'exigence que les arrivants puissent prouver
qu'ils étaient en mesure de subvenir à leurs besoins. Ce soudain afflux engendra des frictions parmi les Juifs qui vivaient
déjà aux Pays-Bas (environ 113 000 en 1930) et espéraient garder de bonnes relations avec les non-Juifs. En 1933, le ministre
de la Justice réclama une nouvelle législation sur les demandeurs d'asile. Celle-ci resta lettre morte, mais des camps
d'accueil pour « étrangers » furent créés et le flot diminua.

De nombreux réfugiés étaient attirés par les quartiers en
plein essor d'Amsterdam-Zuid. La famille Frank loua un
appartement au 37, Merwedeplein, dans ce que l'on appelait
« le Quartier de la rivière ». Leur nouvel appartement était
spacieux; il y avait une grande pièce à l'étage, qu'ils sous-
louèrent à divers locataires. Ils avaient apporté tous leurs
meubles de Francfort, et le secrétaire préféré d'Edith se trouvait entre les deux fenêtres, au salon, en compagnie de l'hor-

loge du grand-père dans un autre angle, de même que deux belles sculptures modernes et quelques pièces de cristal. À l'arrière de l'appartement, un grand balcon en pierre surplombait les jardins et donnait sur les maisons de la rue parallèle. Les immeubles étaient alignés et uniformes ; cinq étages d'appartements en sombres briques marron avec de larges fenêtres qui remontaient jusqu'aux toits en rangées régulières. Des cages d'escaliers et des corridors étroits donnaient sur des rues inhabituellement larges, construites autour de places verdoyantes. Il émanait de ce quartier une impression de modernité et d'énergie. Du côté est coulait l'Amstel avec ses péniches peintes et aménagées, et le canal Jozef Israelskade à trois bras séparait le Vieux Sud du Nouveau. Dans la Waalstraat, qui traversait Merwedeplein, il y avait des boulangeries, des boucheries et des cafés, et l'odeur de petits pains chauds flottait dans l'air. Les *pickle-shops*, dont les enseignes vantaient « les meilleurs pickles * d'Amsterdam », étaient toujours bien achalandés.

Les Frank se sentirent immédiatement à l'aise dans leur nouvel environnement. Margot fut inscrite dans une école élémentaire de la Jekerstraat, en face de Merwedeplein. Elle se fit quelques bonnes amies et se montra une élève douée. Anne rejoignit le jardin d'enfants Montessori près de Niersstraat. La méthode Montessori accorde plus de liberté aux enfants en classe, en les encourageant à se parler pendant qu'ils travaillent. Edith et Otto avaient tout spécialement choisi cette école, car ils savaient qu'Anne ne tenait pas en place bien longtemps et qu'elle aimait bavarder. Le matin, lorsqu'elle se rendait à l'école, Anne était souvent accompagnée par son instituteur, M. Van Gelder, qui avait remarqué combien elle était volubile : « Elle me racontait parfois des histoires, ou des poèmes qu'elle avait composés avec son père lorsqu'ils sortaient flâner. C'était toujours des histoires très amusantes. Elle me parlait beaucoup de son père, et très peu de sa sœur ou de sa mère... elle n'était pas un prodige. Elle était agréable, saine, peut-être un peu fragile, même si je crois que ce n'est apparu que plus tard. Elle n'était certainement pas une enfant extra-

---

* Saumure et marinade en tous genres. *(N.d.T.)*

ordinaire, pas même en avance sur son âge. Peut-être devrais-je plutôt dire que, sur bien des points, elle était très mature alors que d'un autre côté, par d'autres aspects, elle était très puérile. L'association de ces deux caractéristiques la rendait très séduisante. Un tel mélange est riche de potentialités, après tout [2]. »

Les meilleures amies d'Anne, Hanneli Goslar et Sanne Ledermann, fréquentaient également l'école Montessori, « et quand on nous voyait ensemble, écrivit Anne dans son *Journal*, on disait toujours voilà Anne, Hanne et Sanne [3] ». Sanne était la seconde fille de Franz et Ilse Ledermann, de Berlin. La famille avait d'abord envisagé d'émigrer en Palestine, mais Franz fut déçu par un voyage qu'il y fit et ainsi arrivèrent-ils à Amsterdam, dans le Quartier de la rivière, peu après les Frank. Ils habitaient au 37, Noorder Amstellaan. Hanneli était également de Berlin et sa famille émigra à Amsterdam en 1933, où ils s'installèrent dans l'appartement à l'angle non loin des Frank, au 31, Merwedeplein. Hanneli (Lies) et Anne devinrent immédiatement bonnes amies. La maman de Lies s'était montrée très inquiète pour le premier jour d'école de sa fille. Lies se souvient : « Ma mère me conduisit à l'école. Je ne savais pas encore parler hollandais et ma mère était très inquiète de savoir comment cela se passerait, comment je réagirais. Mais lorsque je rentrai, il y avait Anne sur le pas de la porte, en train de sonner les cloches. Elle se retourna et je me précipitai dans ses bras, et ma mère put rentrer à la maison rassurée. J'avais surmonté ma timidité et oublié ma mère au même instant [4] ! »

Parmi les enfants du voisinage, certains jeux et divertissements étaient très en vogue. Les albums de poésie faisaient fureur : les amies écrivaient les unes sur les autres des vers sentimentaux, et elles décoraient leurs strophes d'images d'animaux et de fleurs. Durant les vacances et les week-ends, chacune avait l'habitude d'appeler l'autre devant chez elle en sifflotant un air convenu. À son grand regret, Anne ne savait pas siffler. C'est pourquoi elle chantait à la place – cinq notes ascendantes, cinq notes descendantes – de sorte que c'est son appel à elle qui était le plus connu dans le voisinage. La marelle, la roue et les équilibres sur les mains étaient des jeux très prisés. Anne était, comme elle le reconnaissait elle-même, mauvaise à tous, mais s'y joignait avec insouciance. Lorsque son amie Toosje chercha à la consoler en lui faisant valoir qu'elle était plus petite et plus jeune que toutes les autres, Anne ne fut pas d'accord : « Ce n'est pas une raison pour être incapable de tenir en équilibre sur les mains [5]. » Après une partie de marelle particulièrement tumultueuse, Lies se souvient qu'Anne et elle arrivèrent à la maison « au moment précis où la radio rapportait qu'il y avait eu quelque part un tremblement de terre. Nous en avons beaucoup ri [6] ». Les photographies d'Anne au début des années 1930 la montrent habituellement en train de jouer dans le bac à sable, sautillant ou encore dessinant avec de la craie sur le trottoir. Edith écrivit à une amie : « Margot est heureuse à l'école et Anne aime son jardin d'enfants [7]. »

Otto, Margot et Anne eurent tôt fait d'apprendre le néerlandais. Edith éprouva plus de difficultés, mais elle persévéra avec l'aide de quelques amis. Elle rencontra Miep dans les bureaux d'Opekta en 1934, et leur amitié se renforça au fil des ans, malgré le caractère naturellement réservé d'Edith. Dans son autobiographie, Miep écrit : « Mme Frank me salua d'une façon qui révélait ses origines à la fois fortunées et raffinées, avec une simplicité pleine de retenue. [...] Mme Frank avait le mal du pays, beaucoup plus que son mari. Très souvent, dans la conversation, elle fit allusion avec mélancolie à leur vie à Francfort, soulignant la saveur de certaines friandises, la qualité des vêtements allemands. [...] Mme Frank aimait à évoquer le passé, à raconter son enfance heureuse à Aix-la-Chapelle, son mariage avec M. Frank en 1925, puis leur vie à Francfort [8]. » Les appréhensions d'Edith quant à sa nouvelle vie étaient partagées par des milliers de réfugiés, la plupart allemands, qui habitaient dans la région. Pour les Juifs plus pieux, la transition était doublement difficile, car au début des années 1930 ils ne disposaient pas de lieu de culte à proximité et, par conséquent, il n'y avait pas de véritable centre de la communauté. Les dirigeants religieux juifs résolurent ce problème au milieu de la décennie en entreprenant la construction d'une synagogue dans le quartier.

L'été 1934, les Frank firent une visite à Aix-la-Chapelle, et profitèrent de la proximité de la mer aux Pays-Bas pour passer des journées à Zandvoort, une plage populaire près de Haarlem. La secrétaire francfortoise d'Otto, Mme Schneider, les accompagna en l'une de ces occasions, et une photographie les montre tous en train de manger des glaces, entourés par le capharnaüm habituel des vacanciers. Le 12 juin, Anne fêta son cinquième anniversaire à la maison. L'une des invitées était Juliane Duke, âgée de trois ans, dont la famille habitait l'appartement au-dessus de celui des Frank. Elle était trop petite pour se souvenir de la fête, si ce n'est que « chaque invité apportait un cadeau et en recevait un en échange. Moi, j'ai apporté un petit service à thé en fer-blanc [9] ». Elle aimait le Quartier de la rivière : « Les relations avec les Frank et d'autres voisins se nouèrent facilement, car beaucoup des habitants étaient liés par un passé commun : la langue allemande, le traumatisme du rejet de leur patrie, et l'incertitude de l'avenir [10]. » Dans l'après-midi, la maman de Juliane prenait le café avec Edith Frank.

Juliane aimait beaucoup ces visites : « J'avais droit à l'une des tartines au fromage blanc saupoudrée de chocolat de Mme Frank et je pouvais jouer avec Anne. Je me souviendrai toujours de son énergie et de son rire. Souvent, elle me boutonnait mon manteau, me serrait dans ses bras, me prenait par la main... L'hiver, quand il y avait de la neige, Anne me faisait faire le tour de notre rue en fer à cheval sur un petit traîneau de bois. Je me souviens comment je me cramponnais, et de nos rires lorsque nous passions sur une bosse. Quand le temps était meilleur, nous jouions dans le petit parc au centre de Merwedeplein. D'autres fois, je restais assise sur les marches devant l'appartement et je regardais Anne et ses amies jouer à leurs jeux sur le trottoir... Tous les matins, depuis la fenêtre de notre salon, je regardais la rue et je disais au revoir à mon père... Peu après son départ, je pouvais faire signe à Anne et à Margot qui attendaient leurs amies pour aller à l'école avec elles. Un jour, mon rêve devint réalité. Je fus invitée à passer la journée au jardin d'enfants Montessori. Anne était très fière de la grande salle inondée de soleil ; sur les bords des fenêtres, il y avait des fleurs rouges dans des pots en terre. Elle était à l'aise au milieu de la ruche d'enfants au travail [...] et, comme tous les membres de sa famille, c'était une personne très sociable [11]. »

Juliane et sa famille quittèrent les Pays-Bas pour l'Amérique avant le début de la guerre, et le jour de leur départ, Anne sortit pour regarder comment on chargeait le camion de déménagement. Juliane se souvient : « Anne me demanda de venir sur le trottoir regarder toutes nos affaires passer par la fenêtre du séjour. Tout était treuillé dans la rue à l'aide d'un câble métallique, parce que l'escalier qui menait à notre appartement était très étroit. Soudain, Anne pointa la fenêtre du doigt et éclata de rire. L'objet de son amusement était mon petit pot de chambre laqué blanc qui descendait tout doucement jusqu'à la rue. J'étais terriblement gênée. J'aurais voulu m'enfuir et me cacher [12]. » La mère de Juliane et Edith Frank s'écrivirent régulièrement jusqu'en 1938 : « Ma mère m'a raconté qu'elle terminait toujours ses lettres par la requête " Venez en Amérique ! " Mme Frank écrivit qu'elle voulait émigrer, mais M. Frank ne voyait pas la nécessité de quitter la Hollande. Il croyait en la bonté foncière de l'homme, plutôt que de ne voir que la face sombre et irrationnelle de la nature humaine [13]. »

En 1934, les choses allaient bien pour Otto. Les affaires étaient assez bonnes pour justifier des locaux plus grands, et Opekta s'installa au 400 du Singel, dans un immeuble à pignon donnant sur le marché aux fleurs. Avec circonspection, Otto écrivit à son oncle Armand Geiershofer à Luxembourg : « Même si mes revenus sont encore limités, il faut déjà s'estimer heureux d'avoir trouvé un moyen de se nourrir et d'aller de l'avant [14]. » Il trouvait pourtant le travail fatigant et s'en ouvrit dans une lettre à Gertrud Naumann : « Je voyage pour ainsi dire toute la journée et ne rentre que le soir. Ce n'est pas comme à Francfort où l'on mange chez soi à midi – et où on peut aussi se reposer un peu. De toute la journée, pas de répit [15]... »

En Allemagne, dans la soirée du 30 juin 1934, Ernst Röhm, Erich Klausener et le prêtre Bernhard Stempfle furent abattus, en même temps que deux cents membres des SA (*Sturm Abtei-*

lung) nazis. Hitler annonça que ces meurtres représentaient « une affaire de sécurité nationale [16] ». La vérité est qu'il avait organisé les assassinats parce qu'il redoutait que les SA ne contestent son autorité. Il dénonça publiquement les clauses du traité de Versailles en mars 1935, rendit la conscription obligatoire en Allemagne pour tous les hommes non juifs en exigeant de tout soldat un serment de fidélité. La Grande-Bretagne et la France, dans une nervosité croissante, signèrent avec la Russie un traité d'assistance mutuelle. L'Allemagne commença à réarmer et, dans un souci d'équilibre, la Grande-Bretagne consentit à un traité naval autorisant l'Allemagne à posséder autant de sous-marins que la marine britannique et une flotte égale au tiers de la sienne. Cette action mit fin au traité d'assistance mutuelle et répandit sur l'Europe une atmosphère d'insécurité et de méfiance.

Lors du congrès du NSDAP à Nuremberg, le 15 septembre 1935, le Reichstag vota deux nouvelles lois. Destinées à protéger « le sang et l'honneur allemands [17] », elles définissaient la citoyenneté allemande par « le sang et l'ascendance allemande [18] ». D'après la loi, les Juifs ne pouvaient plus se dire allemands, servir sous les drapeaux, employer de femme allemande âgée de moins de quarante-cinq ans, ni se marier ou avoir des relations sexuelles avec des Aryens [19]. En octobre, les cinémas appartenant à des Juifs furent vendus de force à des Aryens et les producteurs juifs furent interdits d'exercer leur profession. Lorsque le bruit se répandit de brutalités envers les Juifs dans les camps d'internement allemands, plus de 50 000 Juifs quittèrent le pays.

Le 26 mars 1935, Edith envoya un mot mélancolique à Gertrud à Francfort : « ... Soyez assurés que nous espérons vous revoir. Mais pour l'instant, nous ne voulons pas faire de projets. Margot et Anne parlent souvent de vous [20]. » Margot ajouta brièvement : « Chère Gertrud ! J'espère que vous allez bien, moi oui. Je suis vraiment triste de ne plus vous voir. Je me plais beaucoup à l'école. Salutations, Margot et Anne [21]. »

Comme Edith en informa Kathi Stilgenbauer, le travail à l'école n'allait pas tout à fait de soi pour Anne : « Anne n'est pas aussi sérieuse que Margot et n'aime pas trop approfondir les choses [22]... » Quelques mois plus tard, elle écrivit encore : « Anne lutte pour apprendre ses leçons. Margot fait grand cas de l'école [23]... » Comme pour donner tort à sa mère, Anne a rapidement écrit au revers de la lettre : « Hello, Anne [24]. » Dans une autre lettre à Kathi, Edith écrit : « Notre grande fille, Margot, travaille très dur à l'école et elle songe déjà à aller au collège. La petite Anne est un peu moins appliquée, mais très drôle... spirituelle et amusante. Les enfants sont toujours en train de jouer dans la rue [25]. » Une photographie d'Anne à l'école Montessori, en été 1935, la montre assise au fond de la classe, minuscule figure en blanc. La salle de classe est grande et aérée, pleine d'enfants en train de lire de grands chiffres sur un tableau noir. Otto devait faire lui-même la comparaison entre ses deux filles :

« Anne était toujours joyeuse, toujours très aimée des garçons et des filles... une enfant normale, pleine d'entrain qui avait besoin de beaucoup de tendresse et d'attention, qui nous enchantait et fréquemment nous excédait. Il suffisait qu'elle rentre dans une pièce pour que l'agitation règne... Margot était brillante. Tout le monde l'admirait. Elle s'entendait avec tout le monde... Mais Anne, on ne voyait pas son talent. Elle rédigeait toujours de bons devoirs à l'école et parfois elle nous lisait ce qu'elle avait écrit : de petites histoires... Elle était exubérante – et difficile [26]. »

Pour fortifier la santé des enfants, les vacances étaient partagées entre la plage près d'Amsterdam et la villa des Spitzer à Sils-Maria. Margot souffrait de brûlures d'estomac et tombait facilement malade, tandis qu'Anne avait le cœur faible et était sujette à des fièvres rhumatismales. Ses bras et ses jambes avaient aussi tendance à se déboîter, ce qui était une grande source d'amusement pour Anne elle-même qui trouvait très drôle de faire craquer ses épaules devant ses amies horrifiées. Otto expliquait : « Anne n'était pas une enfant robuste. Il y a eu un moment, lorsqu'elle a grandi très vite, où elle devait se reposer tous les après-midi à cause de ses problèmes de santé. Elle n'était autorisée à pratiquer aucun sport difficile, mais elle prenait des leçons de gymnastique rythmique qu'elle aimait vraiment. Par la suite, elle apprit à faire du patin à glace avec beaucoup d'enthousiasme. Elle était très irritée lorsque fut promulguée en 1941-1942 une loi qui interdisait aux Juifs le patin à glace. Bien entendu, elle avait une bicyclette, comme tout un chacun aux Pays-Bas, mais elle ne s'en servait que pour aller à l'école, pas aux alentours. Elle préférait rester en ville plutôt que de sortir dans la campagne, et les excursions que nous faisions en dehors d'Amsterdam ne l'intéressaient pas du tout. Ce qu'elle aimait, c'était aller à la plage, où elle pouvait jouer avec d'autres enfants [27]. » L'air marin lui fit du bien et Edith écrivit à des amis allemands : « Durant les vacances scolaires, je suis allée au bord de la mer avec les enfants... Anne apprend à nager avec grand plaisir. Sa santé est bien meilleure cette année [28]. » L'amélioration était considérable car Anne gagna deux médailles pour ses prouesses dans les piscines d'Amsterdam.

Dans son *Journal*, Anne évoque cette époque comme appartenant à « la vie ordinaire ». Malgré les troubles en Allemagne et ailleurs, Anne et Margot pouvaient encore à ce moment-là vivre leur enfance à Amsterdam. Alice, Herbert et Stephan venaient de temps en temps, et on faisait de fréquentes visites en Suisse où les Elias avaient loué un appartement de quatre pièces. À Amsterdam, les Frank étaient devenus bons amis avec les Goslar. Le père de Lies, Hans Goslar, avait été patron de presse en Allemagne et ministre délégué à l'Intérieur du cabinet prussien à Berlin avant les nazis. La mère de Lies, Ruth Judith Klee, était enseignante et la fille de l'un des avocats les plus éminents de Berlin. Ils émigrèrent en Grande-Bretagne, mais Hans fut incapable d'y trouver un emploi décent et, en 1933, ils vinrent s'installer aux Pays-Bas, où Hans s'établit dans les affaires avec le père de Sanne, un juriste qui venait en aide aux demandeurs d'asile en difficulté financière.

Les Goslar étaient profondément religieux et Hans avait été l'un des membres fondateurs du mouvement allemand prosioniste, le Mizrachi. Jusqu'à l'âge de douze ans, Lies alla manger chez les Frank à Yom Kippour, laissant ses parents jeûner et se rendre à la synagogue avec Edith et Margot, tandis qu'Otto et Anne préparaient le repas du soir. Les Frank avaient l'habitude de partager le repas du sabbat des Goslar le vendredi, et ils célébraient aussi ensemble la Pâque. Lies se souvient : « Mme Frank était un peu religieuse et Margot se dirigeait dans cette voie elle aussi. Margot disait toujours qu'après la guerre, si elle pouvait choisir, elle voulait être infirmière en Palestine [29]. » Edith était très liée à la communauté juive libérale, et elle lisait souvent à ses filles des passages de la Bible pour les enfants de Martin Buber, mais l'assiduité d'Otto à la synagogue était sporadique. Des deux filles, c'est Margot qui était très nettement la plus intéressée par la religion. Les Frank célébraient Noël, ce que ne faisaient pas les parents de Lies, même s'ils lui permettaient de participer à la fête de l'école et à la célébration chez les Frank. Pour le Nouvel An, les Frank se rendaient chez les Goslar, à moins que ce ne fût l'inverse. Le vendredi après-midi et le dimanche matin, Lies étudiait l'hébreu. Margot également prit des leçons, mais Anne préférait passer le dimanche avec son père, à son bureau. Lies la rejoignait l'après-midi et elles jouaient alors aux secrétaires, se passant des coups de fil avec les téléphones du bureau et trouvant toujours une polissonnerie à faire. Leur jeu préféré, surtout à Merwedeplein, consistait à jeter des seaux d'eau froide sur les passants. Lies n'allait pas à l'école le samedi, car c'était le sabbat, mais elle se rendait à la synagogue le matin, avec une fille qui était dans la classe d'Anne. Anne était jalouse de cette amitié ; c'est de cette « amie du sabbat » qu'elle parle dans son *Journal* en date du 27 novembre 1943 : « J'étais trop puérile pour comprendre ses problèmes. Elle était attachée à son amie, et c'était comme si je voulais la lui prendre [30]. » En dehors de ce seul cas, Anne et Lies sont toujours restées très proches jusqu'à leur adolescence.

Au-dessus de son lit, sur Merwedeplein, Anne avait épinglé une photographie de l'un des hôtels où elle avait séjourné avec la famille de Lies (la même image sera accrochée plus tard au-dessus de son lit dans l'Annexe secrète). Elles avaient surnommé l'hôtel – une chaumière noir et blanc près de la mer du Nord – « la maison de la tomate », à cause de son menu strictement végétarien. Lies se souvient de ces vacances parce que c'est la première fois qu'elles virent un palais de glaces déformantes dans une fête foraine, et regardèrent fabriquer des tire-lires en forme de cochon ; chacune en reçut une. Il y avait eu aussi un soir d'orage, où les parents de Lies étaient sortis, et Anne avait réclamé ses propres parents et sa sœur [31]. Anne taquinait souvent Margot et était parfois jalouse d'elle, mais Lies et elle l'admiraient et lui enviaient ses « lunettes d'adulte qui la rendaient plus jolie et lui donnaient un air intelligent. Margot était brillante, obéissante et sérieuse. Elle était bonne en mathématiques et dans toutes les autres matières [32] ». Les Frank étaient une famille unie, mais Lies se rendait compte qu'« Anne était un peu gâtée, surtout par son père. Anne était la fille à son papa ; Margot ressemblait plus à sa mère. C'est une bonne chose qu'il n'y ait eu que deux enfants [33] ».

Lorsqu'on demande à Lies de décrire Anne, tout ce qu'elle peut honnêtement dire c'est que, « ... du temps de notre enfance, elle était vraiment une jeune fille de son âge comme les autres, sauf que son développement fut bien plus rapide et *(plus tard)* son écriture très mature [34] ». Elle se souvient combien Anne adorait les petits secrets, et qu'elle aimait « bavarder. Et elle collectionnait les images des stars de cinéma... Moi je ne me suis jamais beaucoup intéressée à cela. Mais nous collectionnions toutes les deux des photographies des enfants des familles royales des Pays-Bas et d'Angleterre. Nous nous les échangions. Et puis elle a commencé à écrire. Elle était toujours partante pour faire une farce. Elle était entêtée. Elle était très jolie... Elle aimait se donner des airs importants, ce qui n'est pas un défaut. Je me souviens que ma mère, qui l'aimait beaucoup, avait l'habitude de dire " Dieu sait tout, mais Anne sait tout encore mieux [35] " ». Lies et Anne étaient inséparables. Elles se confiaient leurs secrets, se taquinaient, avaient le même dentiste sur la Jan Luykenstraat, s'appelaient en sifflotant et, à plusieurs reprises en 1936, se repassèrent leurs maladies. La pire fut la rougeole. Lies tomba malade le 6 décembre, Anne le 10 décembre. Elles se parlaient tous les jours au téléphone mais ne furent pas autorisées à se revoir avant d'être complètement rétablies. Le 18 décembre, Anne se sentit suffisamment bien pour écrire une brève lettre à sa grand-mère en Suisse : « Chère mémé, tous mes vœux pour ton anniversaire. Comment vont Stéphane et Bernd? Remercie tante Leni pour les jolis gants de ski. As-tu reçu de jolis cadeaux? Réponds-moi s'il te plaît. Bise, Anne [36]. » À Noël, elle était rétablie, mais le surnom qu'on lui avait donné pendant sa maladie lui est resté : « la Tendre ».

En mars 1936, les troupes de Hitler pénétrèrent en Rhénanie et y établirent des fortifications. À la fin du mois furent annoncés les résultats des élections allemandes. Hitler obtint 99 % des voix. En août, les Jeux olympiques se tinrent à Berlin et les nazis cédèrent sans vergogne à leur goût de la mise en scène. En septembre fut instaurée une taxe de 25 % sur tous les avoirs juifs. Durant les deux années écoulées, 69 000 Juifs avaient quitté l'Allemagne. De son côté, la Palestine avait accueilli 11 596 réfugiés juifs émigrés de Pologne.

En 1936 éclata la guerre civile en Espagne. La France et l'Angleterre étaient déterminées à garder leurs distances, mais autorisèrent les volontaires à se battre aux côtés des républicains. Mussolini et Hitler apportèrent leur aide au camp nationaliste, en lui fournissant des armes et des hommes. La guerre dura jusqu'en 1939, lorsque Madrid se rendit aux rebelles nationalistes, portant ainsi leur chef, le général Franco, à la tête du gouvernement. Pour le parti nazi, la guerre avait représenté une chance inestimable de tester des avions et des tactiques inédites. Militairement renforcés, ils avaient aussi conclu des alliances : en 1936, Hitler et Mussolini créèrent l'axe Rome-Berlin et Hitler signa avec le Japon le pacte contre le Komintern.

La filiale hollandaise d'Opekta marchait bien. Otto ou Miep rédigèrent des annonces publicitaires pour la pectine, qui furent publiées dans des magazines féminins : « Confitures et gelées en 10 minutes... Faites vos propres confitures avec Opekta. Succès garanti [37]. » Otto lança dans le commerce un matériel complet pour faire des confitures, un journal d'Opekta, un film promotionnel et un camion publicitaire. Les compagnies rivales talonnaient Otto, mais il emprunta des fonds à son oncle Armand Geiershofer, et les affaires continuèrent à prospérer.

Otto avait remarqué la relation qui s'était nouée entre Miep et un Hollandais âgé de trente-quatre ans, Jan Gies. Un soir, il les invita à dîner à Merwedeplein. Jan aussi habitait le Quartier de la rivière ; comme Miep, il n'était pas juif, mais il était aussi écœuré qu'elle par les événements qui se déroulaient en Allemagne. Il travaillait pour les services sociaux. À en croire Miep, il la faisait penser à son patron, car ils avaient « la même stature, la même silhouette élancée, mais Jan était un peu plus grand [...]. Les cheveux de M. Frank étaient bruns et clairsemés. Ils avaient aussi le même genre de caractère : c'étaient des hommes de principes, peu bavards, avec un sens aigu de l'humour [38] ». La soirée chez les Frank se passa agréablement. L'appartement était accueillant et Miep fut frappée par une esquisse au fusain qui représentait une chatte avec ses petits : « Les Frank adoraient les chats [39]. » Elle remarqua aussi « que partout se manifestaient les signes de la présence d'enfants : dessins, jouets, etc. [40] ». Les enfants arrivèrent en courant de leur chambre. Margot, alors âgée de dix ans, était une enfant calme et jolie. Elle avait la même coiffure que sa sœur et portait des vêtements similaires, mais elle paraissait plus soigneuse qu'Anne, alors âgée de sept ans, qui était loquace et sûre d'elle. Toute l'énergie et la verve d'Anne semblaient concentrées dans ses yeux, des « yeux gris-vert pétillants, pointillés de vert ». Toutes deux étaient très bien élevées. Miep nota leur solide appétit et releva que, « à la fin du repas, [les enfants] dirent bonsoir et regagnèrent leur chambre pour faire leurs devoirs. Au moment où elle quittait la pièce, je remarquai les jambes maigrelettes d'Anne, ses petits pieds chaussés de ballerines et de socquettes blanches qui lui retombaient sur les chevilles d'une façon à la fois attendrissante et comique [41] ».

Lorsqu'elle retourna à l'école, à l'automne 1937, Anne connut son premier « petit ami », Sally Kimmel. Il habitait le Quartier de la rivière et, avec son cousin, ils étaient dans la même classe qu'Anne. Sept ans plus tard, Anne se souvint de lui dans son *Journal* : « Il n'avait plus son père, qui était divorcé je crois, et il vivait avec sa mère chez la sœur de celle-ci. Un de ses cousins s'appelait Appy et ces deux-là étaient très souvent ensemble et très souvent habillés pareils. Appy était un beau garçon svelte aux cheveux bruns et Sally un bon petit gros aux cheveux blonds, débordant d'humour. Mais je n'étais pas attirée par la beauté et j'ai aimé Sally de tout mon cœur des années durant. Pendant un temps, nous étions souvent ensemble, mais en général, il ne répondait pas à mon amour [42]. » Kimmel survécut à la guerre et émigra en Israël. Dans son souvenir, il voit Anne très petite fille, aimée de tous et sensible, mais pas une élève à part. « Nous allions souvent l'un chez l'autre, se souvient-il. Ils avaient apporté beaucoup de belles choses d'Allemagne et il régnait une certaine opulence. C'était un foyer cultivé, avec des livres et de la musique [43]. » Les deux amis se perdirent de vue en 1941, lorsque la loi les força à changer d'école.

Le cercle des amis d'Anne comptait maintenant un certain nombre de garçons. Lies s'amusait de son côté flirteur et de sa façon de boucler et de s'enrouler les cheveux autour des doigts : « Les garçons l'aimaient beaucoup. Et elle aimait beaucoup que les garçons fassent attention à elle... D'ailleurs, tout le monde l'aimait, et elle était toujours le centre d'intérêt de nos fêtes. Elle était aussi le centre d'attention à l'école [44]. » Ses impressions ont été confirmées par Otto, qui voyait sa fille devenir « une véritable enfant à problème. La langue bien pendue et aimant les jolis habits [45] ».

Les relations entre les membres directs des familles Frank et Hollander restaient très étroites malgré l'éloignement géographique. Il y avait toujours des cartes d'anniversaire et de petits mots, bien que Buddy ne se souvienne pas avoir alors vu poindre le talent d'Anne pour l'écriture : « L'idée qu'elle savait *écrire* ne m'avait pas effleuré ! Je veux dire que j'avais vu ses lettres et tout ça, mais il n'y avait rien de spécial dans ses lettres. C'était stupéfiant de voir cela après coup. Bien entendu, c'est dans l'annexe secrète que cela s'est fait... Je ne me serais jamais imaginé que cette jeune fille si vive qui nous rendait visite pendant les vacances développerait cette profondeur durant ses deux années d'exil [46]. » Margot était « la sérieuse, toujours en train de lire des livres et de faire des mots croisés... Elle était différente d'Anne. J'avais très peu de contact avec Margot. Ce n'est pas que je ne l'aimais pas, je

65

l'aimais beaucoup, mais elle n'était pas drôle, elle était très calme [47] ».

Buddy attendait impatiemment les visites de sa cousine en Suisse car Anne et lui étaient très bons amis. « Quand j'étais petit, je l'adorais, c'était une tellement chic fille – toujours prête à plaisanter et à jouer. Nous avions l'habitude de nous déguiser et de jouer les stars de cinéma. Anne avait un sens très développé de l'honnêteté et de la justice. Lorsque nous nous déguisions et mettions nos scènes au point, elle ne prenait jamais les meilleurs costumes. Elle me les laissait, et plus j'avais l'air drôle, plus elle était contente [48]. » Il se souvient d'un autre aspect de la personnalité d'Anne qui n'apparut que durant la période où elle se cachait : « À l'époque, Anne n'aimait pas la nature. Pas au début, non. Elle n'était jamais partante pour faire des promenades ou des choses de ce genre. C'était une fille de la ville. Elle aimait le bord de mer, aller nager, elle aimait aller à la plage, mais elle n'aimait pas la nature. Jusqu'au jour où elle a dû se cacher – ça l'a changée... l'arbre dans le jardin, et le ciel [49]. [...] Anne avait le cœur sur la main, poursuit-il, elle n'a jamais bien su dissimuler ses sentiments. Margot était toujours douce et agréable mais, je dois le reconnaître, je préférais Anne [50]. »

En 1937, Otto se rendit pour la dernière fois en Allemagne avant que la guerre n'éclate. Il fut profondément affecté de voir à quoi ressemblait maintenant son pays. Alors qu'il était avec Gertrud, il dit calmement : « Maintenant, s'ils nous voyaient ensemble, ils nous arrêteraient [51]. » Vers la fin de l'année, Edith écrivit de nouveau à Gertrud et son humeur était sombre : « Mon mari n'est pour ainsi dire jamais à la maison. Le travail devient de plus en plus dur [52]... »

Après l'occupation de la Rhénanie par Hitler, la tension gagna les Pays-Bas ; personne n'écartait plus la menace d'une invasion, bien que le ministère allemand des Affaires étrangères continuât à assurer les Néerlandais que leur neutralité n'était pas en cause. En Allemagne même, la Gestapo, désormais la police suprême du pays, fit interner 365 enfants noirs pour les stériliser. Tout Juif devait porter sur lui sa carte d'identité et avoir la lettre « J » tamponnée sur son passeport. Les Juifs devaient faire précéder leur nom de « Sara » pour les femmes et de « Israël » pour les hommes. 3 601 Juifs allemands émigrèrent vers la Palestine en 1937, en même temps que 3 636 Juifs polonais. En tout, 25 000 Juifs quittèrent l'Allemagne durant l'année 1937. Le pays était noyé sous la propagande. Au carnaval de Nuremberg, en 1938, l'un des chars montrait des hommes en uniforme des camps de concentration brandissant une pancarte « À Dachau ! », et un moulin à vent où l'on avait pendu des mannequins de Juifs fut promené à travers les rues. Les magazines résolument antisémites inondaient le marché. *Der Stürmer* proclama : « Les Juifs sont notre malheur [53]. »

Le 12 mars 1938, Vienne fut envahie par les troupes allemandes et l'Autriche annexée au Reich. La conséquence immédiate pour les Juifs autrichiens fut qu'on les força à nettoyer les rues et les toilettes sous les quolibets des Jeunesses hitlériennes. La répression s'accentua : les Juifs furent interdits de fréquenter les bains publics, les parcs, les cafés et les restaurants, ils perdirent le droit d'exercer leur profession et durent livrer tous les biens qu'ils possédaient. Pendant les deux premiers mois de l'occupation de l'Autriche, 500 Juifs se suicidèrent.

L'assassinat d'Ernst von Rath, le troisième secrétaire de l'ambassade d'Allemagne à Paris, par un jeune étudiant juif polonais désespéré, fut mis à profit pour lancer des « manifestations spontanées » dans toute l'Allemagne [54]. Les 9 et 10 novembre 1938, 700 commerces juifs furent saccagés, 191 synagogues brûlées, 91 Juifs tués et 30 000 Juifs déportés vers les camps de concentration de Buchenwald, Dachau et Sachsenhausen. La synagogue d'Aix-la-Chapelle, où Otto et Edith s'étaient mariés en 1925, fut brûlée, et son rabbin, David Schoenberger, arrêté avec la majeure partie des fidèles. Les Schoenberger échappèrent aux autres tortures, essentiellement parce que la femme du rabbin était de nationalité étrangère. Ils s'enfuirent vers l'Amérique *via* le Luxembourg, Paris et l'Angleterre. Les autres fidèles furent déportés. À Berlin, 8 000 Juifs furent expulsés de leurs domiciles. Les rouleaux de la Torah et les livres sacrés furent brûlés dans d'immenses autodafés en plein milieu des quartiers juifs. Vingt pour cent des avoirs juifs furent confisqués et ceux qui possédaient encore des commerces furent expropriés. Une amende d'un milliard de marks fut imposée aux Juifs d'Allemagne. Les « manifestations spontanées » restèrent dans l'histoire sous le nom de « Kristallnacht » (Nuit de cristal), après qu'on eut estimé que la quantité de verre brisé dans des magasins appartenant à des Juifs équivalait à la moitié de la production annuelle de verre importée de Belgique. La nouvelle du dernier pogrom fit le tour du monde et le boycott des biens allemands s'organisa, mais cela ne suffit pas à décourager les nazis. Les commerces juifs furent vendus à des détaillants aryens, et l'on interdit aux Juifs d'accéder à la plupart des emplois publics. Ceux qui désobéissaient risquaient l'internement dans un camp de prisonniers ou, dans certains cas, la mort.

La panique régnait en Allemagne, parce que les gens cherchaient à partir rapidement, tout en sachant que de nombreux pays refusaient les réfugiés. 250 000 Juifs avaient déjà émigré vers d'autres pays à ce moment-là, certains jusqu'à Shanghai. En décembre 1938, des milliers d'enfants juifs arrivèrent en Grande-Bretagne, sans savoir quand, ou seulement si, ils reverraient leurs familles un jour.

En 1938, Miep et Jan parlaient souvent de politique pendant le dîner chez les Frank, à Amsterdam. Ils partageaient tous la même répugnance à l'égard du parti nazi. Le passeport autrichien de Miep avait été confisqué et remplacé par un passeport allemand. Otto parlait avec réserve des événements, estimant que le pays traversait une période de folie mais recouvrerait la raison avant qu'il ne soit longtemps. Edith contestait ouvertement la théorie de son mari et avait une vision plus pessimiste des choses. Mais toutes les conversations politiques cessaient aussitôt qu'Anne et Margot entraient. Elles semblaient grandir très rapidement. Miep remarqua qu'Anne avait « les joues roses, elle parlait avec animation, d'une voix rapide et haut perché. Margot devenait chaque jour plus jolie, à l'approche de l'adolescence. Plus introvertie que sa sœur, elle restait silencieuse, le dos droit, les mains jointes sur ses genoux ». Margot était une « élève brillante [55] ». Anne aussi étudiait bien et elle devenait en outre « une enfant très sociable [56] ». Miep admirait l'apparence soignée des deux jeunes filles : « Elles portaient de petites robes imprimées, souvent ornées de col de dentelle blanche, fraîchement amidonnées et repassées. Leurs cheveux noirs étaient toujours propres, brillants et bien coiffés [57]. » Après le dîner, Anne et Margot retournaient dans leur chambre pour finir leurs devoirs, avant qu'Otto ne les rejoignît pour leur raconter la rituelle histoire du soir. « Anne en était ravie », se souvient Miep [58].

Les années s'écoulaient rapidement, avec beaucoup de voyages autour d'Amsterdam pour la famille Frank, et des visites de proches qui étaient impatients de les voir. En mars, les Frank firent le *Viermerentocht*, le tour des lacs [59] ; puis ils retournèrent saluer Milly, la cousine d'Otto, qui était en ville. « J'ai passé quelques jours dans une chambre près de chez eux à Amsterdam, se souvient-elle. Anne est venue me chercher pour le petit déjeuner. Elle était absolument délicieuse. Puis, avec Otto et les deux filles, nous sommes sortis nous promener. Je me rappelle que je ne pouvais pas parler avec les filles. Elles n'étaient pas autorisées à dire un mot d'allemand dans la rue. Otto et moi parlions l'anglais. Les enfants parlaient néerlandais [60]. » Milly n'explique pas pourquoi les enfants n'avaient pas le droit de parler allemand, mais c'est la dernière fois qu'elle les vit.

Après les vacances d'été, Otto se mit en peine de trouver un moyen pour compenser la baisse saisonnière des affaires. Il créa une nouvelle compagnie, Pectacon, répertoriée dans l'annuaire téléphonique d'Amsterdam comme commerce « d'herbes médicinales en gros et fabricant de sel et d'épices diverses [61] ». Pectacon fut officialisée en novembre. Otto en assura la direction et nomma son vieil ami Johannes Kleiman directeur de la fabrication et comptable, aussi bien de Pectacon que d'Opekta. Les matières premières étaient importées de Hongrie et de Belgique et les produits exportés vers ces mêmes pays. En qualité d'expert, Otto choisit un homme qu'il avait souvent rencontré lors de ses voyages d'affaires, Hermann Van Pels.

Van Pels était né le 31 mars 1898, à Gehrde, en Allemagne, et il était d'une famille de six enfants. Ses études terminées, Hermann reprit l'affaire familiale à Osnabrück et fit commerce de condiments, particulièrement ceux employés dans la fabrication des saucisses. Il épousa Augusta Röttgen le 5 décembre 1925. Comme son mari, Augusta était juive allemande de naissance et elle avait également un grand-père qui possédait sa propre affaire. Dans les journaux d'Anne, elle apparaît comme quelqu'un de joyeux, d'égoïste, irritable, aimable, vite fâchée et avec un penchant pour les ragots. Son cousin la décrit comme une personne « très gentille, un peu simple, de la classe moyenne, qui n'aurait jamais fait de mal à personne [62] ». Le couple emménagea dans un appartement de la Martinistrasse, à Osnabrück, et eut un fils, Peter, né le 8 novembre 1926. Plus tard, Anne le décrira comme « honnête et généreux [...], modeste et serviable [63] ». Comme son père, il était de forte taille, avec d'épais cheveux bruns et des yeux bleu pâle. La jeune existence de Peter prit un tour dramatique au milieu des années 1930, lorsque le boycott nazi entraîna la vente de l'affaire familiale puis l'émigration de Peter et de ses parents, en juin 1937, à Amsterdam [64].

Hermann Van Pels était apprécié au sein de Pectacon, où il enregistrait les commandes des représentants et mettait au point, avec Kugler, les recettes des assaisonnements. Ses recettes étaient préparées sur place et vendues à des bouchers dans tout le pays. Miep était très impressionnée : « Van Pels savait tout sur les épices. Il était capable de reconnaître n'importe laquelle les yeux fermés [65]. » Elle se souvient de quelqu'un « qui avait un visage viril, franc [...]. Prompt à la plaisanterie [...] il était incapable de se mettre au travail sans avoir bu un café serré et fumé une cigarette [66]. » Les Van Pels avaient tout d'abord loué un appartement au 59, Biesboschstraat, mais en 1939 ils ont acheté un appartement juste derrière les Frank, 34, Zuider Amstellaan. Près de soixante autres Juifs d'Osnabrück arrivèrent au même moment, et ils formèrent une communauté dans la communauté, organisant même leurs propres « soirées Osnabrück ».

Max Van Creveld, qui habita chez les Van Pels en 1940 et

1941, se souvient qu'eux et les Frank étaient « bons amis, les hommes aussi bien que les femmes. J'avais ma propre chambre et tous les soirs nous dînions ensemble. Mme Van Pels faisait la cuisine elle-même. Je n'étais pas un ami proche des Van Pels. Je ne savais pas, par exemple, qu'ils s'apprêtaient à entrer dans la clandestinité. Mais ce sont des choses que l'on gardait pour soi durant ces années-là. C'était une époque dangereuse. M. Van Pels était vraiment charmant et Mme Van Pels l'était également [67] ». Il ne se souvient que vaguement de Peter comme d'un « jeune homme très bien [68] ». Le cousin de Hermann, Bertel Hess, connaissait Peter beaucoup mieux : « J'ai bien connu Peter. Il venait rendre visite à tante Henny et à son grand-père... C'était un garçon charmant, et timide, très timide. Il était très habile de ses mains. Il venait souvent voir Henny lorsqu'elle avait de petits travaux de menuiserie à faire, et des choses de ce genre. Il n'était pas très loquace [69]. »

Peter et ses parents assistaient souvent aux réunions du samedi chez les Frank. L'intention d'Otto était de rassembler des Juifs allemands, de les aider et de les mettre en contact avec les « Hollandais qui s'intéressaient à leur sort, aux raisons qui les avaient forcés à quitter leur pays, à l'accueil qu'ils avaient reçu en Hollande [70] ». La conversation tournait généralement autour de la situation en Allemagne, et des mots de colère volaient autour de la grande table ronde en chêne. Les réunions incluaient généralement Miep et Jan, les Van Pels, les Baschwitze, un pharmacien juif du nom de Lewinsohn, qui avait une boutique à l'angle de Prinsengracht et de Leliegracht, sa femme non juive, et le dentiste nouvellement arrivé Fritz Pfeffer et sa fiancée, Charlotta Kaletta, de Berlin.

Pfeffer, qui partagera plus tard l'Annexe secrète avec les Frank et les Van Pels, était né le 30 avril 1889, à Giessen, en Allemagne. Après l'école, il suivit une formation de dentiste et devint un brillant chirurgien orthodontiste. Après un bref mariage raté avec une femme qui s'appelait Vera (qui émigra elle aussi aux Pays-Bas avant la guerre et fut déportée), il se consacra à sa carrière et à son jeune fils, Werner Peter. Au printemps 1936, à l'âge de quarante-sept ans, Pfeffer rencontra Charlotta Kaletta, qui avait dix-neuf ans. Malgré la différence d'âge, Pfeffer et Charlotta avaient beaucoup de choses en commun. En particulier, Lotte aussi avait derrière elle un mariage brisé, et elle avait un fils, Gustave.

Après la Nuit de cristal, Pfeffer comprit qu'il lui fallait quitter l'Alemagne. Werner Peter fut envoyé en Angleterre, où il vécut chez son oncle Ernst, qui était dentiste lui aussi. Ce fut une décision déchirante pour Pfeffer de ne pas les rejoindre, pour des raisons pratiques et économiques. Au lieu de quoi, le 8 décembre 1938, après avoir laissé le fils de Lotte en Allemagne, parce que son père voulait qu'il reste avec lui (ils furent plus tard tués tous les deux par les nazis), Pfeffer et Lotte émigrèrent aux Pays-Bas [71]. Lotte trouva tout d'abord la vie difficile à Amsterdam, parce que « beaucoup de Hollandais ne croyaient pas ce que nous leur racontions sur l'Allemagne. Pas même les Juifs en Hollande ne voulaient y croire [72] ». Ils connurent les Frank peu après leur arrivée à Amsterdam et firent rapidement partie de leur cercle, bien que personne à ce moment là ne pût se douter à quel point leurs destins allaient bientôt être liés.

Pectacon, la nouvelle entreprise d'Otto, marchait extrêmement bien. Kugler – qui avait pris la nationalité hollandaise en mai 1938 – apprenait, sous la direction experte de Van Pels, comment traiter et mélanger les herbes. En 1937 fut engagée une dactylo à plein temps, Bep Voskuijl. Bep était hollandaise ; née en 1919, elle était l'aînée de neuf enfants et habitait chez ses parents. Petite et portant des lunettes, elle avait bon cœur et était terriblement timide, mais tout le monde l'aimait : Miep et elle devinrent bonnes amies. Bep fit la connaissance de la famille de son patron et, en peu de temps, elle devint comme une autre sœur pour Anne. Elle remarqua que la relation entre Otto et Kleiman reposait sur une amitié profonde : « Je crois qu'ils jouaient aux cartes toutes les semaines [73]. » Elle considérait comme « tout à fait naturel qu'Anne soit plus étroitement attachée à son père... ils étaient tous deux très semblables. M. Frank était lui aussi une personne douée de cette sorte d'intelligence que l'on ne rencontre généralement que chez les écrivains. Il pouvait être aussi affectueux qu'Anne et lui aussi pouvait se montrer généreux de sa personne... Parfois [Anne] était insupportable et de mauvaise humeur. Dans ces cas-là, seul son père pouvait la ramener à la raison, et il y parvenait par un simple mot. " Self-control " était la formule magique et il suffisait qu'il la lui chuchote. L'effet était immédiat, car Anne était aussi profondément sensible que son père, sur lequel un mot doux avait toujours plus d'effet que n'importe quels cris [74] ».

En 1938, Otto emmena ses filles en Suisse [75]. Buddy se souvient très distinctement de cette visite : « C'est la dernière fois que j'étais avec Anne. Notre grand-mère habitait un appartement, parce qu'il n'y avait pas assez de place pour qu'elle vive chez nous à ce moment-là. Et je me souviens que la dernière fois qu'Anne était là, nous jouions chez ma grand-mère avec mon théâtre de marionnettes. Nous le prenions à tour de rôle. Ensuite nous avons utilisé la garde-robe de ma grand-mère et nous nous sommes déguisés. Avec des chapeaux et tout ! Nous imitions les adultes – nous nous sommes vraiment beaucoup amusés. Nous avons ri comme des fous, je m'en souviens... Elle avait un tel sens de la comédie [76]. » C'était la toute dernière fois que Buddy voyait Anne et Margot. Dès lors, la communication ne se fera plus que par lettres.

En mars 1939, Rosa Hollander, le mère d'Edith, rejoignit sa fille et sa famille à Amsterdam, n'emportant avec elle qu'« une cuillère, une fourchette, un couteau et un peu de nourriture [77] ». Le père d'Edith était mort à Aix-la-Chapelle le 19 janvier 1927, mais, jusqu'à la fin de 1938, Rosa n'avait pas été seule dans la maison de Pastorplatz, ses deux fils étant demeurés avec elle. En 1935, le registre nazi des Juifs habitant Aix-la-Chapelle présente ainsi la famille :

> « – Julius Hollander, né à Eschweiler le 11. 12. 1894, commerçant, non marié, Pastorplatz 1. – Rosa Hollander, née Stern, à Langenschwalbach le 25. 12. 1866, veuve, Pastorplatz 1. – Walter Hollander, né à Aix-la-Chapelle le 06. 02. 1897, commerçant, non marié, Pastorplatz 1 [78]. »

Julius (brièvement marié en Allemagne avec une certaine Anna Haymann) et Walter avaient pris en charge l'affaire familiale, mais un autre registre nazi des firmes « aryanisées ou retirées à tout contrôle juif, 1938-1942 » fait état du commerce des Hollander et signale, par erreur, Julius et Walter comme ayant émigré à Amsterdam. En réalité, après la Nuit de cristal, l'un des frères émigra aux États-Unis (son affidavit d'immigrant avait été signé par un parent qui y résidait déjà) et prit les dispositions nécessaires pour que l'autre le rejoignît. Plusieurs membres de la famille Hollander avaient émigré en Amérique. L'un des cousins d'Edith qui habitait le Pérou tenta de faire venir les Frank, mais l'entreprise échoua. Julius et Walter s'installèrent à Boston, où « ils trouvèrent un emploi subalterne dans l'entreprise d'un cousin – Ernst Hollander – qui rencontrait lui-même des difficultés financières en raison du manque de connaissance de la langue et des méthodes commerciales américaines. Les deux frères restèrent ensemble et rejoignirent une autre entreprise dans le Massachusetts (à Leominster), où ils étaient employés comme cols bleus, faute de savoir faire autre chose. Ils vivaient de peu [79] ».

Pendant ce temps, leur mère était heureuse dans son nouveau foyer de Merwedeplein. Anne souffrait de la grippe lorsque sa grand-mère arriva avec un cadeau tout spécial pour elle : un stylo à encre ouvragé, enveloppé de ouate dans un écrin de cuir rouge. Il devint par la suite le stylo préféré d'Anne pour rédiger son *Journal*. Rosa était alors âgée de soixante-treize ans, mais elle était toujours prête à écouter les histoires que racontait Anne sur son école et sur ses amis.

Otto dut partir en voyage d'affaires en mai 1939 et, sachant combien il manquait à Anne quand il était loin, il lui envoya une lettre, écrite en allemand, qu'elle a conservée comme un « soutien pour la vie [80] » :

« Ma chère petite Anne,
Quand tu étais toute petite, ta mamie t'appelait déjà : " petite dame ". Et tu l'es restée, petite chatte caressante.
Tu le sais, nous partageons souvent des secrets toi et moi. Il se passe même souvent des choses dont nous devons parler ensemble. Ce n'est pas toujours aussi facile qu'avec ta sœur,

même si en général ton esprit enjoué et ton caractère aimable te permettent de sautiller d'un pas allègre au-dessus des problèmes. Souvent je t'ai dit que c'était à toi de t'éduquer, nous avons défini ensemble le " contrôle " et pour ta part, tu te donnes beaucoup de peine pour accepter le " mais ". Pourtant, tu aimes bien te faire plaisir, et plus encore, te laisser gâter.

Tout cela n'est pas bien grave si au fond de ton petit cœur tu restes aussi gentille que tu l'as été jusqu'à présent. Je t'ai déjà raconté que, dans mon enfance, j'agissais souvent à l'étourdie et que j'ai fait bien des sottises. Le principal, alors, est de réfléchir un peu et de savoir retrouver le droit chemin.

Tu n'es pas butée et de ce fait, après quelques larmes, le rire reprend vite ses droits.

" Profite de l'instant " – dit maman.

Puisses-tu conserver ce rire joyeux grâce auquel tu embellis ta vie, la nôtre et celle des autres.

Bien à toi

Pim. »

Pim était le surnom qu'Anne et Margot avaient donné à leur père [81].

Plus tard, dans son *Journal*, Anne écrira à propos de la lettre : « Jacque [une amie d'école] était persuadée que c'était la déclaration d'amour d'un garçon et je ne l'ai pas détrompée [82]. »

Durant l'été, Rosa Hollander accompagna Margot, Anne et Edith passer les journées à la plage, malgré sa santé déclinante. Anne avait pris froid, mais elle voulait à tout prix aller nager. Une photographie la montre avec un air malheureux, emmitouflée dans son peignoir rayé. Elle a légendé l'image : « Juin 1939. (...) Margot et moi sortions juste de l'eau et je me rappelle, j'avais très froid, grand-mère est assise derrière nous, si gentille et paisible. Comme elle l'était si souvent [83]. »

Le dixième anniversaire d'Anne fut fêté avec un soin tout particulier. Elle fut autorisée à inviter ses amies préférées. Une photographie prise par son père ce jour-là les montre ensemble en plein soleil sur Merwedeplein, se donnant le bras et portant leurs plus jolies robes. Anne donna à Lies un double de la photo au dos de laquelle elle avait écrit : « Anniversaire d'Anne Frank, 12.06.39 [84]. » Lies était là, bien sûr, de même que Sanne et six autres jeunes filles : Lucie Van Dijk, Juultje Ketellapper, Kitty Egyedi, Mary Bos, Rie (Ietje) Swillens et Martha Van den Berg. Les jeunes amies pique-niquèrent dans le parc d'Amstelrust, où Anne fut photographiée avec un lapin. Des neuf jeunes filles qui assistaient à la fête ce jour-là, six seulement étaient encore en vie six ans plus tard : Anne, Sanne et Juultje Ketellapper furent toutes les trois victimes de l'Holocauste.

En janvier 1939, Hitler déclara à ses partisans au Reichstag que « si la finance juive internationale parvenait une fois de plus, en Europe et ailleurs, à précipiter les peuples dans une guerre mondiale, la conséquence n'en serait pas la bolchevisation du monde et la victoire de la juiverie, mais au contraire la destruction de la race juive en Europe [85]... ». Le 15 mars, ses troupes envahirent le reste de la Tchécoslovaquie.

Cet été-là fut introduit aux Pays-Bas le rationnement alimentaire. À la tête de l'Union historique chrétienne, D.J. De Geer avait succédé au Premier ministre Colijn. Il continua à diriger le pays avec un gouvernement de coalition. Les rumeurs d'invasion rendaient les Hollandais nerveux, mais les Allemands publièrent une nouvelle déclaration sur le respect de leur neutralité.

Le 23 août 1939, l'Allemagne et la Russie signèrent un pacte de non-agression et se mirent d'accord sur le démembrement de la Pologne. Le 1er septembre, l'Allemagne envahit la Pologne et annexa la ville de Dantzig. Deux jours plus tard, la France et la Grande-Bretagne déclaraient la guerre à l'Allemagne. L'Armée rouge franchit les frontières orientales de la Pologne le 17 septembre. Face à la puissance du Blitzkrieg, la Pologne capitula et fut partagée conformément à l'accord conclu le 23 août par les ministres des Affaires étrangères soviétique et allemand, Molotov et Ribbentrop. Les troupes allemandes entrèrent à Varsovie le 30 septembre. La Russie prit le contrôle de l'Estonie, de la Lettonie et de la Lituanie, et envahit la Finlande le 30 novembre. Chamberlain fut bien obligé d'admettre que les déclarations de Hitler promettant qu'il voulait toujours la paix n'étaient que bluff. Afin de déstructurer la société polonaise et de liquider la classe dirigeante polonaise, Hitler ordonna à cinq *Einsatzgruppen* (unités de la Police de sécurité) de tuer autant d'intellectuels, de fonctionnaires et de prêtres que possible.

Pour les Juifs d'Allemagne, d'Autriche, et désormais de Pologne, la vie devenait insupportable. La première mesure d'Adolf Eichmann à la tête du centre d'émigration des Juifs autrichiens fut d'organiser l'émigration forcée de tous les Juifs et de tous les Tziganes autrichiens. Pour partir, chaque personne devait payer une somme fixe, plus un certain montant en devises étrangères. L'argent allait à un prétendu « fonds d'émigration ». Pour entrer dans un autre pays, il fallait disposer de la somme requise pour le visa et d'argent étranger. 60 000 Juifs partirent dans de telles conditions jusqu'en 1941, date à laquelle toute émigration cessa. Beaucoup choisirent la Palestine, mais y rencontrèrent l'opposition des Arabes et furent peu soutenus par les Anglais. En 1940, des réfugiés à bord des bateaux *Patria* et *Salvador* se virent refuser l'entrée en Palestine par le gouvernement britannique. Les deux bateaux firent mystérieusement naufrage et causèrent la perte de quatre cent cinquante vies. Dans une lettre, Neville Chamberlain écrivit : « Il ne fait aucun doute que les Juifs ne sont pas un peuple aimable [86]... »

Le 17 octobre 1939, plus d'un millier de Juifs furent envoyés de Tchécoslovaquie en Pologne, où on leur imposa de construire leur propre camp. Le 28 novembre, les premiers Conseils juifs (groupes de notables juifs directement responsables envers les nazis) de la guerre furent mis en place dans le secteur est de la Pologne connu sous le nom de Gouvernement général. Les autorités allemandes firent passer, à travers les Conseils, de nouveaux décrets qui, parmi beaucoup d'autres restrictions, évinçaient les Juifs de toute fonction administrative, leur interdisaient les échanges commerciaux avec des Aryens, de même que d'administrer à des Aryens des soins médicaux ou d'en recevoir de leur part. Entre décembre 1939 et février 1940, 600 000 Juifs furent évacués dans des wagons à bestiaux vers le Gouvernement général. Lorsque le gouverneur de la région, Hans Frank, se plaignit de la diminution des réserves alimentaires, les transports cessèrent. À travers toute l'Autriche, les Juifs étaient soumis à des restrictions humiliantes, contraints de porter l'étoile jaune et de quitter leurs foyers dévastés pour des ghettos. Vers la fin de 1939, il restait en Autriche 40 % de la population juive; 150 000 avaient fui. Durant les deux premiers mois de l'occupation de la Pologne, 5 000 Juifs furent assassinés. 200 000 Juifs vivaient encore en Allemagne.

Le 12 mars 1940, après une résistance courageuse qui dura trois mois, la Finlande se rendait à l'armée soviétique. Le Danemark, la Norvège et le Luxembourg furent successivement conquis par l'Allemagne entre avril et début mai, le gouvernement luxembourgeois prenant rapidement la fuite après l'occupation. La Finlande abritait 2 000 Juifs, la Norvège 1 800, le Danemark 8 000 et le Luxembourg 5 000. Dans ce dernier groupe se trouvaient des membres de la famille Frank.

1940 fut la dernière année complète qu'Anne passa à l'école Montessori. Son instituteur, de la première à la quatrième année, avait été M. Van Gelder. Vers la fin, il nota qu'Anne avait une nouvelle ambition : « Il est exact qu'elle voulait devenir écrivain. Je m'en souviens. Cela a commencé tôt chez elle, très tôt... et j'imagine qu'elle aurait très bien pu le devenir. Elle était capable d'*éprouver* davantage que d'autres enfants... J'ajoute qu'elle entendait plus, y compris les choses inaudibles, et parfois elle entendait des choses dont nous avons presque oublié jusqu'à l'existence même. Ce sont des choses qui arrivent chez les enfants [87]. » Il se la rappelait « travaillant dur à l'école, et très intelligente... Elle aimait dessiner, et dans d'autres domaines, elle était attentive et comprenait vite... Elle était toujours occupée et – c'était un trait constant chez elle – elle voulait toujours pénétrer toutes les subtilités. Chaque fois qu'une explication était donnée à la classe, elle demandait des éclaircissements; elle n'était jamais satisfaite avant d'avoir tout à fait compris et que la chose soit devenue entièrement sa propriété mentale [88] ».

La cinquième année, c'est Mme Gadron qui fut l'institutrice d'Anne, et la dernière année, c'est la directrice, Mme Kuperus. Elle se souvenait très bien d'Anne : « Anne était une fille adorable, elle ne se faisait pas remarquer, mais elle était toujours active et spontanée... Elle était intelligente, mais j'avais des enfants plus intelligents dans la classe. Je sais qu'elle aimait lire, et le théâtre aussi, le théâtre l'amusait... C'était une très bonne élève, et elle était très intéressée par l'école. Elle avait toujours beaucoup d'amis, il était facile de se lier avec elle. Elle n'était assurément pas introvertie. Elle avait l'esprit de groupe et elle aimait beaucoup travailler à plusieurs... J'avais tellement envie de garder Anne encore une année. Elle était encore très jeune pour la classe, et fragile aussi. Elle avait été malade pendant un certain temps mais elle se remit très bien, et pendant ses dernières années ici, elle était en bonne santé. Anne et Lies étaient toujours ensemble, bien sûr. Mais je n'ai pas le souvenir qu'elles bavardaient autant pendant les cours que le raconte Anne dans son *Journal*. Peut-être était-ce devenu le cas au lycée, mais ici, à l'école Montessori, il n'y avait pas de raison. Nous ne demandons pas aux enfants de garder le silence... La dernière année fut particulièrement délicieuse. Nous avions commencé le théâtre. Les enfants écrivaient les pièces dans une classe et on les mettait en scène dans la classe suivante. Anne était dans son élément. Bien entendu, elle débordait d'idées pour les scénarios, mais comme par ailleurs elle n'avait aucune timidité et adorait imiter les autres, les grands rôles lui revenaient. Elle était plutôt petite comparée à ses camarades, mais lorsqu'elle jouait une reine ou une princesse, elle paraissait soudain bien plus grande que les autres. C'était vraiment étrange de voir cela [89]. »

L'école avait été très utile à Anne, exactement comme ses parents l'avaient espéré. Dans un mémoire rédigé bien des années après la guerre, Otto observa : « Il était bon pour Anne de fréquenter une école Montessori, parce que chaque enfant était pris en compte individuellement... Anne n'a jamais été une très bonne élève. Elle avait horreur des maths. Je ne sais combien de fois je l'ai aidée à faire ses devoirs. Elle n'excellait que dans les sujets qui l'intéressaient, surtout l'Histoire. Un jour, elle vint me trouver et me dit qu'elle devait faire un bref exposé sur l'empereur Néron. « Tout le monde sait ce qu'on trouve sur lui dans les livres d'histoire, alors que puis-je dire, moi ? » Pour l'aider, je l'ai alors emmenée chez l'un des mes amis qui avait une grande bibliothèque. Elle y trouva quelques livres spécialisés qu'elle rapporta fièrement à la maison. Un peu plus tard, je l'interrogeai sur son exposé. " Oh ! dit-elle, mes camarades de classe n'ont pas voulu croire ce que je leur disais, parce que c'était trop différent de ce qu'elles savaient de Néron – Et le professeur ? lui demandai-je. – Il était très content [90] ". »

Au printemps 1940, Anne et Margot commencèrent à écrire à des correspondantes aux États-Unis. L'échange avait été organisé par Birdie Mathews, une jeune enseignante de Danville, dans l'Iowa. Elle venait presque tous les ans en Europe et apportait toujours avec elle une liste d'enfants qui voulaient entamer une correspondance internationale. En 1939, elle visita Amsterdam et y rencontra une autre enseignante que cette idée intéressait. Elles échangèrent leurs noms et leurs adresses et, de retour à Danville, Birdie demanda à ses élèves de choisir leurs correspondants sur une liste d'enfants hollandais. Juanita Wagner, qui habitait une ferme à Danville, choisit Anne Frank. Dans sa lettre, elle parlait de sa maison, de sa famille, et de sa grande sœur Betty Ann, qui cherchait également une correspondante. Anne répondit immédiatement, ajoutant une carte postale, des photos et une lettre de Margot pour Betty Ann. Les lettres étaient rédigées en anglais, mais c'est probablement Otto qui les avait traduites à partir des originaux d'Anne et Margot. Voici la lettre de Margot :

« 27 avril 1940
Chère Betty Ann,
Je n'ai reçu ta lettre que voici une semaine à peu près et n'ai pas trouvé le temps d'y répondre immédiatement. C'est dimanche aujourd'hui et je peux donc prendre le temps d'écrire. La semaine, je suis très occupée, car j'ai des devoirs à faire à la maison tous les jours. L'école chez nous commence à neuf heures. Jusqu'à midi, puis je rentre en bicyclette (quand le

temps est mauvais, je prends l'autobus et je reste à l'école) et retourne pour le début de la classe à 13 h 30 ; ensuite, nous avons cours jusqu'à 15 h 30. Les mercredi et vendredi après-midi, nous sommes libres et nous en profitons pour jouer au tennis et faire de l'aviron. En hiver, nous jouons au hockey et nous patinons quand il fait assez froid. Cette année a été exceptionnellement froide et tous les canaux étaient gelés ; c'est aujourd'hui le premier vrai jour de printemps, il fait grand soleil et chaud. Il pleut en général très souvent. En été, nous avons deux mois de vacances, puis quinze jours à Noël et autant à Pâques ; à la Pentecôte, quatre jours seulement. Nous écoutons souvent la radio car l'époque est très agitée, et nous avons une frontière commune avec l'Allemagne, or, comme nous sommes un petit pays, nous ne nous sentons jamais vraiment en sécurité.

Dans notre classe, la plupart des enfants ont des correspondants ici ou là, et je ne connais donc personne qui voudrait commencer une correspondance. Je n'ai que deux cousins, des garçons, qui vivent à Bâle, en Suisse. Vu d'Amérique, ce n'est pas une grande distance, mais pour nous si ! Car il faut traverser l'Allemagne, ce que nous ne pouvons pas faire, ou la Belgique et la France, que nous ne pouvons pas traverser non plus. C'est la guerre et on n'obtient pas de visas.

Nous habitons un appartement de cinq pièces non loin du seul gratte-ciel de la ville, qui fait douze étages de haut ! Amsterdam compte environ 200 000 habitants. Nous sommes proches du bord de mer, mais nous manquons de collines et de forêts. Tout est plat et une grande partie du pays est située sous le niveau de la mer, d'où le nom de Pays-Bas.

Papa part au travail le matin, et il rentre vers 18 h ; maman s'occupe de la maison. Ma grand-mère vit avec nous, et nous avons sous-loué une chambre à une dame. Voilà ! je crois que je t'ai raconté pas mal de choses et j'attends ta réponse.

Avec toute mon affection,

Ton amie

Margot Betti Frank.

P.-S. : Un grand merci pour la lettre de Juanita. Comme Anne lui écrit, je n'ai pas besoin de le faire moi-même. Margot [91]. »

Et voici la lettre d'Anne à Juanita :

« Amsterdam, lundi 29 avril,
Chère Juanita,
J'ai reçu ta lettre et je veux te répondre le plus vite possible. Margot et moi sommes les seules enfants dans notre maison. Notre grand-mère vit avec nous. Mon père a un bureau et maman est à la maison. Je n'habite pas loin de l'école et je suis dans la cinquième classe. Nous n'avons pas d'heures de cours et nous pouvons faire ce que nous préférons ; bien sûr, il y a certains objectifs à atteindre. Ta mère connaît certainement cette méthode, elle s'appelle Montessori. Nous avons peu de devoirs à la maison.

J'ai regardé encore une fois sur la carte et j'ai trouvé le nom de Burlington. J'ai demandé à l'une de mes amies si elle voulait correspondre avec l'une de tes amies. Elle le veut bien, mais avec une fille de son âge, pas avec un garçon.

J'écrirai son adresse en bas. Est-ce que tu as écrit toi-même la lettre que j'ai reçue de toi, ou est-ce que c'est ta maman qui l'a écrite ? Je te joins une carte postale d'Amsterdam et je continuerai à le faire car comme je les collectionne, j'en ai déjà près de 800. Une fille avec qui j'étais à l'école est partie à New York et elle a envoyé une lettre à notre école il y a quelque temps. Si toi et Betty avez une photo, envoie s'il te plaît une reproduction, car je suis curieuse de vous voir. Mon anniversaire est le 12 juin. Sois gentille de me dire quand est le tien. Peut-être l'une de tes amies pourrait-elle écrire en premier à mon amie, car elle ne sait pas non plus écrire en anglais, mais son père ou sa mère pourront traduire la lettre.

En espérant avoir de tes nouvelles
Je reste
Ton amie hollandaise

Annelies Marie Frank.
P.-S. : Envoie-moi s'il te plaît l'adresse de l'une de tes amies. L'adresse de mon amie est... » Suit l'adresse de Sanne.

Sur la carte postale, Anne avait écrit :

« Chère Juanita, cette photo montre l'un des nombreux vieux canaux d'Amsterdam. Mais ce n'est que l'un de ceux de la vieille ville. Il y a aussi de grands canaux et, par-dessus tous ces canaux, il y a des ponts. Il y a près de 340 ponts dans la ville. Anne Frank [92]. »

Juanita se souvient : « Inutile de dire que nous étions toutes les deux enchantées d'avoir une correspondance avec une amie étrangère et que nous avons répondu immédiatement. Quoi qu'il en soit, nous n'avons plus jamais entendu parler d'Anne et de Margot... Nous pensions que leurs lettres n'arrivaient pas à cause de la censure [93]. » Betty Ann raconte la suite de l'histoire : « Nous parlions souvent de la famille et nous nous inquiétions. Avaient-ils assez à manger ? Les bombes tombaient-elles tout près ? Pour être honnête, nous avons grandi dans une petite ville de campagne. Il y avait bien quelques Juifs, mais pas beaucoup. Il ne m'est jamais venu à l'idée que les filles étaient juives. Si nous avions su, nous aurions prié et fait davantage [94]. » Les filles n'eurent pas d'autre contact avec la famille Frank avant la fin de la guerre.

La communication avec les amis et les parents allait bientôt devenir difficile, mais en 1940, il n'y avait pas encore de problèmes avec la poste en provenance et à destination des Pays-Bas ; Milly, le cousin d'Otto se souvient : « Pendant les premiers mois de la guerre, Otto était pratiquement notre seul lien avec le continent. Nous ne pouvions écrire à nos connaissances en Allemagne, parce que l'Angleterre était en guerre avec l'Allemagne. Mais Otto pouvait écrire en Allemagne, puisqu'il le faisait depuis la Hollande, qui était neutre. J'ai reçu une lettre de lui où il disait combien il était triste parce qu'il était sûr que l'Allemagne allait attaquer. Il disait : " Je ne sais que faire avec les enfants. Je ne peux pas en parler à Edith. Il n'y a pas de sens à l'inquiéter avant qu'elle n'ait de bonnes raisons. Pardonne-moi, mais j'avais besoin de te le dire. " Je suis immédiatement allé montrer la lettre à ma mère en lui disant " Tu ne penses pas que nous devrions lui faire savoir aussitôt que s'il envoie les enfants en Angleterre nous prendrons soin d'elles pendant la durée de la guerre ? – Bien sûr ", dit-elle. C'est ce que je fis aussitôt. Je répondis : " Je sais que ça peut sembler fou, parce que nous sommes en guerre et pas vous. Mais si tu penses que cela peut être du moindre secours, envoie s'il te plaît les enfants ici. " La lettre suivante que je reçus de lui fut la dernière avant l'invasion de Hitler. Elle disait : " Edith et moi avons parlé de ta lettre. Nous estimons tous deux que nous ne pouvons pas le faire. Nous ne pourrions supporter de nous séparer des enfants. Nous leur sommes trop attachés. Mais si cela peut être d'une quelconque consolation pour vous, vous êtes ceux à qui nous aurions fait confiance. " Ensuite, les lumières de Hollande se sont éteintes [95]. »

Le 4 mars 1940, Anne écrivit dans l'album de poésie de son amie de classe Henny Scheerder. Voici son poème, illustré sur la même page par un autocollant avec des marguerites, des roses et des myosotis : « Ce que je t'offre est de peu de valeur, cueille les roses de la terre et ne m'oublie pas [96]. » Dans un angle de la page, elle s'est identifiée : « Je l'ai écrit moi-même, je l'ai fait moi-même, Anne Frank est mon nom », et dans un autre angle, comme elle avait vu une autre inscription dans l'album écrite à l'envers, elle écrivit : « Tip tap top, la date est en haut. » Sur la page d'en face, elle colla sur un dessin un relief représentant un panier de roses rouges, des fleurs et de la verdure. Une colombe apporte une lettre au milieu des fleurs multicolores. Et dans chaque coin de la page, elle a répété sa supplique [97] : « Ne m'oublie pas ! »

Lors de ses visites chez les Frank au printemps, Miep fut frappée de voir comme Margot et Anne grandissaient vite : « Margot Frank eut quatorze ans [...] Ce n'était plus une fillette. Sa silhouette s'était étoffée. Avec son teint délicat, ses grands yeux noirs au regard grave derrière ses lunettes, elle devenait de plus en plus jolie. Les livres et les études l'intéressaient cependant davantage que les frivolités. [...] Anne buvait sa grande sœur des yeux, absorbant tout ce qu'elle faisait ou disait de son regard pétillant d'intelligence. Anne avait développé un véritable talent d'imitatrice. Elle était capable d'imiter n'importe qui et n'importe quoi, le miaulement du chat, la voix de sa meilleure amie, le ton autoritaire de son professeur. Nous pouffions de rire devant ses mimiques, ce qui la mettait en joie. Elle aussi avait changé. Ses jambes et ses bras fins sem-

blaient s'être étirés, brusquement, à l'approche de l'adolescence. C'était encore une fillette petite et maigre, aux membres
soudain trop longs pour son corps. Dernière de la famille,
Anne réclamait toujours un supplément d'attention[98]. »

Les Frank se rendaient tous les ans chez un photographe
pour mieux suivre la croissance de leur fille. Anne Frank mit la
main sur les photos d'elle prises en 1940. On la voit assise, penchée, les bras pliés, les cheveux ramenés sur les côtés. Le plus
souvent, elle sourit en regardant vers le haut ou de côté ; elle a
légendé les photos : « L'histoire devient plus sérieuse, mais la
partie amusante a laissé des traces de sourire. » « Bonjour.
" Moi, ça va très bien, merci ! " (rire poli) » « Oh, quelle bonne
blague. » « L'histoire est intéressante. » « Et maintenant, que
va-t-il se passer ? » « Mignonne, celle-là aussi, non [99] ? » Sur
une autre photo, elle relève gracieusement la tête et semble
profondément pensive. Au dos, elle a écrit : « Voici une photo
où je suis comme je souhaiterais toujours être. Alors j'aurais
peut-être une chance de réussir à Holywood [sic]. Mais en ce
moment, hélas, j'ai en général une tout autre tête [100]. »

Le 10 mai 1940, l'Allemagne envahit les Pays-Bas.

LORSQUE NOS SOUFFRANCES, À NOUS JUIFS, ONT VRAIMENT COMMENCÉ

1940-1942

3.

« À partir du moment où les Allemands ont pris les choses en main ici, nos malheurs ont vraiment commencé. »

Journaux d'Anne Frank, 15 juin 1942.

Quatre jours durant, il régna une certaine hystérie aux Pays-Bas. Une atmosphère de désolation gagna le pays quand on sut que la famille royale hollandaise s'était exilée à Londres avec le Premier ministre et son cabinet. Les Allemands lancèrent un ultimatum : Rotterdam serait détruite si les forces du pays ne se rendaient pas. Deux heures avant que l'ultimatum n'expirât, Rotterdam fut bombardée. Le centre fut quasiment détruit : 900 personnes tuées, 78 000 sans abris, et plus de 24 000 immeubles réduits en cendres. Rotterdam se rendit le 13 mai 1940. Les Pays-Bas capitulèrent le jour suivant.

Formant un convoi massif, les Allemands entrèrent dans Amsterdam. La proclamation du Commissaire du Reich, Arthur Seyss-Inquart, fut placardée à travers la ville : « J'ai pris aujourd'hui en charge l'autorité civile dans les Pays-Bas. [...] La magnanimité du Führer et l'efficacité des soldats allemands ont permis un retour rapide à la vie civile. J'entends autoriser toutes les lois hollandaises et l'administration générale à reprendre leur cours normal. »

Au moment de l'invasion allemande, 140 000 Juifs vivaient

aux Pays-Bas, dont 60 % à Amsterdam : 14 381 réfugiés austro-allemands arrivés après 1933 ; 117 999 Hollandais et 7 621 Juifs d'autres nationalités. Le NSB (Mouvement national-socialiste hollandais) avait été créé en 1931 par Anton Mussert. À ses débuts, le parti était violemment nationaliste, mais il n'avait pas de politique « raciale » ; le NSB prônait la liberté religieuse et comptait des Juifs dans ses rangs. Lorsque l'influence allemande grandit dans le parti, les Juifs en furent chassés. En 1935, aux élections, le NSB recueillit 7,9 % des voix, mais son violent antisémitisme de plus en plus affiché lui aliéna de nombreux soutiens. Au début de 1940, le NSB ne comptait que 33 000 militants. Après l'invasion, les nazis hollandais prirent le contrôle de l'Agence centrale de presse néerlandaise et tout le personnel juif fut licencié. Les Juifs furent également poussés à démissionner de l'Union hollandaise du cinéma. La WA (unités de défense du NSB) s'en prit physiquement aux Juifs et se battait dans la rue avec les antinazis, bien que le bourgmestre d'Amsterdam eût assuré aux dignitaires juifs que le commandant militaire allemand avait donné sa parole que leurs communautés seraient épargnées.

Dans un premier temps, la vie suivit son cours à Amsterdam comme par le passé, malgré le couvre-feu et les alertes anti-aériennes. Jetteke Frijda, une amie de Margot, se souvient : « Le lendemain de l'invasion était un jour d'école. On nous a rassemblés sous le grand hall où l'on nous a dit que nous étions en guerre contre l'Allemagne. Puis on nous a renvoyés à la maison et nous ne sommes revenus qu'après la capitulation [1]. » Eva Schloss ajoute : « Durant l'invasion, il y avait des avions de tous côtés. Nous étions terrifiés par les bombes et les tirs. C'était la première fois que *nous* faisions l'expérience de la guerre et c'était terriblement effrayant. Mais avec la reddition, les choses ont peu à peu repris leur cours normal. Nous sommes retournés dans nos écoles, et les choses n'allaient pas particulièrement mal, pas plus pour nous, les Juifs, que pour les autres. C'est venu petit à petit [2]... »

Eva s'appelait alors Eva Geiringer, et elle était arrivée récemment de Bruxelles avec ses parents. Ils habitaient juste en face des Frank, sur Merwedeplein, ce qui, se souvient Eva, était « parfait pour les enfants. On jouait au ballon prisonnier et on sautait à la corde, ou bien on restait assis à bavarder sur les marches, devant les appartements, garçons et filles mélangés. Il y avait une véritable affinité entre les gens à cause du nombre de familles juives qui vivaient là. Malheureusement, nous sommes arrivés à Merwedeplein en février 1940; nous n'eûmes que quelques mois de liberté. En mai, ce fut la guerre, mais, comme je l'ai déjà dit, les choses n'ont pas changé immédiatement [3] ». Eva fit la connaissance des Frank en mars : « Je jouais dehors et j'ai dit à Anne que je ne savais pas très bien parler hollandais. Elle a dit : Oh, mon père peut parler allemand avec toi, et elle m'a emmenée chez ses parents [4]. »

En manteau de pluie et bottes de caoutchouc (« l'uniforme de rigueur [5] » pour les enfants de la région), Eva se rendait souvent dans l'appartement des Frank pour jouer avec le chat d'Anne, Moortje : « Les Frank avaient un gros chat qui ronronnait affectueusement lorsque je le prenais [...]. Il m'arrivait d'aller au salon caresser le chat, et M. Frank me regardait d'un œil amusé. Il était [...] très gentil. Il prenait toujours la peine de me parler en allemand. Mme Frank préparait pour les enfants de la limonade que nous buvions dans la cuisine [6]. » Eva aimait beaucoup Sanne Ledermann, l'amie d'Anne : « J'avais une sorte de béguin pour Suzanne. Elle était très mignonne. Elle habitait Noorder Amstellaan, au deuxième ou au troisième étage, il y avait les jardins entre, et nous habitions de l'autre côté, sur Merwedeplein, au premier étage. Nos balcons se faisaient face. Nous avions installé une corde et nous nous envoyions des messages. Et même lorsqu'il nous fallut rentrer avant 20 h [quand le couvre-feu fut instauré], nous continuâmes à communiquer par le balcon. Je l'aimais vraiment beaucoup [7]. »

Anne, Sanne et Lies avaient commencé à prendre leurs distances vis-à-vis des autres enfants, préférant s'installer dans le square pour lire des magazines de mode, parler des stars de cinéma et glousser à propos des garçons. Eva se souvient : « Anne était vraiment précoce [...]. Elles formaient un trio inséparable, toutes un peu plus délurées que nous autres – déjà des adolescentes. [...] Un dimanche, par un chaud après-midi, j'étais assise avec Sanne sur les marches de notre appartement et elle me confia à quel point elle admirait son amie Anne Frank, qui était si stylée [8]. » Eva avait déjà remarqué qu'« Anne faisait très attention à elle, elle était très fière, ce qui est inhabituel à cet âge, 11 ou 12 ans. Elle s'intéressait beaucoup aux vêtements, et moi pas du tout [9] ». Exemple de sa coquetterie et de son aplomb, Eva se souvient d'un jour où elle était allée chez la couturière de Merwedeplein avec sa mère, Fritzi Geiringer, pour faire retoucher son manteau. Dans son autobiographie, elle écrit : « Nous attendions notre tour, et nous avons entendu la couturière parler à sa cliente dans la cabine d'essayage. La cliente savait parfaitement ce qu'elle voulait. " Ce serait mieux avec des épaulettes plus larges, dit-elle d'une voix autoritaire, et l'ourlet devrait être un tout petit peu plus haut, vous ne trouvez pas ? " Puis nous avons entendu la couturière répondre qu'elle était du même avis, et moi je me disais que j'aimerais bien porter exactement ce qui me plaît. J'ai été sidérée quand le rideau s'est ouvert et que j'ai vu Anne, toute seule, prenant des décisions sur sa robe. Elle était couleur pêche, avec une garniture verte. Elle me sourit : " Tu la trouves jolie ? " demanda-t-elle, en faisant une pirouette. " Oh oui ", ai-je dit, le souffle coupé, très envieuse. Ce n'était pas encore pour moi. Pour Anne, il fallait que les choses soient plus sophistiquées. Pour moi, c'était inimaginable. Anne semblait tellement plus grande que moi, alors que j'avais un mois de plus qu'elle [10]. »

Fritzi Geiringer connaissait assez peu les Frank, mais l'aplomb d'Anne et son intérêt croissant pour les garçons ne lui avaient pas échappé : « Elle semblait être comme toutes les autres filles de son âge. Simplement un peu plus extravertie [...] et folle des garçons ! Son seul défaut était sa vanité [11]. » Eva se souvient qu'Anne « flirtait avec des garçons, et qu'elle avait des petits amis. Elle s'affichait avec eux et flirtait. Moi, ça ne m'intéressait pas, mais j'avais un frère, et donc les garçons, ce n'était pas grand-chose pour moi [12] ». Eva ne partageait pas non plus les autres centres d'intérêt d'Anne : « Je n'étais pas l'une de ses meilleures amies parce que nous avions des centres d'intérêt si différents. J'étais un garçon manqué, elle une *vraie* fille. Bien que nous jouions ensemble, nous n'étions pas proches, et son côté sérieux qui apparaît dans le *Journal* – je n'en ai jamais rien su. Elle était aussi bavarde comme une pie, et elle faisait beaucoup d'ombre à Margot, parce que Anne devait toujours être le centre du monde. Anne était très à la mode, et très portée sur le flirt, presque sexy. Margot était plus... rigide. Elle avait le même teint qu'Anne, mais Anne était nettement plus jolie. C'est en partie parce qu'elle avait des expressions très vivantes, et quand les gens sourient, ça les rend plus séduisants. Anne était toujours celle qui souriait. La forte personnalité, c'était elle. Je suppose que Margot était plus profonde. Elle ne se mettait pas en avant. Edith était pareille, très gentille, mais pas du genre à faire grande impression. Otto oui, lui m'impressionnait. Il était très ouvert, et il émanait de lui une vraie chaleur, mais pas de la mère [13]. »

Bien entendu, les enfants plus âgés, comme les amies de Margot, prêtaient moins d'attention à Anne et la regardaient comme elles regardaient toutes les filles plus jeunes. L'une de ces amies était Laureen Klein, qui avait émigré de Francfort en 1936 avec ses parents et ses deux sœurs. Les Klein étaient proches voisins des Frank dans le Quartier de la rivière et ils se rencontraient souvent. Le mercredi après-midi, Laureen et sa grande sœur Susi retrouvaient Margot à l'angle de la rue et se rendaient ensemble à la synagogue pour des cours d'éducation religieuse. « Anne n'est jamais venue, se souvient Laureen. Elle ne voulait pas y aller. Et son père ne l'a jamais forcée [14]. » Pour Laureen, Anne « n'était qu'une gamine [15] ». Margot l'intéressait beaucoup plus.

Durant l'été 1940, Otto eut un avant-goût de ce qui allait venir. Il vit une voiture de l'armée allemande qui descendait la Scheldestraat, à la lisière du Quartier de la rivière. Elle s'arrêta à un kiosque de fleuriste à l'angle. Le chauffeur demanda un renseignement au vendeur, puis continua sa route. Soudain, la voiture fit demi-tour et remonta la Scheldestraat. Arrivé au kiosque, l'un des passagers, un jeune soldat, ouvrit brusquement la porte, sauta de la voiture et frappa sauvagement le fleuriste au visage. Otto dira toujours plus tard que « c'est là que tout a commencé [16] ».

En août, les Frank retournèrent à Zandvoort. Une photographie montre Margot, à 14 ans, souriante et écartant de son visage ses cheveux noirs ; elle est debout à côté d'Anne, allongée sur la plage, qui sourit en tenant une bouée. Anne a collé la photo dans son *Journal*, deux ans plus tard, et ce qu'elle a noté révèle à la fois son désir de devenir femme et un élément de compétition entre les deux sœurs : « 1940, Margot et moi encore une fois. Je me console à l'idée que Margot, sur la photo du dessus, en 1939, n'était pas très formée non plus. Elle avait 13 ans, comme moi aujourd'hui, et même un peu plus. Elle n'a donc vraiment pas de quoi se moquer de moi sur ce point [17]. »

Anne était en train de vivre sa première histoire d'amour d'adolescente, avec un garçon du quartier âgé de 14 ans, Peter Schiff. Elle l'évoque quatre ans plus tard, dans son *Journal* : « Peter s'est trouvé sur mon chemin et j'ai vécu mon premier grand amour d'enfant. Je lui plaisais aussi beaucoup et pendant tout un été, nous étions inséparables. Je nous vois encore marcher dans les rues, main dans la main. J'entrais alors dans la sixième classe de l'école Primaire et il entrait dans la première classe de la 4e. Je venais souvent le chercher à l'école, et lui de même, et j'allais souvent chez lui. Peter était beau comme un astre, grand, séduisant, mince, le visage sérieux, calme et intelligent. Il avait les cheveux bruns et de magnifiques yeux marron, des joues brun rouge et un nez pointu. Quand il riait, il avait quelque chose d'espiègle [18]. » Leur liaison prit fin lorsque Peter déménagea et que l'un de ses nouveaux amis se moqua de son amitié avec une gamine. Ne voulant pas perdre la face, Peter se mit à ignorer Anne ostensiblement. Elle en fut d'abord très malheureuse, mais elle avait trop à faire à la maison et avec ses amis pour s'appesantir sur une idylle brisée.

Plus que jamais, les réunions du samedi après-midi chez les Frank étaient une source de consolation dans un environnement incertain. Les gens faisaient tout ce qui était en leur pouvoir pour que les enfants fussent perturbés le moins possible. Edith et Otto étaient bons marcheurs et la famille passait des après-midi à flâner à travers la ville, profitant du beau temps. Le père de Lies, toujours à plaisanter, s'amusait à imiter Hitler en rejetant ses cheveux noirs en arrière et en se hérissant la moustache. Lies trouvait cela très drôle : « Les Frank habitaient juste à côté ; il sonnait à la porte et entrait. Je me souviens que la première fois, ils ont été vraiment effrayés – que se passait-il ? ! Imaginez un peu ! Ils pensaient qu'Hitler était venu à la maison ! Mais quand ils ont compris qui c'était [19]... ! » Alors que l'automne approchait et qu'aucun changement significatif ne s'était produit dans leur vie depuis l'invasion allemande, chacun ne pouvait que prier pour qu'on continuât à les laisser en paix.

En juillet 1940, les Juifs furent renvoyés du Département néerlandais de protection antiaérienne, qui devint du coup de plus en plus inefficace, puis de l'administration. Une circulaire énuméra les « indésirables » exemptés du service du travail en Allemagne : « les éléments antisociaux, les personnes condamnées à de longues peines de prison, ceux qui avaient un passé communiste avéré, et les Juifs [20]. » Un décret publié dans le journal officiel du Commissariat du Reich pour les Pays-Bas ordonna à « tous les Juifs de nationalité autre que néerlandaise de se faire connaître immédiatement [21] ». Les Juifs allemands furent enjoints de quitter La Haye et le littoral hollandais, mais sans qu'il leur soit donné la moindre explication sur cette nécessité. Dissous par les nazis, le parti communiste tenait ses réunions dans la clandestinité. Les livres que les nazis jugeaient offensants pour la sensibilité allemande furent retirés des librairies. Les textes des livres scolaires et universitaires furent remplacés par du matériel approuvé par les nazis, et les journaux juifs furent proscrits. Toutes les stations radios implantées en dehors de l'Allemagne et des territoires occupés furent interdites, mais le gouvernement hollandais et la famille royale en exil avaient commencé à diffuser sur les ondes des émissions quotidiennes d'un quart d'heure. Après le rejet de ses appels en faveur d'une paix négociée, le Premier ministre D. J. De Geer fut remplacé par le professeur P. S. Gerbrandy, du Parti contre-révolutionnaire.

À la fin de septembre 1940, une circulaire adressée à toutes les autorités provinciales établissait qui était juif suivant la définition nazie : était juif quiconque avait un grand-parent qui était, ou avait été, membre de la communauté juive, et toute personne mariée à un Juif était juive. Des professeurs hollandais signèrent une pétition, protestant que les universités du pays considéraient « comme sans importance qu'un savant soit juif ou non [22] ». Le 18 octobre, le conseil municipal d'Amsterdam distribua deux formulaires que tous les chefs d'établissement devaient remplir et renvoyer dans la semaine. Les formulaires demandaient si le destinataire était juif ou aryen. 1 700 étudiants de l'université de Leyde firent parvenir une pétition à Seyss-Inquart pour protester contre les nouvelles mesures.

Le couvre-feu fut instauré pour tous les habitants des Pays-Bas ; personne n'était autorisé à se trouver dans la rue entre minuit et quatre heures du matin, et personne ne pouvait passer la frontière sans autorisation expresse des Allemands. Le rationnement fut sévèrement accru et, très vite, il devint clair que les produits hollandais étaient envoyés en Allemagne. De nombreuses marchandises courantes disparurent des magasins : la soupe, le tabac et l'alcool devinrent de plus en plus difficiles à trouver.

Le 22 octobre, le *Journal officiel* publia le « décret relatif à l'enregistrement des sociétés » qui établissait que « toute firme industrielle ou commerciale appartenant à des Juifs ou ayant des partenaires juifs devait se faire connaître. Toute infraction sera punie d'une peine pouvant aller jusqu'à cinq ans d'emprisonnement ou une amende de 100 000 florins [23] ». Étaient concernées toutes les entreprises qui, à cette date de l'occupation allemande, avaient un ou plusieurs partenaires ou directeurs juifs, des actionnaires juifs et des capitaux juifs : elles devaient se faire enregistrer au Bureau des affaires économiques.

Le 4 novembre, les enseignants juifs furent suspendus. Aucun ne fut jamais réintégré. Deux universités, Delft et Leyde, furent fermées en raison de leur résistance persistante aux Allemands. L'université d'Amsterdam fut temporairement fermée par ses administrateurs pour prévenir des démonstrations étudiantes qui auraient entraîné sa fermeture complète. Le 25 novembre, les Juifs furent chassés de la fonction publique. Le 19 décembre, un décret interdit aux Allemands de travailler chez des Juifs.

Il était désormais clair que le traitement infligé aux Juifs des Pays-Bas serait le même que dans les autres pays de l'Europe occupée. Certains n'en avaient jamais douté : durant le premier mois du régime nazi, 248 Juifs s'étaient suicidés. Les familles qui avaient des ressources suffisantes étaient prêtes à payer n'importe quelle somme pour obtenir l'autorisation d'émigrer. Quelques-uns bravèrent le danger et partirent à pied à travers la France dans l'espoir d'atteindre l'Espagne et la liberté. Environ un millier réussirent. Deux cents Juifs parvinrent en Angleterre par bateau depuis Ijmuiden, aidés par une non-Juive, Gertrude Wijsmuller-Meijer, qui se dévoua à cette cause durant toute la guerre.

Le lendemain de « l'ordonnance relative à la déclaration des entreprises », Otto fit enregistrer une nouvelle société par-devant notaire à Hilversum. Les capitaux de la société, « La Synthèse NV », appartenaient au directeur financier, Jan Gies, et au directeur général, Victor Kugler. Le propriétaire effectif de la société, Otto Frank, pouvait ainsi se cacher derrière cette façade. Quoi qu'il en soit, le 27 novembre, Otto déclara officiellement Opekta, se présentant comme l'unique propriétaire et déclarant avoir apporté un capital de 10 000 florins ; il fit de même pour Pectacon, indiquant que son capital se montait à 2 000 florins et que le reste des actions n'avait pas été émis. Ainsi, à première vue, les apparences étaient sauves. Des questions concernaient le nom et l'adresse de la société, la nature de ses importations et exportations. Otto, Kugler (qui avait été nommé fondé de pouvoir de Pectacon cette année-là) et Kleiman durent indiquer leurs lieu et date de naissance, leurs fonctions dans l'entreprise, de même que leurs adresses. La question 9B demandait abruptement : « Juif [24] ? »

Le 1er décembre 1940, les deux sociétés Opekta / Pectacon s'étaient installées dans de nouveaux locaux, au 263, Prinsengracht, dans le quartier connu sous le nom de Jordaan. La Westerkerk, la plus grande et l'une des plus anciennes églises protestantes des Pays-Bas, se trouve juste au bas de la rue, et la cloche de sa tour de briques, la Westertoren, résonne dans la ville tous les quarts d'heure, exactement comme elle le faisait il y a près de soixante ans, le jour où Otto Frank installa son entreprise à l'ombre de l'église. Construit en 1635 par Dirk Van Delft, le 263, Prinsengracht, a connu un certain nombre de changements au fil des siècles. Le pignon fut rajouté en 1739, et la vieille annexe (la maison arrière) fut détruite et remplacée par une autre plus grande. Isaac Van Vleuten, un pharmacien, l'acheta 18 900 florins en 1745 et l'habita, bien qu'il fût propriétaire d'une maison de style campagnard sur le Haarlemmer Trekvaart. Lorsque Van Vleuten mourut, la maison resta inhabitée pendant des années. En 1841, le rez-de-chaussée devint une étable pour cinq chevaux, et fut ensuite utilisé par intermittences comme local commercial vers le tournant du siècle, lorsqu'une entreprise spécialisée en appareils de chauffage, poêles et lits l'acquit. Dans les années 1930, l'immeuble servit d'atelier à un fabricant de bandes perforées pour pianos mécaniques et fut vendu au patron de l'entreprise, M. Kruijer. Il était resté vide pendant un an lorsque Opekta / Pectacon s'y installa, le louant directement au nouveau propriétaire, M. A. Wessel.

Une double porte, sur le côté droit de l'immeuble, menait directement à l'entrepôt, qui était divisé en trois espaces différents au rez-de-chaussée. L'entrée à côté du magasin conduisait aux bureaux du premier étage. Enfin la porte de gauche menait par un escalier raide au deuxième étage où trois pièces en enfilade servaient à entreposer de gros récipients, des sacs d'ingrédients pour la confiture et des épices. Le grenier audessus était également utilisé pour entreposer des marchandises. Les deuxième et troisième étages de l'annexe étaient vides, mais au premier étage, Otto avait aménagé deux pièces qui servaient, l'une de bureau pour lui, l'autre de cuisine pour le personnel. L'immeuble était flanqué, à droite, par une succursale de la compagnie Keg Zaandam, à gauche par un atelier de meubles [25].

Il y avait onze employés en tout à Prinsengracht, dont cinq travaillaient pour Pectacon et six pour Opekta. Les deux sociétés engageaient parfois du personnel temporaire. Tous les samedis matin, les représentants venaient faire leur rapport et livrer les commandes des pharmaciens pour Opekta et des bouchers pour Pectacon. Kugler dirigeait les manutentionnaires et le personnel de bureau, et partageait un bureau avec Hermann Van Pels. Kleiman, Miep (qui vivait désormais avec Jan Gies à Hunzestraat dans le Quartier de la rivière) et Bep étaient installés dans le bureau principal qui donnait sur l'avant. Apparemment, l'atmosphère était aussi détendue qu'elle l'avait toujours été, mais plus les décrets antisémites tombaient, plus Miep savait qu'Otto cachait ses véritables sentiments derrière son calme apparent : « Bien qu'il donnât l'impression que tout était normal, je voyais bien que M.Frank était épuisé. Obligé de venir à pied au bureau, suite à l'interdiction de prendre le tramway, il parcourait quotidiennement plusieurs kilomètres. Il ne me parlait jamais des contraintes auxquelles lui et sa famille étaient soumis [26]. »

En décembre, Margot écrivit à sa grand-mère en Suisse. Il n'y a pas dans la lettre d'allusion explicite aux événements des Pays-Bas, mais ce qu'elle dit de l'école semble impliquer que les choses étaient en train de changer :

« Chère Mamy,
Je te souhaite un bon anniversaire. Cette année est spéciale, parce que l'on n'a qu'une seule fois 75 ans. Pour ton soixante-dixième anniversaire, papa et moi étions à Bâle et j'espère que nous serons avec toi le 20 décembre.
Nous ne sortons pas très longtemps le soir, parce qu'il fait nuit très vite, et je joue aux cartes avec M. Wronker, notre locataire. Anne et moi aimons beaucoup aller voir le bébé des Goslar [27]. Elle sourit déjà et elle est de jour en jour plus mignonne. Demain, Anne va à la patinoire, qui est maintenant à l'Apollo, ce qui est bien plus près. Est-ce que Berndt fait beaucoup de patin, ou est-ce qu'il a trop de devoirs ?
Dans notre école, certains professeurs sont partis, nous n'avons pas du tout de cours de français et notre professeur de mathématiques a changé. L'école commence maintenant à neuf heures et quart au lieu de huit heures et demie et nous avons une heure de cours en moins. Le samedi, je vais en ville

avec maman et en ce moment, juste avant Hanoukkah [la fête de « l'Inauguration »], nous trouvons des choses à acheter.

Ainsi donc, meilleurs vœux à toi et à Stephan pour son anniversaire.

Ta Margot. »

Ajout de la main d'Edith : « Otto t'écrira du bureau [28]. »

Les Frank ne seront pas en Suisse pour l'anniversaire d'Alice et de Stephan ; tout passage des frontières des territoires occupés leur était interdit.

Le 5 janvier 1941, les cinémas fermèrent leurs portes aux Juifs. Dans les cafés, les restaurants et les parcs commençaient à apparaître des affiches signifiant aux Juifs qu'ils étaient indésirables. Le 10 janvier fut annoncé que « toute personne de religion juive ou étant entièrement ou partiellement de sang juif devait se faire connaître. Tout manquement sera considéré comme un crime [29] ». On accorda dix semaines aux Juifs d'Amsterdam (quatre semaines, aux autres) pour se faire enregistrer au bureau du recensement où ils recevaient, contre un florin, une carte d'identité jaune tamponnée d'un grand « J » noir.

Le 11 février, les étudiants juifs furent exclus des universités. Le 12 février, au cours d'une rafle sur des marchés juifs, à Waterlooplein et à Amstelveld, un membre de la WA (groupe paramilitaire de nazis hollandais) fut grièvement blessé et mourut des suites de ses blessures ; les Allemands prétendirent que des Juifs lui avaient mordu une veine et lui avaient sucé le sang. Le chef des SS et de la police, Hans Rauter, fit boucler Waterlooplein et mit les dirigeants des communautés juives en demeure de former un conseil [30]. Ce Conseil juif sera dirigé par A. Asscher, président du Conseil de la grande synagogue néerlandaise, et par le professeur D. Cohen, ancien président du Comité pour les réfugiés juifs ; il devait garantir l'ordre dans la population juive et transmettre toutes ses instructions à la communauté.

Le même mois chez « Koco », un glacier, des SS se firent asperger d'ammoniaque par le propriétaire juif allemand,

Ernst Cahn, qui sera plus tard torturé puis fusillé au quartier général de la Gestapo d'Amsterdam. Himmler ordonna la déportation de plus de 400 Juifs et, le 22 février, il y eut une rafle dans le quartier juif. Des hommes arrêtés au hasard furent rassemblés sur le Jonas Daniel Meijerplein, maltraités et frappés par des nazis en uniforme qui lâchèrent leurs chiens sur eux. Les prisonniers furent envoyés au camp de concentration de Buchenwald, *via* Schoorl et Alkmaar. Deux mois plus tard, les survivants furent envoyés à Mauthausen, où on les fit travailler jusqu'à la mort dans les carrières, en les traitant comme du bétail. En signe de protestation contre la rafle du Meijerplein, une grève fut déclenchée le 25 février; à Amsterdam, Hilversum et Zaandam, elle dura deux jours et paralysa le commerce, l'industrie et les transports, avant que ne fût imposée la loi martiale avec l'aide de l'armée allemande. Les SS prévinrent qu'il y aurait d'autres représailles contre les Juifs et 300 autres arrestations si les gens refusaient de coopérer. Asscher fut prévenu que, si le Conseil juif ne parvenait pas à mettre fin à la grève, 500 Juifs seraient fusillés. Les Allemands mirent bientôt leurs menaces à exécution : seize ouvriers qui résistaient et trois grévistes furent fusillés par un peloton d'exécution à La Haye, les Hollandais furent sévèrement condamnés et un décret menaça tout participant à un piquet de grève d'au moins un an de prison.

En mars, certaines propriétés juives furent réquisitionnées de force pour être « aryanisées ». Les Juifs furent rayés de la liste des donneurs de sang. Dans les abattoirs, les Juifs et les non-Juifs furent séparés sur leurs lieux de travail. Le 12 mars, le « Décret de déjudaïsation économique » stipula que tout changement intervenu entre le 9 mai 1940 et le 12 mars 1941 au registre du commerce devait, selon le décret d'octobre 1940, être déclaré avant le 12 avril, pour être approuvé par les autorités allemandes. Un autre décret établit que les Pays-Bas étaient en état de siège administratif et que quiconque s'opposerait aux ordres de la police risquait la peine de mort. *Het Joodsche Weekblad*, l'hebdomadaire juif utilisé par les nazis pour faire connaître leurs directives, parut pour la première fois. Le 9 avril, les journaux hollandais rapportaient que les

Juifs étaient exclus de quasiment tous les postes dans la fonction publique à Haarlem, sur ordre du bourgmestre de la ville. Interdiction fut faite aux Juifs de Haarlem de sortir de chez eux, et ceux qui voulaient se rendre à Haarlem furent prévenus qu'ils étaient indésirables. Un nouveau décret fut publié interdisant aux Juifs de quitter Amsterdam. Le 15 avril, tous les Juifs reçurent l'ordre de remettre leur poste de radio et de signer une déclaration attestant qu'ils ne s'en étaient pas procuré un autre à la place. Pour beaucoup, la radio était vitale, surtout depuis que « Radio Oranje », la voix du gouvernement hollandais installé à Londres, avait commencé à émettre. Ils furent des milliers à garder leurs postes clandestinement. Dans les cinémas hollandais, on projeta un film intitulé *De Eeuwig Jood* (Le Juif éternel), présenté comme un documentaire sur la « juiverie » mondiale. L'affiche du film représentait un visage tordu avec un nez crochu portant l'étoile de David sur le front, et proclamait : « Vous devez voir ce film ! »

À partir du 1er mai, les Juifs furent exclus de la Bourse des Pays-Bas, et dans certaines professions il leur fut interdit de travailler pour des non-Juifs. Le 23 mai, les Juifs furent exclus du service du travail. Les fermes appartenant à des Juifs furent enregistrées le 28 mai, dans l'intention de les vendre à des Aryens en septembre. Les musiciens juifs furent exclus de tous les orchestres subventionnés par le gouvernement, tandis que les médecins juifs n'étaient autorisés à traiter que des patients juifs. Fin mai, des édits interdirent aux Juifs l'accès aux parcs publics, aux courses, aux piscines, aux bains publics et il leur fut interdit de louer des chambres dans les auberges, les pensions et les hôtels.

Anne envoya deux lettres en Suisse, en janvier et en mars 1941, essentiellement pour parler de sa passion du patinage. Des fragments ont survécu. Voici la première, datée du 13 janvier :

« Chers tous,
J'ai reçu aujourd'hui la lettre de Berndt et je trouve que c'est vraiment très gentil qu'il nous ait écrit, merci encore une fois.

Chaque fois que je peux, je suis à la patinoire. Jusqu'à présent, je portais toujours mes vieux patins, qui avaient d'abord été à Margot. Les patins devaient être fixés avec une clé et à la patinoire, tout le monde avait des patins de patinage artistique qu'on fixait sur ses chaussures, proprement, de façon à ne pas les perdre. Je voulais vraiment avoir des patins comme ceux-là, et maintenant, après avoir longtemps attendu, je les ai. Je prends maintenant régulièrement des cours à la patinoire et je sais valser, sauter, à vrai dire faire *tout* ce qu'on peut faire avec des patins. Hanneli a hérité de mes autres patins et elle en est très heureuse, comme ça nous sommes contentes *toutes les deux*. La petite sœur de Hanneli est vraiment mignonne, parfois, je la prends dans mes bras et elle me sourit [31]... »

La seconde lettre est datée du 22 mars :

« Chère Mamy et chers tous,
Un grand merci pour la jolie photo, vous pouvez dire que Berndt est très drôle [32]. J'ai accroché la photo au-dessus de mon lit. M. Wronker est parti, de sorte que nous avons maintenant la grande chambre pour nous, ce qui est formidable, et nous avons aussi un peu plus d'espace. Aujourd'hui, maman et moi sommes allées en ville pour m'acheter un manteau. Samedi, j'étais au bureau avec papa et j'y ai travaillé de neuf heures jusqu'à quinze heures, puis nous sommes allées en ville ensemble et finalement nous sommes rentrées à la maison.
Je sais que je pourrai refaire du patin mais il faudra que je fasse preuve de patience. Après la guerre, si papa a encore de quoi payer, je prendrai des leçons à la patinoire. Si je patine vraiment bien, papa m'a promis un voyage en Suisse, pour venir vous voir tous.
À l'école, nous avons beaucoup de devoirs. Mme Kuperus est très gentille, et Hanneli aussi. Margot est allée voir le bébé toute seule, et samedi, c'est *moi* qui irai voir Mme Goslar et le bébé. Sanne est rarement avec nous, elle a ses propres amis maintenant. Barbara Ledermann vient demain [33]... »

Tandis qu'Anne songeait à sa carrière de patineuse, son père faisait tout pour éviter que Pectacon ne tombât entre les mains des nazis. Compte tenu du décret du 12, Otto fit une demande auprès des Allemands pour faire approuver des changements concernant la société, changements qu'il disait avoir été décidés lors de l'assemblée du 13 février 1941, et dont la conséquence était que Pectacon était entièrement sous contrôle aryen. Lors de cette assemblée fictive, 8 000 florins en actions avaient été attribués à Kleiman et à Me A.R.W.M. Dunselman, l'avocat qui avait été nommé directeur financier d'Opekta en 1935. De cette manière, Otto quittait ses fonctions, laissant Kleiman prendre sa place, tandis que Dunselman devenait directeur financier de Pectacon à la place de Kleiman. Ces modifications étaient censées prouver que l'entreprise avait été « déjudaïsée ». Le 8 mai, avec la coopération de Jan Gies, Pectacon devenait Gies & Co. En réalité, ces changements étaient de pure forme et les affaires continuaient comme auparavant, sous la direction d'Otto.

Malheureusement, comme le révèle un rapport allemand du Bureau des questions économiques, les nazis perçurent immédiatement le subterfuge : « Ces mesures tendaient à donner l'impression que la majorité du capital ainsi que la direction de la société se trouvaient entre des mains aryennes [...]. Les décisions prises par l'assemblée générale du 13 février 1941 [...] sont nulles et non avenues, [c'est pourquoi] le Commissaire général de l'économie et des finances, division *Wirtschaftsprüfstelle*, a nommé le 12 septembre, conformément à l'ordonnance 48 / 41, Me Karl Wolters d'Amsterdam en qualité de curateur et l'a chargé de la liquidation de l'entreprise [34]. » Wolters, mandataire de la ville d'Amsterdam, avocat et membre du parti nazi néerlandais, était, malgré ses allégeances politiques, moins déraisonnable que la plupart de ses confrères avec les hommes d'affaires juifs placés sous sa responsabilité. Il accorda un délai de huit à dix jours à Otto et Kleiman pour préparer la liquidation de Pectacon. Avec l'aide d'un courtier, ils purent ainsi tout transférer – les machines et le stock – à Gies & Co, Otto conservant ses actions.

Le 12 juin 1941, Anne fêtait son douzième anniversaire. Vers la fin du mois, elle écrivit à sa grand-mère en Suisse, expliquant pourquoi elle n'avait pas pu répondre plus vite :

« Chère Mamy et chers tous,

Merci à tous pour votre gentille lettre d'anniversaire. Je l'ai lue le 20, parce que mon anniversaire a été remis car Mamy [35] est hospitalisée. J'ai reçu plein d'argent de Mamy, 2,5 florins, un atlas de papa, une bicyclette de maman, un nouveau cartable, un nécessaire de plage et d'autres choses encore. Margot m'a offert ce papier à lettres parce que je n'en avais plus, des sucreries et d'autres petits cadeaux, je ne peux donc pas me plaindre.

Il fait très chaud ici. Chez vous aussi ?

J'ai beaucoup aimé le petit poème que Stephan a écrit. J'en ai aussi un de papa – il m'en écrit toujours un. Bientôt, ce sera les vacances. Je vais dans un camp d'enfants avec Sanne Ledermann (Mamy la connaît peut-être), ainsi je serai moins seule. Hier (dimanche), je suis sortie avec Sanne, Hanneli et un garçon. Je ne peux pas me plaindre de manquer de petits amis. Nous n'aurons plus beaucoup la possibilité de bronzer, parce que nous ne pouvons pas aller à la piscine [36]. C'est bien dommage, mais c'est comme ça [37]. »

La lettre s'arrête là, mais quelques jours plus tard, Anne envoya une carte postale en Suisse, depuis un salon de thé, *De Weide Blik, Oud Valkeven* : « Très chère Mamy, nous avons fait une sortie aujourd'hui parce qu'il fait très beau. Cette carte est si jolie. Nous pensons à vous, Anne, Sanne et Hanneli [38]. » Otto signa la carte lui aussi. Deux autres lettres écrites par Anne cette année-là ont survécu. Les deux proviennent du « camp d'été » dont elle parle dans sa lettre à sa grand-mère, et elles sont adressées à son père :

« Lundi soir,

Cher Papa,

Merci beaucoup pour la lettre et l'argent, j'en ai bien besoin. J'en ai déjà dépensé beaucoup, mais pas pour n'importe quoi. J'avais besoin de timbres pour écrire à tout le monde.

0,25 florin pour des bonbons
0,05 florin pour des enveloppes
0,10 florin pour d'autres friandises
0,30 pour des fleurs pour tante Eva
1,80 pour d'autres timbres
0,05 pour un petit carnet
0,73 pour des cartes postales
Ce qui fait en tout 3,28 florins.

Tu veux bien féliciter M. Drehrer [39] de ma part, je lui ai également envoyé une carte postale. Aujourd'hui, j'ai passé la journée allongée dans le jardin, et j'ai joué au ping-pong aussi, parce que j'aimerais apprendre maintenant. Oncle Heinz et tante Eva [40] jouent très bien. Je lis beaucoup. J'ai lu d'une traite les livres que j'avais empruntés à Sanne. Je n'ai pas reçu de courrier de maman depuis samedi soir et nous sommes lundi soir. Il fait très beau ici et il ne pleut pas. Ray [41] est un petit peu embêtant, mais il est mignon. Tu veux bien m'écrire dès que possible ? Grosses bises,

Anne [42]. »

« Mon très cher Hunny Kungha [43], comme j'appelle mon papa,

Merci vraiment pour les cartes de stars de cinéma. J'en ai reçu deux autres, mais je n'avais pas celles-là. J'ai été très contente de recevoir ta lettre, et j'ai mangé les sucreries, la confiture et le riz que tu m'as envoyés. Le riz est arrivé à point nommé, parce que j'ai l'estomac dérangé et donc je l'ai mangé immédiatement. Aujourd'hui je me suis levée pour la première fois après avoir été malade ; j'avais un petit mal de tête et des brûlures d'estomac.

Ce soir, nous avons mangé du poisson cuit, des pommes de terre et de la salade. J'ai laissé la salade et le pain, mais après il y avait un délicieux pudding aux cerises avec un coulis. J'adore le pudding, mais seulement avec du coulis. Je suis sûre que maman pourrait faire ça aussi, par exemple avec du sirop de framboise.

Ta lettre m'a fait très plaisir. Tu ne pourrais pas reculer tes vacances d'une semaine, et si ce n'est pas possible, tu ne pourrais pas venir me voir ? J'aimerais tellement. Tu pourrais venir par le train d'Amsterdam de neuf heures trente, puis prendre le bus depuis la gare jusqu'à Beekbergen, puis descendre au *Sonnenhuis* et demander le 5, Koningweg, *Op den Driest*. [*Phrase illisible*] ... s'il te plaît, apporte des tartines. Ils aiment beaucoup ça ici. J'espère que tu le feras, je me languis tant de vous tous. Écris-moi tout de suite, parce que le dimanche, nous ne recevons pas de courrier, je t'embrasse très fort,

Ton Anne [44]. »

Otto, Edith et Margot rejoignirent Anne à la maison *Op den Driest* en juillet. Lorsque tous les quatre, avec Sanne, retournèrent à Amsterdam, ils furent enchantés d'apprendre que Miep et Jan allaient se marier. Toute la famille était invitée, mais la grand-mère d'Anne était à nouveau gravement malade, et Margot aussi était mal en point. Edith décida de rester avec elles, au cas où elles auraient besoin d'elle. Mais Otto et Anne étaient tout excités de figurer au nombre des invités, qui comptaient la famille de Miep, Mme Stoppelman (la propriétaire de Miep et Jan), les Van Pels, Kleiman, Kugler et Bep. Le mariage fut célébré à l'hôtel de ville sur le Dam le 16 juillet 1941. Miep portait une jolie robe de tissu imprimé sous un long manteau à la mode, et un chapeau ; Jan, un costume léger et un chapeau ; Anne, une nouvelle petite robe ravissante et un chapeau cloche assorti avec un ruban. On lui avait coupé les cheveux pour l'occasion ; avec son petit chignon, elle était cette jeune fille élégante que ses amis admiraient tant. Il faisait beau et un photographe de rue prit des clichés du mariage. Le lendemain matin, Otto organisa une petite réception en l'honneur du couple dans les bureaux du Prinsengracht. Anne et Bep préparèrent les victuailles (procurées par l'un des représentants) et les servirent. On avait également préparé des cadeaux pour les jeunes mariés ; les Frank et le personnel du bureau leur avaient acheté un coûteux plateau d'argent qu'Anne leur offrit en grande cérémonie. Les jeunes mariés rendirent visite aux Frank peu de temps après, et Miep remarqua combien les deux filles étaient affectées par les changements qui se produisaient : « La santé délicate de Margot s'était aggravée depuis le début

107

de l'occupation. Fréquemment malade, elle faisait en sorte de ne pas interrompre ses études. Toujours douce et silencieuse, elle s'efforçait de dissimuler ses angoisses. Anne était la plus extravertie de la famille [...], révoltée par les injustices qui frappaient la population juive. [...] À ses innombrables passions, stars de cinéma ou amies de cœur, était venu s'ajouter un autre sujet d'intérêt : les garçons. Depuis peu, sa conversation se pimentait de réflexions sur certaines personnes du sexe opposé. On aurait dit que les conflits qui secouaient le monde accéléraient la maturité de cette petite fille, qu'Anne avait soudain hâte de tout connaître et de tout expérimenter. Extérieurement, c'était une fillette de douze ans, délicate et pleine d'entrain, mais intérieurement, quelque chose en elle avait soudain vieilli [45]... »

En juillet 1941, certaines écoles des Pays-Bas commencèrent à renvoyer les élèves juifs. En août, les avoirs juifs furent placés sous le contrôle des banquiers Lippmann, Rosenthal & Co. Les nazis s'en servaient pour financer de nouveaux projets, et lorsque les Juifs commencèrent à se cacher, l'argent utilisé pour payer les délateurs devait souvent venir des coffres de Lippmann, Rosenthal & Co. À partir du 18 août, la loi permit d'obliger les Juifs à céder leurs propriétés aux autorités allemandes ou à des Hollandais. L'Union néerlandaise, créée le 29 juillet 1940, interdit maintenant aux Juifs d'y adhérer ou exclut ceux qui en faisaient déjà partie. Les Allemands établirent une société nazie pour les arts créatifs non juifs afin d'éradiquer toute résistance. Quiconque ne rejoignait pas la *Kultuurkamer* ne pouvait poursuivre son travail.

Le 29 août, un décret renvoya les enfants juifs des écoles fréquentées par des non-Juifs. Ce fut le premier décret qui eut un impact important sur la vie des enfants juifs aux Pays-Bas. Dans l'enseignement secondaire, des établissements spéciaux furent créés pour les filles et les garçons à Amsterdam et à La Haye. En province, les élèves juifs furent renvoyés des collèges techniques et expédiés dans des camps de travail allemands. Ce mouvement « accéléra très largement la séparation entre les Juifs hollandais et le reste de la population [46] ».

Le 15 septembre entrèrent en application une foule de nouveaux « interdits aux Juifs », leur fermant les lieux de divertissement et les activités sportives. Le 22 octobre fut promulgué un décret obligeant les employés juifs à demander un permis spécial pour continuer à exercer leur travail. Les Juifs sous contrat à durée déterminée pouvaient être licenciés sans motif par leurs employeurs (ils furent renvoyés à partir du 31 janvier 1942). En novembre, les Juifs allemands de tous les territoires occupés furent privés de leur nationalité. Ceux qui vivaient aux Pays-Bas reçurent l'ordre de se présenter à la Zentralstelle où on leur demandait de dresser la liste de tous leurs biens, le tout pouvant être confisqué au profit de l'Allemagne. Le 5 décembre, tous les Juifs d'une autre nationalité que néerlandaise furent à nouveau convoqués à la Zentralstelle, cette fois-ci pour « l'émigration volontaire [47] ».

Fin 1941, les Allemands dressèrent un bilan de la première année entière d'occupation des Pays-Bas : « Des 900 Juifs déportés à Mauthausen, nombre de survivants : 8 [48]. » Dans une lettre à Arthur Seyss-Inquart, Bohmcker, le délégué allemand à Amsterdam, confiait : « Tous les Juifs hollandais sont maintenant dans le filet [49]... »

Pour Anne et Margot, la seconde moitié de l'année 1941 fut dévastatrice, car elles furent chassées des écoles qu'elles aimaient. Lies Goslar mise à part, Anne n'était en aucune façon la seule enfant juive de sa classe ; il y en avait vingt, et quatre-vingt-sept en tout dans l'école. Les enfants furent rassemblés, et on leur expliqua qu'ils ne reviendraient pas l'année suivante. Anne pleura en faisant ses adieux à Mme Kuperus, accablée de voir les enfants partir : « Il y avait à cette époque plus d'enfants juifs dans les écoles Montessori que dans les écoles primaires normales. La méthode Montessori était alors considérée comme " moderne ", et de nombreux Juifs se voulaient modernes. Les Frank avaient à cet égard l'esprit ouvert [...]. Pendant quelque temps, nous avons revu [*Anne*] assez souvent. Puis soudain, ils portèrent tous l'étoile jaune, et dès lors, nous ne les avons plus revus du tout [50]... »

Lorsque le décret fut promulgué, Fritzi Geiringer, la mère

d'Eva, téléphona aux Frank pour leur demander s'ils souhaitaient que leurs filles rejoignent Eva dans une petite classe privée formée par un enseignant qui avait perdu son travail à cause des nazis. Edith et Otto refusèrent, préférant que leurs filles fréquentent plutôt l'école « normale ». Dans son mémoire, Otto se souvient combien, avec la nouvelle loi, il était devenu difficile à Anne et Margot « de conserver leurs amitiés avec des enfants non juifs, surtout maintenant qu'il était aussi interdit aux chrétiens de fréquenter des familles juives et vice-versa [...]. Lorsque je repense à cette époque où furent introduites en Hollande de nombreuses lois qui nous rendaient la vie terriblement difficile, je dois dire que mon épouse et moi avons fait tout ce que nous pouvions pour empêcher que les enfants se rendent compte des ennuis vers lesquels nous allions, pour leur faire croire qu'elles vivaient toujours une époque sans soucis. Ce ne fut pas long [51]... ».

Anne et Margot intégrèrent le lycée juif, en face de l'école secondaire juive bien plus petite qui se trouvait sur le Stadstimmertuinen. Le lycée occupait un immeuble de trois étages avec des chambres aménagées sous les combles. Il y avait un long terrain de jeux bétonné devant et un autre à l'arrière, et un porche sous les maisons adjacentes menait à l'Amstel. Laureen Klein se souvient d'Anne à l'arrêt de tramway tous les matins, maintenant qu'elles avaient changé d'école : « Nous habitions à deux stations des Frank. Anne et ses copines montaient dans le tram, et je me disais : " Quelle boute-en-train ! " Elle était la meneuse. Et ça bavardait et ça bavardait [52]. » Anne entra dans la première section du lycée avec Lies Goslar, et Margot dans la quatrième, avec sa meilleure amie, Jetteke Frijda.

Anne se fit une nouvelle amie au lycée, Jacqueline Van Maarsen, qui habitait, avec ses parents et sa grande sœur Christiane, au 4, Hunzestraat, dans le Quartier de la rivière. Le père de Jacque faisait commerce de livres anciens et de gravures, et il était juif de naissance, ce qui voulait dire que la famille subissait les décrets antisémites. Sa mère, une Française catholique qui s'était convertie au judaïsme, dirigeait un grand magasin – Hirsch – sur le Leidesplein. Jacque était née à Amsterdam en janvier 1929. La famille vint habiter le Quartier de la rivière en 1940. Ils n'étaient pas particulièrement religieux : « À vrai dire, nous n'allions à la synagogue qu'à l'occasion d'un grand événement. Et le lycée juif n'était pas si pratiquant – par exemple, je crois que j'allais à l'école le samedi. Je suis sûre qu'il y avait des garçons et des filles qui étaient plus religieux et qui donc n'y allaient pas, mais ce n'était pas une obligation [53]. »

Jacque rencontra Anne lors de leur première journée au lycée. Elle rentrait chez elle en bicyclette lorsque quelqu'un l'appela ; elle se retourna et vit Anne, « une fillette menue avec des cheveux noirs brillants et des traits fins », qui lui faisait signe de la main [54]. Anne la rattrapa sur son vélo et lui dit cordialement : « À partir de maintenant, nous pouvons rentrer à bicyclette ensemble, j'habite sur Merwedeplein [55]. » Sur le chemin du retour, elle bavarda sans interruption, racontant à Jacque tout ce qui concernait ses amis et son ancienne école. Jacque était plus réservée qu'Anne, et leur relation est née de « l'assurance [*d'Anne*] et de la manière dont elle a provoqué notre amitié [56] », mais aussi de sa franchise. Elle accompagna Anne chez elle ce même jour et se sentit immédiatement à l'aise chez les Frank, qui l'invitèrent à rester dîner. Les deux filles avaient des affinités communes et lisaient les mêmes livres. Jacque se souvient : « Nous aimions particulièrement Cissy Van Marxveldt, et j'avais un exemplaire signé de l'un de ses livres. Anne acheta également ses autres livres et elle m'a donné un livre d'une autre série de Van Marxveldt. Quel dommage qu'elle ne l'ait pas signé [57]. » Ce qui est plus inattendu, c'est leur fascination commune pour la mythologie. Le père de Jacque avait acheté *Les Mythes de la Grèce et de Rome* : elle le montra à Anne, qui en voulut immédiatement un exemplaire.

Chez Anne, elles jouaient souvent au Monopoly dans le salon, bien que Jacque se souvienne surtout de la cuisine où Anne « faisait toujours des sandwiches après l'école, à quatre heures, et où elle donnait à manger à son chat, Moortje... Nous faisions aussi nos devoirs chez Anne, au salon [58] ». Anne n'avait plus de problèmes de concentration à l'école ; chaque fois qu'elles faisaient leurs devoirs « Anne était plus rapide et meilleure [59] ». Elles échangeaient des photographies de stars de cinéma, qu'elles conservaient dans de jolies boîtes, avec leurs collections de cartes postales. Jacque se souvient que sa collection de cartes postales surpassait celle d'Anne, mais Anne avait une plus grande collection de stars de cinéma. L'une des idoles de Jacque était Shirley Temple, et la vedette de la chanson Deanna Durbin. L'appartement d'Anne se transforma en une minisalle de cinéma où Jacque et Anne organisaient des séances, Otto assurant la projection et Edith apportant des rafraîchissements. Elles envoyaient des tickets à leurs amis : « ... est invité le... avec Anne Frank au 37, Merwedeplein, à onze heures, pour visionner un film. Pas d'entrée sans cette carte. Réponse souhaitée à temps. Rangée ... place [60] ... » Jacque raconte : « Ensemble, nous faisions de petites cartes d'entrée – bien entendu, tout le monde pouvait entrer – mais nous voulions que ça ait l'air vrai, avec de vrais tickets [61]. »

Quand il faisait beau, elles passaient des heures sur le balcon de l'appartement des Frank, elles se confiaient leurs secrets et colportaient des ragots sur leurs amis communs. C'était l'un des endroits préférés aussi bien d'Anne que de Margot, et il existe plusieurs photographies les montrant assises dans des chaises longues sur la terrasse, livres et chapeau à portée de main. Jacque se souvient qu'elles parlaient, comme le font toutes les jeunes filles, « des choses du sexe. [*Anne*] voulait savoir ce qu'il en était et j'en savais bien plus qu'elle, parce que ma sœur me racontait tout ; mais moi je me disais : " Je ne vais certainement pas te raconter, tu n'as qu'à demander à ton père ! " À cette époque-là, le corps d'Anne ne changeait pas encore, mais je crois qu'elle avait envie de savoir, parce qu'elle mettait [...] un soutien-gorge de Margot rembourré de coton, pour faire croire qu'elle avait un peu de seins, et moi je n'avais pas besoin de ce genre de choses [62] ». Anne était extrêmement intriguée par les changements qui se produisaient dans son corps, et plus tard, elle écrivit dans son *Journal* : « Je sais qu'une fois, alors que je passais la nuit chez Jacque, je n'ai pas pu me retenir, tant j'étais curieuse de son corps, qu'elle cachait toujours de mon regard et que je n'ai jamais vu. Je lui ai demandé si, en gage de notre amitié, nous pourrions nous palper mutuellement les seins. Jacque a refusé. De même, j'avais une terrible envie d'embrasser Jacque et je l'ai fait [63]. » Cet incident a mis Jacque dans l'embarras lorsque le *Journal* a été publié : « [*Anne*] n'a pas aimé que je refuse, mais pour la calmer, il a suffi que je la laisse m'embrasser sur la joue [64]. »

Quand Anne faisait une découverte concernant le sexe, elle prenait un malin plaisir à transmettre son savoir à d'autres, jouissant de son avantage en particulier sur les garçons. « C'est ce qui lui donnait l'impression d'être une grande, ce qui comptait beaucoup pour elle [65] », explique Jacque. La curiosité parfaitement naturelle d'Anne concernant sa sexualité semble avoir aussi troublé sa mère qui, lorsque Anne tenta d'aborder le sujet, lui répondit : « Anne, je vais te donner un bon conseil, ne parle jamais de ces choses-là avec les garçons et ne leur réponds pas s'ils abordent la question [66] ! » Dans son *Journal*, Anne se souvient : « Quand j'ai eu 11 ans, ils m'ont renseignée sur l'existence des règles, mais j'étais encore loin de savoir d'où venait l'existence de ce liquide ou ce qu'il signifiait. À 12 ans et demi, j'en ai appris plus long, dans la mesure où Jacque était beaucoup moins sotte que moi. Ce qu'un homme et une femme font ensemble, mon instinct me l'a suggéré ; au début, l'idée me paraissait bizarre, mais quand Jacque me l'a confirmé, j'étais fière de mon intuition !

« Que les enfants ne naissent pas par le ventre, c'est encore de Jacque que je le tiens, elle m'a dit : " Là où la matière première entre, le produit fini ressort [67] ! " » Anne devait se contenter de ce qu'elle apprenait de Jacque et d'Otto qui, sur ces questions, était moins inhibé et comprenait bien que sa fille fût préoccupée par les manifestations de l'adolescence. Il était parfaitement conscient de l'intérêt qu'Anne portait au sexe opposé, et il pensait que la chose était liée à son entrée au lycée juif : « Ce fut un grand changement [...]. Par Margot, Anne connut des élèves des classes supérieures de la nouvelle école. Les garçons n'ont pas tardé à la remarquer. Elle était plutôt attirante, et elle savait utiliser ses charmes... Anne était vive, impulsive et plutôt futile... Elle voulait paraître, elle voulait savoir, et elle voulait faire [68]. »

Bien qu'Anne se soit quelquefois plainte de sa mère et de sa sœur, Jacque estime qu'« elles étaient toujours très gentilles et patientes avec elle... Margot aussi était toujours très gentille avec Anne. Elle était vraiment la *grande sœur*. Je devais sans doute l'admirer, comme ma propre grande sœur. Margot était très intelligente, mais je ne pense pas l'avoir vraiment perçu à ce moment-là. Je n'ai jamais remarqué aucune rivalité entre elles. Margot était toujours très gentille avec Anne, et Anne n'était pas toujours gentille, mais elle n'était jamais désagréable avec Margot [69] ». Anne ne se plaignit jamais de son père, mais il faut dire qu'ils se ressemblaient beaucoup. Jacque se souvient : « Otto était un extraverti, exactement comme sa fille Anne... Il lui fallait toujours quelqu'un auprès d'elle, pour parler, pour jouer, sinon elle s'ennuyait vite [70]. » Anne n'avait pas encore appris à s'occuper toute seule ; cela ne viendrait qu'au moment de son confinement dans l'annexe secrète.

La mère de Jacque aimait beaucoup Anne et a longuement parlé d'elle à l'écrivain Ernst Schnabel : « Anne était un petit singe ! Très intelligente, fille jusqu'au bout des ongles. C'était une forte personnalité. Elle avait des yeux gris-vert. Comme un chat. Sauf que les chats ont des yeux voilés, et ceux d'Anne étaient innocents. Voilà la différence. Elle voyait les choses – et comment ! Elle voyait tout exactement comme c'était, et parfois elle faisait une remarque – piquante comme une aiguille. Seulement, ça ne faisait pas mal, parce qu'elle touchait toujours en plein dans le mille. [...] Mon mari était électrisé chaque fois qu'elle frappait à la porte – et pourtant il avait deux filles. Mais la différence, c'est qu'Anne savait qui elle était. Pas nos filles. Pas même Jacque. Elles étaient toutes deux d'excellentes amies. [...] Mais Anne avait du charme et de l'aplomb, tandis que Jacque était timide et farouche. Elles étaient toujours à comploter et à chuchoter, elles se téléphonaient ; elle venait chez nous, ou Jacque allait chez les Frank [71]. » Chaque fois qu'Anne venait chez eux, elle apportait une valise et une « trousse de toilette, avec bigoudis, brosse et bonnet [72] ». La mère de Jacque confirme : « La valise était vide bien sûr, mais Anne y tenait, parce que c'est seulement avec une valise qu'elle avait vraiment l'impression de voyager... Un dimanche, nous allions juste passer à table et soudain Anne nous dit au

114

revoir. " Pourquoi Anne, nous allons manger ? " Mais elle dit qu'elle devait rentrer pour donner son bain à Moortje. " Mais Anne, tu es folle, on ne baigne pas les chats. " Et Anne répondit d'un ton hautain : " Et pourquoi pas ? Je lui ai souvent donné le bain et il ne s'en est jamais plaint ! " Elle a pris sa valise et elle est partie [73]. »

Peu après que Jacque et Anne se furent connues, Otto retira sa fille de l'école pour un court voyage à Arnhem. De là, il envoya une carte postale à sa mère le 14 septembre : « Très chère mère, Anne et moi sommes venus ici pour deux jours, les autres sont restés à Amsterdam. Nous ne restons pas longtemps, je voulais seulement avoir un peu de paix et de calme, mais je ne voulais pas non plus partir tout seul. Anne est toujours de bonne compagnie et elle a pu se libérer de l'école quelques jours. Tout va bien. Toute notre affection à tous, Otto [74]. » La carte représentait leur hôtel, le Groot Warnsborn, et Anne a écrit sur la photo : « C'est ici que nous sommes. Au milieu de la forêt ! N'est-ce pas merveilleux [75] ? »

Lorsqu'ils furent de retour, Anne et les trois sœurs Klein commencèrent à répéter une pièce pour Hanoukkah intitulée « La princesse au long nez ». Elle fut finalement jouée dans le salon des Klein et, bien que Laureen ne se souvienne plus avec certitude du rôle que tenait Anne, elle se rappelle qu'aussi bien les acteurs que le public trouvèrent ça « très drôle [76] ». Elle avait bien observé Anne : « Elle était mince, presque décharnée dans cette pièce. Une enfant juste avant la puberté. Je n'ai jamais cru qu'Anne se rangerait... Elle avait une sorte de charisme, c'était indéniable, mais je ne me serais jamais doutée que cela s'exprimerait dans un journal intime qui deviendrait célèbre dans le monde entier [77]. » Laureen, comme tout le monde, pensait que la plus prometteuse des deux sœurs était Margot. Margot avait développé un intérêt profond pour la littérature classique, et elle suivait les cours du soir d'Anneliese Schutz, qui avait été journaliste à Berlin avant d'émigrer aux Pays-Bas.

Pendant que ses filles savouraient encore le peu de liberté qui leur restait, Otto était de plus en plus inquiet de l'avenir de ses sociétés. En octobre, il reçut une lettre de la direction de la compagnie Rohstoff Verkehrs A. G. (Rovag) à Bâle, l'informant que l'argent qu'Erich Elias lui avait prêté en sa qualité d'administrateur passait désormais sous son contrôle. Il demandait à Otto s'il acceptait les nouvelles conditions et lui demandait d'expliquer pourquoi les droits de licence n'avaient pas été payés depuis si longtemps. Otto répondit immédiatement, expliquant que cinq mille florins avaient déjà été remboursés sur le montant de la dette initiale, et que les autres engagements qu'il avait contractés avaient été repris par Dunselman. Le 12 décembre 1941, lors de l'assemblée générale des actionnaires d'Opekta (seuls Otto et Dunselman y assistaient), Dunselman annonça que la répartition du capital d'Opekta devait être revue. Il déclara également avoir eu des entretiens avec deux représentants de Pomosin-Werke, qui avaient pris les mesures nécessaires pour « l'aryanisation » d'Opekta ; ils attendaient l'approbation du Bureau des affaires économiques, certains qu'elle serait accordée. Les deux hommes firent ainsi valoir que Pomosin, par le biais de Rovag, était le véritable détenteur des actions d'Opekta, et ils proposaient au Bureau des affaires économiques de confier les actions d'Otto Frank à une banque servant d'intermédiaire dans les affaires d'aryanisation des sociétés juives. Otto informa Dunselman qu'il démissionnait de ses fonctions de directeur de la société Opekta. Tous deux proposèrent la nomination de Kleiman à ce poste. Tous ces changements furent signalés à la Chambre de commerce d'Amsterdam.

En janvier 1942, les Frank furent accaparés par leurs affaires personnelles : la mère d'Edith venait de perdre son combat acharné contre le cancer. Anne et Margot furent profondément affligées par la mort de Rosa Hollander, et Anne écrira plus tard dans son *Journal* : « Grand-mère est morte cet hiver 1941-1942. Et personne ne sait à quel point *moi*, je pense à elle et comme je l'aime encore [78]. » Le soutien de sa grand-mère lui manquait ; Rosa avait toujours su maintenir la relation difficile entre Edith et Anne à un niveau de relatif équilibre. Hilde Jacobsthal, l'amie de Margot, était consciente des frictions entre les deux : « La mère d'Anne n'a pas le beau rôle dans le *livre* [*Le Journal d'Anne*]. Anne dresse le portrait d'une mère sévère, distante et peu compréhensive, tandis que le père était très proche d'Anne... en vérité cette femme était pleine de bonté, vertueuse, généreuse, très réservée. Ces frictions sont si compréhensibles et touchantes parce qu'avec cette gentille sœur, Margot, il était évident que la petite causerait des turbulences dans la famille, particulièrement avec la mère [79]. »

À la maison juive des jeunes, dont Hilde, Margot et Peter Van Pels étaient membres, les discussions portaient souvent sur les mesures qu'on leur imposait aux Pays-Bas. Hilde se souvient très bien des discussions : « Nous avions tous de gros problèmes avec la religion. Chaque fois que nous nous rencontrions, nous comptions les têtes pour voir qui était venu. Je croyais avoir perdu la foi en raison des événements. Les discussions les plus enflammées portaient sur Dieu et sur le judaïsme ; fallait-il être fier d'être juif ou était-ce une malédiction ? Margot était la plus sereine. Moi, j'étais fougueuse... Je me souviens de ces dimanches matin, lorsque nous rentrions à bicyclette à la maison, et moi, confiante, pleine de vie, me disant qu'il *devait* y avoir un avenir pour nous tous [80]. »

4.

« L'autre jour, quand nous nous sommes promenés
autour de notre square, Père a commencé à parler
d'une cachette. Ça allait être très difficile pour
nous de vivre complètement séparés du monde
extérieur, disait-il. " Pourquoi en parler déjà ? " lui
demandai-je. »
Journaux d'Anne Frank, 5 juillet 1942 (c).

Dans le courant de l'été 1941, Heinrich Himmler annonça
que le « Führer avait donné l'ordre d'apporter une solution
finale à la question juive : c'est à nous, les SS, d'exécuter cet
ordre [1] ». Jugé trop extravagant, le « plan Madagascar », par
lequel les nazis envisageaient de déporter quatre millions de
Juifs pour les réduire en esclavage sous la férule allemande,
avait été abandonné. La construction des camps de concentration nazis avait débuté au printemps 1933 avec Dachau, Sachsenhausen et Esterwegen. Le plus tristement célèbre se
trouvait à proximité du petit village industriel polonais
d'Oswecim, où la Sola et la Vistule s'entremêlent en hectares
de terres marécageuses et stériles. Les Allemands le bapti-
sèrent Auschwitz. Ils choisirent ce lieu pour sa facilité d'accès
par voie de chemins de fer : Auschwitz se trouvait au carrefour
des capitales européennes. Pour les Allemands, son isolement
offrait de grandes « possibilités matérielles [2] ». Le 30 mai 1941,

trente criminels allemands de droit commun furent expédiés du camp de Sachsenhausen à Auschwitz pour servir de Kapos. Aidés de trois cents Juifs d'Oswecim, ils commencèrent à aménager le site dès le 1er juin. Rudolf Höss, catholique fervent, fut nommé commandant d'Auschwitz le 29 avril 1941 : il resta à ce poste jusqu'en 1943.

Auschwitz avait été initialement conçu comme un camp disciplinaire pour les prisonniers politiques polonais, mais, dans le courant de l'été 1941, Eichmann visita le camp pour s'entretenir avec Höss des techniques d'extermination. Ils évoquèrent entre autres la possibilité de recourir à des « douches d'oxyde de carbone pendant le bain » ou au « gaz d'échappement dans les camions [3] ». Des expériences avaient été menées pour trouver la méthode d'extermination la plus simple et la plus efficace ; l'une des toutes premières fut le projet d'« euthanasie ». Des sites spéciaux furent aménagés pour se débarrasser des malades mentaux et des handicapés physiques ou mentaux. Cinq mille enfants trouvèrent ainsi la mort. Le 3 septembre 1941, 900 prisonniers de guerre russes et 300 Juifs furent conduits dans les caves du Bloc II, à Auschwitz, et gazés au Zyklon B, nom de marque d'un produit chimique essentiellement commercialisé comme insecticide par la société allemande Tesch & Stabenow. Au contact avec l'air, les minuscules cristaux bleu-vert émettaient un gaz mortel. La même année, plus de 300 Juifs firent les frais d'une autre expérience au Zyklon B dans une chaumière perdue au fond des bois aux environs d'Auschwitz. Leurs corps furent jetés dans des fosses communes creusées à la hâte dans une prairie proche.

À la conférence de Wannsee, en janvier 1942, tous les organismes impliqués dans la « solution finale » reçurent des instructions explicites au sujet de la coordination des opérations. Les SS se virent confier le contrôle de toute l'opération et Eichmann, en sa qualité de chef de la section IV B4 à Berlin, donna les directives.

En mars 1942 furent ainsi données des instructions pour agrandir le camp principal, Auschwitz 1. La construction de Birkenau, terminal d'extermination d'Auschwitz, démarra en septembre. « Birkenau », en allemand, désigne un bois de bouleau : de fait, c'est là que fut implanté le terminal, au bout de la ligne de chemin de fer venant d'Auschwitz 1. Birkenau fut à son tour subdivisé en plusieurs camps : BI, le camp des femmes ; BII, le camp des hommes ; BIIF, les dispensaires ; BIIE, le camp des Tziganes ; BIIB, le camp tchèque ; et plus tard BIII, « Mexico », commencé dans le courant de l'été 1944 et resté inachevé. À quoi il faut encore ajouter la section de quarantaine, les bains-sauna, « Kanada » (le centre de réception et de tri des affaires des détenus), les chambres à gaz et les vestiaires attenants, les fours crématoires, les usines de filtrage où l'on tamisait les ossements réduits en poudre pour en faire des engrais, et les immenses fosses à l'ombre des bouleaux où l'on brûlait les corps. Le complexe était entouré d'une clôture électrifiée, parsemée de miradors sur lesquels veillaient des gardes en arme. Plus tard vint s'y ajouter Auschwitz III, avec sa série de camps annexes et d'usines en tous genres, de l'extraction du charbon à l'agriculture. En l'espace de trois ans, le complexe d'Auschwitz, avec ses baraques, ses usines et ses centres d'extermination, devait couvrir plus de 65 kilomètres carrés.

Fin 1942, la plupart des « camps de travail » avaient leurs propres chambres à gaz. Sous prétexte de désinfection ou de douche, on conduisait les détenus par groupe de vingt ou trente dans les chambres. Avec le temps, les SS voulurent accélérer le rythme, au point que les détenus mouraient autant par suffocation que sous les effets du gaz. En règle générale, les Juifs étaient acheminés vers les camps, sous prétexte de leur trouver un nouveau lieu de « travail à l'Est [4] ». Mais dans le ghetto de Varsovie, où sévissait la famine, on n'hésitait pas à attirer les familles juives vers le camp de la mort de Treblinka en agitant la promesse d'une simple tartine de confiture.

Le 20 janvier 1942, la famille Frank sollicita de la Zentralstelle l'autorisation d'émigrer en Angleterre. Les Van Pels, pour leur part, avaient demandé à émigrer en Amérique dès 1939 : les sœurs d'Hermann, Ida et Meta, avaient fui en Amérique, et son frère Max vivait au Chili. En réponse à leurs demandes, les deux familles reçurent de la Zentralstelle des lettres alambiquées qui concluaient : « Demande différée *sine die* [5]. »

Edith n'avait plus de contact avec ses frères Walter et Julius, également émigrés en Amérique, que par l'intermédiaire de sa belle-mère, qui habitait en Suisse. Dans la lettre qu'elle lui adressa pour son anniversaire, Alice s'efforça de paraître encourageante en évoquant les retards du courrier : « Espérons que Julius réponde bientôt, que vous ayez des nouvelles... nous pensons à vous du fond du cœur... J'espère que ceux qui vous aiment vous rendront ce jour aussi beau que possible... Si seulement je pouvais venir vendredi vous féliciter en personne et vous apporter un petit cadeau [6]. » Elle ajoutait qu'elle attendait avec impatience une photo de l'aînée de ses petites-filles : « Nous attendons toujours une photo de Margot. Vous imaginez bien à quel point je serais ébahie par notre grande fille [7]. » Lorsque la photo promise arriva, Alice écrivit à nouveau : « Quel grand plaisir vous m'avez fait avec l'adorable portrait de notre grande fille. Même si vous ne le trouvez pas très bon, je vois tant d'amour et de gravité dans ce petit cliché. Les deux photos ne me quittent jamais... Je suis ravie que la petite Anne grandisse si vite et ait un bon appétit, mais je n'en reviens pas, parce qu'elle avait un appétit d'oiseau auparavant. Stephan a un appétit incroyable, mais il est très mince et n'a pas bonne mine, tandis que Berndt est actuellement très beau, avec de bonnes joues rouges, et s'en donne à cœur joie à la patinoire. Chez nous aussi, la ligne de téléphone est toujours occupée avec les appels des filles. Ce sont des choses qui ne changent jamais ! Par malheur, dans ma jeunesse, le téléphone n'existait pas [8]. » En avril, préoccupée par le rationnement, Alice envoya à son fils et à sa belle-fille un paquet de vivres contenant « une livre de café, une de chocolat en poudre, deux boîtes de sardines... J'imagine que vous en aurez l'usage [9] ». Sans doute avait-elle des nouvelles de Julius Hollander, car elle écrit : « J'ai reçu une carte d'Edith du 31 mars. J'en ai fait part à Julius, qui est impatient de recevoir des nouvelles... Je lui écris aussi souvent que possible, et espère une réponse, mais il faut se montrer très patient [10]. »

Comme bien des familles juives qui habitaient dans les territoires occupés, les Frank recevaient des appels anonymes toujours inquiétants. Parfois, c'étaient des appels secourables grâce auxquels Otto parvint à éviter diverses razzias locales en passant la nuit chez des amis ; mais on sait que les indicateurs nazis travaillaient dans les situations les plus improbables. Un jour, Otto fit la connaissance d'un homme dont la femme était représentante de la maison Opekta ; l'homme lui déclarant avec assurance que la guerre serait bientôt terminée, il répondit : « Vous le croyez vraiment ? » Otto n'y pensait plus lorsque, une semaine plus tard, un inconnu se présenta à son bureau et lui remit un rapport établi par l'homme en question, déclarant qu'Otto s'était permis de douter de la victoire allemande et avait cherché à l'influencer et à le monter contre les autorités nazies. L'inconnu lui expliqua qu'il faisait le messager entre les nazis hollandais et la Gestapo. Il avait retiré le rapport du dossier et en demandait vingt florins. Otto lui donna l'argent et il partit sur ces mots : « Vous pouvez le garder [le rapport]. Mais si j'étais vous, je le déchirerais. » Après la guerre, Otto se mit sur la trace de son mystérieux messager : « Il avait été jeté en prison comme criminel politique. Je me suis rendu à la commission et j'ai expliqué : " Cet homme m'a sauvé la vie. " Mais ils me montrèrent son dossier et j'ai vu que j'étais le seul qu'il ait sauvé. Il en avait trahi beaucoup d'autres... L'homme ne me connaissait pas. Et s'il était venu pour les vingt florins, il aurait pu m'en extorquer bien plus. Je ne le comprends pas, mais il m'a sauvé [11]. »

En avril 1942, les Frank et les Van Pels fêtèrent ensemble la Pâque. Auguste Van Pels, le cousin d'Hermann, fut invité au repas du Séder, chez les Frank : « C'est la dernière soirée de Séder que j'ai passée en famille, se souvint-il. Je vois encore les pièces, la mère très cultivée, le père charmant, les deux sœurs. La famille entière respirait l'ancienne culture juive. Jamais je n'oublierai le visage d'Anne. Les grands yeux noirs expressifs en étaient le trait le plus frappant. De toute évidence, aucun de nous n'avait la moindre idée du génie de l'écriture qui était latent chez cette enfant intelligente et charmante. Comme elle était la plus petite à table, c'est elle qui disait le " Manischtana [12] " ; je l'entends encore. »

Après les fêtes, Otto se replongea dans les affaires. Karl Wolters conclut ses tractations avec Pectaton ce mois-là. Les actifs liquides s'élevaient à 17 000 florins : Kleiman en reçut 5 000 et Dunselman 3 000 au prorata de leurs parts. Mais ils s'empressèrent de les restituer en secret à Otto. Restaient donc 9 000 florins. Une fois soustraits les frais de liquidation, le solde s'élevait à 7 712,83 florins. Le 11 mai 1943, cette somme fut virée à la Nederlandse Bank, où elle resta jusqu'en 1947. Et Pectaton continua ses activités pendant la guerre sous l'appellation Gies & Co.

De solides amitiés s'étaient nouées parmi les membres du personnel permanent sur le Prinsengracht. Otto Frank, Johannes Kleiman, Victor Kugler, Hermann Van Pels, Miep Gies et Bep Voskuijl travaillaient à plein temps au bureau. Le père de Bep, Johan Voskuijl, avait en charge les entrepôts. Otto avait permis à son ami Arthur Lewinsohn d'effectuer chaque semaine, dans l'annexe, des expériences pharmaceutiques et de fabriquer des pommades. Dans le courant du printemps 1942, cependant, Otto lui expliqua qu'il avait besoin de l'annexe comme entrepôt. Lewinsohn déménagea son matériel des chambres humides du fond pour l'installer dans la cuisine, au premier étage [13].

Dans une lettre à Yad Vashem, de longues années après, Otto expliqua : « Je compris bientôt que l'heure viendrait où il nous faudrait nous cacher pour échapper à la déportation. Après en avoir discuté à fond avec M. Van Pels, nous en sommes arrivés à la conclusion que la meilleure solution serait de nous cacher dans l'annexe de nos bureaux. Ce ne serait possible que si M. Kleiman et M. Kugler consentaient à assumer la pleine responsabilité de tout ce qui était en rapport avec notre planque, et si les deux secrétaires de l'entreprise coopéraient. Tous quatre acceptèrent aussitôt, tout en sachant parfaitement à quels dangers ils s'exposaient en consentant. Selon la loi nazie, quiconque aidait des Juifs était passible de sanctions et de prison ; il pouvait être déporté, voire fusillé. Dans les mois qui suivirent, nous aménageâmes la planque [...] toujours avec l'aide de l'une ou l'autre des quatre personnes susnommées [14]. »

Après la guerre, Kugler s'expliqua sur son rôle dans cette affaire : « Quitter la Hollande était impossible. Seuls pouvaient s'en aller les gens bien connus. Par bien connus, j'entends les sympathisants du système – du système allemand... Je ne pensais pas aux dangers auxquels je m'exposais. Des milliers de Hollandais en cachèrent d'autres. Après la Libération, je me suis rendu compte que quantité de gens, dont je savais qu'ils étaient juifs, avaient été cachés par des amis [15]... Nous aurions certainement pu refuser. Mais nous étions comme en famille et nous savions bien que, si nous ne les cachions pas, cela revenait à les envoyer à la mort. Nous n'avions donc guère le choix [16]. » Évoquant l'instant où Otto lui demanda son aide, Miep a pu dire : « Il est des regards entre deux personnes, une ou deux fois au cours d'une vie, que les mots ne sauraient décrire. [...] Je ne posai pas d'autres questions. [...] Je ne ressentais aucune curiosité. J'avais donné ma parole [17]. » Quelques jours après ce pacte, Hermann Van Pels pria Miep de l'accompagner chez un boucher du Rozengracht voisin. Elle le fit à plusieurs reprises avant de se rendre compte qu'il voulait s'assurer que le boucher, qui était de ses amis, la reconnût et acceptât de lui servir des portions supplémentaires quand elle viendrait s'approvisionner pour les deux familles qui vivaient dans la clandestinité.

P.J. Genot, qui travaillait pour CIMEX, la société du frère de Kleiman, fit le grand ménage dans l'Annexe – le grenier et les deux étages au-dessous – et s'occupa de la rendre habitable [18]. Les Juifs étant soumis à des contrôles lorsqu'ils transportaient des biens d'équipement ménager dans les rues, leurs biens furent retirés des domiciles des deux familles sous prétexte de les nettoyer ou de les réparer, puis déposés chez Kleiman, dans la Bieboschstraat, jusqu'à ce que l'occasion se présentât de les transporter dans l'annexe. Les vivres (essentiellement des produits secs et des conserves), les draps, le savon, les serviettes et les ustensiles de cuisine étaient plus faciles à déplacer. Le camion de la CIMEX vint prendre livraison des objets encombrants pour les déposer à l'Annexe après les heures de bureau. Les occupants des maisons en face de l'Annexe savaient qu'elle faisait partie des bureaux parce que

Miep laissait parfois les fenêtres ouvertes pour dissiper les odeurs de renfermé. Pour éviter d'éveiller les soupçons, on échelonna les travaux de préparation de l'Annexe le week-end et en soirée. Les visiteurs et les collaborateurs de Voskuijl représentaient un autre danger. On colla du papier bleu sur les fenêtres de la façade et du papier opaque sur les fenêtres de l'escalier en prétextant le couvre-feu. Le temps passant, la perspective de devoir se réfugier dans l'Annexe devint de plus en plus probable. Sans doute en juillet de cette année.

Otto n'en dit mot à ses enfants, souhaitant qu'ils jouissent du peu de liberté qu'il leur restait. Que les Frank fussent des Juifs allemands émigrés rendait probablement leur situation plus délicate encore : « Ce n'était pas exactement un privilège d'être un Juif hollandais en ce temps-là, observe l'historien Jacob Presser, mais c'était quand même infiniment mieux que d'être des Juifs allemands, que les nazis tenaient pour des cobayes et qu'ils avaient déjà harcelés dans leur patrie. Inquiets pour leurs familles, souvent éparpillées sur la face de la terre, sujettes à toutes sortes de réglementations humiliantes, pourchassées d'un lieu à l'autre, on ne peut qu'admirer la façon dont beaucoup se débrouillèrent pour tenir bon. Le comble, c'est que certains Juifs hollandais – mais pas tous, loin de là – maintinrent leurs distances vis-à-vis d'eux, tout comme les Juifs allemands avaient fui leurs frères polonais. C'est là un fait triste mais bien attesté : nombreux sont les Juifs hollandais qui se méfiaient de leurs coreligionnaires allemands et leur vouaient même une haine qui confinait à l'antisémitisme [19]. »

Les Frank s'étaient toujours considérés comme des Allemands, et ils se voyaient toujours ainsi, bien que les nazis les eussent privés de leur nationalité pour en faire des « Juifs apatrides ». Edith aimait parler avec Miep Gies de son enfance à Aix-la-Chapelle et de la vie à Francfort, et de longues années après la guerre Otto évoquait encore fièrement son passage sous les drapeaux allemands. Anne, à en juger d'après son *Journal*, ne devait pas souffrir des loyautés partagées de ses parents. Elle fait rarement la distinction entre les « nazis » et les « Allemands » et se déclare « apatride [20] ». L'entrée du 9 octobre 1942 est peut-être la plus éloquente de toutes, qui se termine ainsi : « Un peuple reluisant, ces Allemands, et dire que j'en fais partie ! Et puis non, il y a longtemps que Hitler a fait de nous des apatrides, et d'ailleurs il n'y a pas de plus grande hostilité au monde qu'entre Allemands et Juifs [21]. »

Eva Schloss explique en quoi les enfants vivaient l'escalade des mesures antijuives autrement que les adultes : « Ce n'était pas tant effrayant que perturbant. Les enfants prennent davantage les choses comme elles viennent. Les choses nous déroutaient et nous effrayaient, bien sûr. Les amis de mon frère, des jeunes gens, étaient arrêtés. Un jour de grosse chaleur, un garçon retira son veston si bien qu'on ne voyait plus son étoile. Un mouchard des nazis s'en aperçut et le fit arrêter. On l'envoya dans un camp et on ne devait plus le revoir. Mais nous continuions à sortir et à jouer. Nous en parlions, mais plus sur le ton : " Oh, on ne peut pas jouer, il nous faut être rentrés de bonne heure ", ce genre de choses. Non pas comme s'il y allait de notre vie [22]. » Et dans son *Journal*, Anne écrit : « Jacque me disait toujours : " Je n'ose plus rien faire, j'ai peur que ce soit interdit [23]. "

« Je n'ai pas souvenir d'avoir dit cela, objecte Jacque, mais c'est bien ce que je ressentais. Nous parlions des lois lorsqu'elles étaient promulguées, mais guère plus. Le pire était de ne pas savoir ce qui allait se passer ensuite. Il y avait tout le temps des règlements nouveaux, mais on s'y faisait. Ensuite commencèrent les rafles. Je ne croyais pas qu'on tuait tout le monde, juste qu'on les mettait au travail. Je découvris que mon cousin était mort, mais je me dis que c'était à cause du travail qu'on leur faisait faire. Jamais je n'ai pensé qu'ils tuaient mes cousins ! On n'en avait aucune idée, aucune expérience [24]. »

À Pâques, en 1942, Anne eut un coup en découvrant qu'on lui avait volé sa bicyclette. Les transports publics étant interdits aux Juifs, sa seule solution était la marche, à moins de prendre le ferry du Jozef Israelskade, qui restait disponible. Edith avait rangé sa bicyclette chez des amis chrétiens et Margot avait besoin de la sienne pour son usage personnel. Il était exclu d'en acheter une neuve à Anne, qui devait maintenant faire une demi-heure de marche chaque jour pour aller à l'école. Les soirées n'étaient plus de tout repos non plus : « Toutes les nuits, se

souvient Toosje, une amie et voisine d'Anne, des avions survo-
laient Amsterdam. On sonnait l'alarme, et tout le monde se
retrouvait sous la porte cintrée, à l'entrée de la maison, nous et
les Frank et les autres locataires de la maison, des projecteurs
balayaient le ciel, et l'artillerie aérienne crépitait et lançait des
éclairs ; Anne se tenait à côté de moi... et nous étions tous
effrayés. Anne avait affreusement peur. Mais il y avait aussi un
certain Dr Beffie, de la maison d'à côté. Il se joignait toujours à
nous au cours des alertes ; à chaque fois, il avait un bout de pain
à la main, et il le mangeait. Il mâchonnait lentement, très lentement, et Anne ne pouvait s'empêcher de le fixer des yeux, si
paniquée fût-elle. Et sitôt l'alerte terminée, ce jour-là, Anne
me dit : " Mon Dieu ! Si je mâchonnais aussi lentement, je crois
bien que je serais affamée toute ma vie [25] ! " »

Dans son recueil d'histoires courtes écrites dans les confins
de l'Annexe, Anne donna au récit de ses derniers mois de
liberté le titre de « Te souviens-tu ? Souvenirs d'école ».
« Cette année-là, songe-t-elle, fut pour moi un pur bonheur ;
les professeurs, tout ce qu'ils m'enseignaient, les plaisanteries,
le prestige, les idylles et les garçons en adoration [26]. » Même les
événements les plus prosaïques étaient élevés au rang d'occasions « formidables ». Une lettre qu'Anne écrivit en 1942 à sa
grand-mère exprime son amour de l'école et la plénitude de sa
jeune vie :

« Chère Mamy,
Il y a très longtemps que je ne t'ai pas écrit, mais c'est aussi
parce que nous avons beaucoup de devoirs, et il ne me reste
presque plus de temps.
Pour Pâques, nous avons eu nos bulletins. J'ai gagné trois
points en maths, mais en néerlandais, en allemand et en français, j'ai reculé de trois points (au total bien sûr).
Comment allez-vous ? Aujourd'hui, il fait pour la première
fois un temps d'été. Mardi, les vacances seront déjà finies, ça
passe beaucoup trop vite. Cette lettre est adressée à Mamy,
mais elle est naturellement aussi pour toute la famille.
L'époque du patin à glace est terminée, pas vrai, Bernd ?
Moi je suis complètement rouillée, car je n'en ai plus fait

depuis longtemps. Sinon, au lycée, c'est très sympa, il y a 12 filles et 18 garçons dans notre classe. Au début nous allions souvent avec les garçons, mais maintenant ça se calme un peu, heureusement, parce qu'ils deviennent vraiment agaçants.

Hanneli est à nouveau dans la même classe que moi, sa petite sœur est très mignonne et sait déjà marcher toute seule. Sanne n'est pas dans la même école que nous, mais je la vois encore souvent, comme moi, elle adore Moortje, c'est le nom du chat que nous avons depuis six mois. C'est une femelle et j'espère que nous aurons bientôt des petits chatons parce qu'en ce moment elle rencontre beaucoup de mâles sur le toit.

Sinon tout va bien ici. Papa a eu un lumbago ou des rhumatismes dans le dos, mais heureusement c'est fini.

Vous aussi il faut que vous m'écriviez un de ces jours, j'aime tellement recevoir une lettre pour moi toute seule.

Nous allons bientôt nous faire photographier dans un magasin, je pense que vous aurez cette fois encore une photo.

Je n'ai plus du tout le même air, car on m'a coupé les cheveux et j'y fais des bouclettes, mais vous le verrez bien sur la photo, si le vent ne les défait pas. Ce soir, Margot sort, elle va au club de l'école, mais malheureusement elle doit rentrer tôt, à part ça j'ai toute la place pour moi.

Maintenant il faut que je m'en aille, au revoir à tous, j'espère que j'aurai bientôt de vos nouvelles.

Anne [27]. »

Otto remarqua combien sa fille devenait toujours plus sociable en grandissant : « Elle était toujours en vadrouille, et partout où elle était, elle traînait toujours avec elle toute une bande d'enfants. On l'adorait parce qu'elle n'était jamais à court d'idées : à quel jeu jouer, où, une nouvelle chose à faire... Mais Anne avait une qualité un peu embêtante. Elle ne cessait de poser des questions, pas seulement quand nous étions seuls, mais aussi en présence des autres. Lorsque nous avions de la visite, il était très difficile de se débarrasser d'elle, parce qu'elle s'intéressait à tout et à tout le monde [28]. »

Le 7 janvier 1942, le Conseil juif discuta du projet de réquisition de 1 402 Juifs au chômage pour les camps de travail situés dans l'est des Pays-Bas. Le Conseil s'adressa dans *Het Joodse Weekblad* à tous les appelés, les pressant d'obtempérer « dans votre intérêt à vous. [...] Ce qu'on vous demandera de faire, c'est un travail de secours ordinaire dans des camps hollandais ordinaires sous la houlette d'instructeurs hollandais ordinaires [29] ». Le 10 janvier, 905 Juifs partaient pour Westerbork. Deux jours plus tard, le Conseil juif fut chargé de désigner un millier de Juifs supplémentaires, même si, faute d'archives, on ne sait comment il répondit à cette requête. Le 17 janvier, 98 « apatrides » étaient envoyés à Westerbork, et 270 Juifs de Zaandam emmenés à Amsterdam, après avoir reçu pour consigne d'abandonner la quasi-totalité de leurs biens, dont prit possession le Commissariat allemand pour les Associations non commerciales et les fondations. Le 27 janvier, 13 familles d'Arnhem arrivaient contraintes et forcées à Amsterdam. La ville se transformait à vue d'œil en « filet » dans lequel les nazis pouvaient retenir les Juifs tout en préparant l'étape suivante. Deux jours plus tard, 137 « apatrides » d'Hilversum étaient envoyés à Westerbork, et 240 à Asterdorp, secteur spécifiquement isolé du reste d'Amsterdam pour accueillir les « éléments asociaux [30] ».

Le 5 mars, le Conseil Juif reçut pour consigne d'envoyer 3 000 Juifs. Il opposa un refus catégorique et l'affaire fut confiée au Bureau de la main-d'œuvre du district, qui ordonna la réquisition de 600 chômeurs, ainsi que de 2 400 autres hommes âgés de dix-huit à vingt-cinq ans. Le Conseil refusa de mobiliser les enseignants, les médecins, les techniciens et les religieux, mais consentit à la déportation des célibataires âgés de dix-huit à quarante ans. Ainsi fut établie une liste de 1 702 Juifs ; 863 furent expédiés dans l'est des Pays-Bas. Le 20 mars, interdiction fut faite aux Juifs de conduire des automobiles. Trois jours plus tard, les Allemands ordonnèrent la réquisition de 500 à 1 000 Juifs supplémentaires. Comme il était notoirement plus facile aux hommes mariés de se soustraire aux listes de déportés, les mariages au sein de la communauté juive avaient décuplé. Le Conseil juif prétendit que c'était pure coïncidence. Le temps passant, ses efforts pour abuser les nazis se firent moins convaincants. Le 25 mars, un décret vint interdire les mariages et les relations sexuelles entre Juifs et non-Juifs. Le 8 avril, trente Juifs qui avaient annoncé leur mariage imminent avec des non-Juifs furent arrêtés.

Le 29 avril, fut imposée aux Pays-Bas, en France et en Belgique une « relique de la barbarie médiévale [31] » : l'étoile jaune. En Allemagne, les Juifs la portaient depuis septembre 1941, et elle était aussi obligatoire en Tchécoslovaquie. Le décret hollandais stipulait ainsi : « Tous les Juifs sont tenus de porter en public l'étoile juive. L'étoile juive sera noire, à six pointes sur fond jaune, de la taille de la main, avec la mention *Jood*. L'étoile sera clairement visible et fixée sur le vêtement extérieur, côté gauche ; interdiction est faite aux Juifs de porter des ordres, des décorations et tout autre insigne [32]. » On pouvait se procurer ces étoiles dans les postes de distribution moyennant quatre centimes et un timbre de la carte de rationnement pour les vêtements. Un Juif qui ne portait pas l'étoile était passible de prison et d'une amende de mille florins. Les autorités pénitentiaires devaient également distribuer l'étoile aux détenus juifs. Seuls en étaient dispensés les enfants de moins de six ans. « Soyez fiers de la porter, l'Étoile jaune ! », disait un slogan. De fait, certains Juifs en étaient fiers, mais d'autres en avaient honte. Lorsqu'elle fut instituée, nombreux furent les non-Juifs qui la portèrent en signe de protestation. La Gestapo les menaça de déportation s'ils persistaient à détourner la loi. Le décret promulgué le lendemain et interdisant aux Juifs de se marier à la mairie passa presque inaperçu.

« M. Frank s'inclina devant la nécessité, se souvient Miep Gies. L'heure venue, il démissionna de l'entreprise ; il porta l'étoile ; il ne dit rien. Il ne laissa jamais paraître ses sentiments. Je le vois encore entrer au bureau un jour, en imperméable, et quand il le déboutonna je vis l'étoile sur sa poitrine. Je ne crois pas qu'il en avait une sur son imperméable. Nous nous efforcions de continuer à lui parler et à nous conduire avec lui comme nous l'avions toujours fait, comme s'il était parfaitement naturel qu'il vienne au bureau, maintenant, car nous savions qu'il redoutait la pitié. C'était sa manière à lui de s'accommoder de ses sentiments en silence [33]. »

« Aujourd'hui, explique Eva Schloss, tout le monde demande, mais pourquoi avez-vous fait ci, pourquoi avez-vous fait ça, mais nous avions si peur. Nous nous disions, si nous faisons ce qu'on exige de nous, tout se passera bien. On vous dit de faire marquer un " J " sur votre passeport, et vous le faites. Surtout dans une petite communauté comme Amsterdam, où tout le monde sait qui est juif et d'où vient chacun. Il y avait quantité de nazis, et on ne savait pas à qui se fier, qui était espion, qui vous dénoncerait. Nous nous disions, si nous portons l'étoile, si nous respectons le couvre-feu, si nous faisons tout, il ne nous arrivera rien. Et nous y croyions vraiment, d'autant plus que les Hollandais sont des gens très fiers et têtus et voyaient dans les Allemands leurs ennemis. Les Juifs hollandais étaient très largement assimilés, les Hollandais ne cessaient de parler de " nos Juifs ", et lorsque le port de l'étoile fut rendu obligatoire, quantité de chrétiens la portèrent eux aussi, et puis il y a eu une grève ; alors nous nous disions, il ne nous arrivera rien, puisque la population est *avec* nous [34]. » Et beaucoup étaient absolument convaincus que la guerre ne pouvait durer longtemps. « Personne n'imaginait qu'elle durerait *si* longtemps. Personne ne savait à quel point l'Angleterre était mal préparée. Nous nous disions, d'ici Noël, ce sera terminé. Et quand nous sommes entrés dans la clandestinité, c'est en croyant que *cela* n'était que pour quelques mois. Si nous avions su que cela durerait des années, nous n'aurions sans doute jamais tenté quoi que ce soit [35]. »

Au milieu de ce cauchemar, Anne n'en pouvait pas moins écrire que la « vie continuait, malgré tout [36] ». Dans une lettre à sa grand-mère, en Suisse, elle ajoute qu'elle se la coule douce : « À l'école on ne fait pas grand-chose le matin [...] et l'après-midi nous attrapons des mouches et nous cueillons des fleurs dans le jardin [37]. » Bien que Lies fût maintenant la « meilleure » amie d'Ilse Wagner, qu'elle avait rencontrée à la synagogue, et qu'Anne fût la « meilleure » amie de Jacqueline Van Maarsen, elles étaient encore très attachées l'une à l'autre et s'asseyaient côte à côte. Elles se faisaient souvent gronder parce qu'elles troublaient les cours par leurs bavardages incessants. Lies se souvient : « Nous copiions l'une sur l'autre, et je

131

me rappelle qu'un jour on m'a punie. Un jour, un professeur a attrapé Anne par le col et l'a mise dans une autre classe parce qu'il voulait nous séparer. Nous avions trop bavardé. Je ne sais pas ce qui s'est passé, mais une demi-heure plus tard j'étais assise à côté d'elle dans l'autre classe, puis les profs nous ont laissées nous asseoir ensemble [38]. » En guise de punition, les professeurs lui donnaient des essais à rédiger, mais dans l'un d'eux Anne fit valoir habilement que le bavardage était une caractéristique féminine, héritée de sa mère, et qu'elle n'y pouvait donc rien. Vouloir l'en empêcher était absurde. Apparemment, les professeurs finirent par s'avouer vaincus et laissèrent Anne bavarder autant qu'il lui plaisait.

Anne, Lies, Jacque, Sanne et Ilse (une « fille douce et sensible [39] ») formèrent un club de tennis de table : « La Petite Ourse Moins 2 ». « Nous avons formé un club de ping-pong, explique Jacque, parce qu'on ne nous laissait pas faire grand-chose et que les enfants n'avaient pas non plus tous les choix qu'on leur offre aujourd'hui [40]. » Le nom étrange de ce club venait d'une méprise. Elles avaient voulu lui donner le nom d'une constellation et croyaient que la Petite Ourse n'avait que cinq étoiles (comme leur groupe). Par la suite, elles découvrirent qu'en fait elle en comptait sept : d'où le « moins deux ». Des mini-tournois se déroulaient chez Ilse, dans la salle à manger. Après quoi, comme elles « adoraient les glaces [41] », elles allaient à l'Oasis, un glacier de la Geleenstraat, ou au Delphes, un salon de thé du Danielwillinkplein, toujours dans le Quartier de la rivière. « On ne s'asseyait jamais à l'Oasis, se souvient Jacque. Les filles et les garçons juifs du quartier s'y retrouvaient, mais cela se passait sur le trottoir. On achetait une glace et on la mangeait dehors... On tombait toujours sur des connaissances. Anne aimait à suivre les garçons en imaginant que c'étaient des admirateurs [42]. »

En mai 1942, Anne écrivit à Buddy, qui fêtait ses dix-sept ans, pour lui souhaiter un bon anniversaire et s'enquérir de ses flirts :

« Cher Bernd,
Plein de bonnes choses pour ton anniversaire (les lettres

d'anniversaire commencent toujours ainsi!) et pour la suite. Espérons que vous allez tous bien, comme nous. Nous avons eu cinq jours de congés à la Pentecôte, c'était magnifique et j'ai été occupée tous les jours. Ce soir, je ne rentrerai pas à la maison avant dix heures, mais je suis généralement escortée par un jeune homme. Comment ça va avec ta petite amie, celle à qui tu as envoyé une photo? S'il te plaît, dis-m'en plus sur elle, les choses comme ça m'intéressent toujours. Margot aussi a un petit ami, mais il est encore plus jeune que le mien. Finalement, ce n'est pas une lettre très longue, mais le temps me manque de toute manière parce que je vais au cinéma avec papa. Meilleurs vœux à tout le monde. Réponds-moi,

Anne [43]. »

« Cette lettre est la toute dernière qu'elle m'ait envoyée », se souvient Buddy [44]. Il reçut aussi les félicitations d'Edith, d'Otto et de Margot. Dans sa lettre, Otto s'étonne en songeant combien le temps passe vite : « ... nous avons peine à croire à quel point vous avez grandi. Nous voyons à travers nos enfants comment les années ont passé et, parfois, je me sens dans la peau d'un grand-père lorsque je pense à mes grandes filles [45]... » Dans sa lettre, enfin, Margot rêvasse au passé et à l'avenir : « ... Hier, j'ai dit à maman que je me souviens parfaitement t'avoir vu à l'anniversaire de Mamy, quand on avait dix ans... Je ne trouve pas ça très bien d'avoir son anniversaire un jour de semaine, parce qu'il faut aller à l'école toute la journée, et maintenant, l'an prochain, nous aurons tous les deux terminé l'école. Mais qui sait ce qui se passera ensuite [46]... »

Le 7 mai, 1 500 Juifs reçurent des convocations. Il y en avait déjà 3 200 dans les camps de travail hollandais. Les rumeurs sur les projets à long terme des nazis continuaient à se propager. Dans la presse clandestine devaient bientôt paraître des articles sur le gazage en Pologne et, à la fin de 1942, même le gouvernement hollandais en exil à Londres savait qu'Auschwitz existait, et à quelle fin. Reste que la majorité de la population semblait croire à des bruits alarmistes. Le 10 mai, le journal clandestin *Het Parool* affirmait : « Aujourd'hui encore, bien des nôtres font comme si de rien n'était. Ils n'entendent rien, ne savent rien et préféreraient ne rien voir. Ils sont aveugles aux actes criminels, aux persécutions de nos compatriotes juifs, à travers lesquels une partie de la population hollandaise de notre pays, jusqu'ici en sécurité, se trouve peu à peu forcée de vivre comme des animaux traqués, sans aucune protection de la loi, sans savoir de quoi le lendemain sera fait et quelle nouvelle chicanerie n'inventera pas le Hun satanique [47]. » Le 11 mai, le « Hun satanique » demandait au Conseil juif de livrer 3 000 hommes supplémentaires et prenait de nouvelles dispositions concernant le port de l'étoile aux Pays-Bas. Elle devait être désormais cousue, plutôt qu'épinglée, et rester bien en vue dans les jardins, les cours et jusque sur le pas de la porte à tout moment. Le 21 mai, les Juifs reçurent l'ordre de déclarer leurs bicyclettes et ne purent plus s'approvisionner en produits alimentaires que dans des boutiques et sur des marchés juifs dûment spécifiés.

Le 2 juin, les Juifs d'Hilversum apprirent qu'ils seraient déplacés à Amsterdam à compter du 15 juin. Le 12 juin, *Het Joodsche Weekblad* fit savoir que « toute forme de sport en extérieur – rame, canoë, nage, tennis, football, pêche, etc. – était désormais interdite aux Juifs [48] ». Tout au long du mois, les mesures contre les Juifs se bousculèrent à un tel rythme que nul ne pouvait suivre. Les Juifs ne pouvaient sortir ni recevoir de visiteurs chez eux entre 18 et 20 heures ; après 20 heures, ils devaient rester enfermés. Les Juifs étaient admis dans certains trams et dans quelques trains, mais ils devaient rester debout sur la plate-forme avant, dans les trams, et ne pouvaient voyager que dans les wagons fumeurs de troisième classe, à condition qu'ils ne fussent pas occupés par des non-Juifs. Interdiction leur était faite d'utiliser tous les autres moyens de transports, hormis les ferry-boats, les bicyclettes à porte-bagages, les ambulances et les fauteuils roulants. Les Juifs ne pouvaient s'approvisionner dans des magasins aryens qu'entre 15 et 17 heures (mais les marchands de légumes, les boucheries et les poissonneries leur étaient totalement interdits). Ils ne pouvaient se servir du téléphone public. Les appartements, les jardins et autres lieux d'habitation appartenant à des non-Juifs leur étaient interdits : autrement dit, ils ne pouvaient plus louer d'appartements ni rendre visite à des amis non juifs. Ils ne pouvaient se faire livrer à domicile (blanchisserie exceptée), ni recourir aux services de coiffeurs ou de médecins non juifs. Interdiction leur était faite d'apparaître sur leurs balcons ou dans leurs jardins sur rue, ainsi que de se pencher à la fenêtre. Un Juif debout à sa fenêtre devait porter l'étoile bien en vue.

À la fin du mois de juin, Eichmann fit savoir à tous les organismes impliqués dans la Solution finale qu'à compter du mois suivant – juillet 1942 – allait commencer la déportation vers les camps d'extermination.

Le vendredi 12 juin, Anne fêtait son anniversaire : treize ans. Ce jour-là, elle reçut le gros cahier qui devait lui procurer une gloire posthume qu'elle n'aurait guère pu imaginer. Elle choisit, en fait, un album d'autographes à carreaux rouges et blancs comme ceux que les enfants avaient depuis des années – parmi ceux en vente chez Blankevoorts, l'un de ses magasins préférés. La boutique faisait l'angle de la Waaltsraat et du Zuider Amstellaan : du sol jusqu'au plafond, elle débordait de livres et d'articles de papeterie dans un fatras aussi plaisant que poussiéreux. C'est son père qui lui acheta l'album. Lies se souvient parfaitement de ce matin-là. Lorsqu'elle passa prendre Anne chez elle pour aller à l'école, Anne lui fit admirer brièvement l'objet avant de le ranger dans sa chambre, à côté de sa boîte de stars de cinéma et sa collection de photos de la famille royale. Dans le salon étaient étalés tous les autres cadeaux qu'Anne avait reçus, y compris ceux des Pfeffer (« un rouleau de bonbons acidulés [49] ») et des Van Pels (« Peter Van Pels, une tablette de chocolat au lait [50] »). La pièce était envahie par les fleurs offertes à Anne pour son anniversaire, mais Lies se souvient de l'odeur : ce n'était pas celle des fleurs ni celle, habituelle, du moulin à café, mais une odeur qui venait de la cuisine, celle de la tarte aux fraises qu'Edith préparait. Enfoncé dans son fauteuil, Otto plaisanta avec Lies comme il le faisait toujours. Au moment du départ, Edith leur remit un paquet de petits gâteaux à distribuer à l'école, auxquels Anne ajouta quelques biscuits qu'elle avait elle-même préparés.

Dans l'après-midi, Lies, Jacque, Sanne et Ilse donnèrent à Anne leur cadeau commun, les *Contes et légendes des Pays-Bas*.

Le jour même, Anne étrenna son journal. Elle y colla une photo scolaire de l'hiver 1941, qu'elle accompagna de cette légende : « Mignonne cette photo, non ? ? ? ? [51] » Sur la première page, elle écrivit : « Je vais pouvoir, j'espère, te confier toutes sortes de choses, comme je n'ai encore pu le faire à personne, et j'espère que tu me seras d'un grand soutien [52]. » Comme il restait assez de place sur la première page, elle ajouta d'autres commentaires quelques mois plus tard, alors qu'elle vivait déjà cachée. « Oh, comme je suis contente de t'avoir emporté [53] », écrivit-elle avant de dresser une liste des « signes de beauté » de la femme :

« 1. yeux bleus, cheveux noirs (non)
2. fossettes sur les joues (oui.)
3. fossettes au menton (oui.)
4. triangle sur le front (non.)
5. peau blanche (oui.)
6. dents régulières (non.)
7. petite bouche (non.)
8. cils recourbés (non.)
9. nez droit (oui.) [jusqu'à maintenant]
10. beaux habits (parfois) [beaucoup trop peu à mon goût.]
11. jolis ongles (parfois.)
12. intelligente (parfois.) [54]. »

Dans cette version originale, par opposition à son propre texte révisé et à celle du journal publié, on entend la voix d'une gamine de treize ans, sans plus : une fillette vive, gâtée et séduisante de la bourgeoisie, dont la principale ambition était d'acheter un chien, qu'elle baptiserait « Rin-tin-tin » et qu'elle emmènerait avec elle à l'école ou qu'elle laisserait dans l'abri à vélos, où le concierge pourrait s'en occuper. Il n'est rien, ici, qui laisse entrevoir son sens de la description, son talent pour évoquer des vues ou des odeurs avec une extraordinaire économie de mots pour brosser un portrait sur le vif. Elle commença son *Journal* sans donner d'explication et ne rédigea qu'une courte histoire de sa famille (alors même qu'elle évoque longuement la situation aux Pays-Bas). Tout cela vint plus tard, lorsqu'elle remania son *Journal* en vue de le publier. Le journal d'origine est celui d'une adolescente ordinaire confrontée à des circonstances exceptionnelles, qu'elle ignore largement, préférant parler plutôt des garçons, de l'école, des amies, du club de ping-pong et de son anniversaire.

Toutes les amies d'Anne surent qu'elle avait reçu un album. « Je ne sais pas si c'était le premier ou le deuxième, confie Lies, parce que je me souviens qu'Anne écrivait toujours dans son *Journal*, qu'elle cachait derrière sa main, même à l'école pendant la récréation. Tout le monde voyait qu'elle écrivait. Mais personne n'était autorisé à voir ce qu'elle avait écrit. Et je me disais qu'elle écrivait des livres entiers. Je mourais d'envie de savoir ce qu'il y avait dans son journal, mais elle ne le montrait jamais à personne [...]. Je me suis dit qu'il devait y avoir plus que dans le *Journal* publié. Peut-être n'ont-ils jamais retrouvé tout ce qu'elle a écrit avant de se cacher : elle écrivait depuis deux ans... Anne écrivait déjà très bien. Quand elle avait des devoirs à faire à la maison pour cause de bavardage en classe, elle les faisait très bien [55]. » Lies pose une question intéressante sur les autres journaux qu'Anne aurait pu tenir. S'il en existe, on ne les a malheureusement pas retrouvés. Jacque fait écho aux sentiments de Lies : « Son *Journal* excitait notre curiosité... Nous avions envie de voir ce qu'elle avait écrit sur nous [56]. » Elle aussi se souvient de la manière bien à elle dont Anne écrivait : « Anne tenait toujours sa plume entre son index et son majeur parce qu'elle s'était foulé le pouce. J'avais toujours admiré son écriture et j'essayais de l'imiter en tenant ma plume de la même façon [57]. »

La fête eut lieu le dimanche suivant son anniversaire, et Jacque a gardé un vif souvenir du bonheur d'Anne, ce jour-là, entourée de ses amies : « Elle avait regardé ses amies entrer d'un œil étincelant et ouvert ses cadeaux d'un air impatient. Elle avait eu plaisir à être au centre de l'attention [58]... » Lies se souvient du caquetage des enfants dans l'appartement, des parents d'Anne distribuant des parts de tarte à la fraise sur des assiettes de porcelaine de Chine, des verres de lait frais pour tous, de la présence de Margot et de Jetteke, des stores baissés lorsque Otto installa le projecteur, puis du vrombissement de *Rin-tin-tin et le Gardien de phare* qui s'animait sur le mur blanc. Elle se souvient aussi d'avoir dû quitter la fête de bonne heure pour aider sa mère avec Gabi, et de sa jalousie lorsqu'elle avait vu Anne et Jacque chuchoter ensemble. Au cours des mois suivants, elle songea à cet instant et ne cessa de se répéter : « Si j'avais su ce qui allait arriver, je n'en aurais pas pris ombrage [59]. »

Les chamailleries d'écolières étaient inévitables. Ainsi Anne écrit-elle le 19 juin 1942 : « Jacque ne jure plus que par Ilse, tout d'un coup, elle est vraiment pimbêche et chipie avec moi, et elle me déçoit de plus en plus [60]. » Jacque elle-même se souvient : « Anne était parfois une amie difficile. Elle me voulait pour elle toute seule. Elle était jalouse, tandis que, à moi, ça m'était égal qu'elle rencontre d'autres filles. Mais elle pouvait être sûre de moi, parce que je n'étais attachée à personne d'autre. Seulement, quelquefois, je voulais être libre, et elle n'aimait pas beaucoup ça. Il y a une autre fille dont Anne parle dans son *Journal* en disant qu'elle était mon amie. Anne ne pouvait pas la supporter, et elle avait parfaitement raison parce que, moi non plus, *je* ne l'aimais pas ! On avait été ensemble à l'école Montessori et on s'était retrouvées à l'école juive, si bien que je la connaissais depuis longtemps. Cette fille était aussi jalouse d'Anne, mais j'étais trop naïve à l'époque pour réaliser ce qui se passait entre elles deux, je ne voulais pas voir cette dispute. Je l'ai découverte par la suite dans le *Journal* d'Anne, et alors j'ai compris. Et quand Anne écrit : " Cet après-midi, Jacqueline est allée chez Lies et je me suis ennuyée à mourir ", je me souviens très bien de ce jour-là. J'étais assise avec Lies sur son lit. Lies en voulait à Anne parce que celle-ci ne cessait de la taquiner et de l'asticoter, et ce n'est pas... ce n'est pas exactement que j'en voulais à Anne, mais elle voulait toujours me tirer les vers du nez à tout propos. J'en ai parlé avec Lies et j'en ai gardé un vif souvenir, parce qu'après je me suis sentie coupable. J'en ai parlé à Anne, mais elle n'en a rien dit dans son *Journal*. Je me sentais coupable d'avoir fait des cachotteries [61]. »

138

À la fin du mois, la conduite de Jacque était oubliée : Anne avait la tête occupée par un nouveau petit ami, Hello Silverberg. Hello était originaire de Gelsenkirchen, où son père tenait un magasin de confection. Après la Nuit de cristal, en 1938, la famille avait fui l'Allemagne. Hello avait été mis dans le train d'Amsterdam, où son grand-père avait lui aussi une affaire. À la frontière hollandaise, deux SS lui ordonnèrent de descendre. Profitant d'un instant de distraction, il parvint à leur échapper et arriva sain et sauf à Amsterdam, où il s'installa chez ses grands-parents, dans le Quartier de la rivière. Il vit aujourd'hui en Amérique et se souvient d'avoir été obligé de quitter l'école après l'invasion allemande : « J'ai été placé dans une école privée pour apprendre à dessiner du mobilier, jusqu'au jour où cela aussi a été interdit. Mais le directeur de l'école, qui était un très brave homme, a continué à recevoir des élèves juifs en leur donnant des leçons chez lui [62]. » Lorsque sa cousine le présenta à Anne, il était un bel adolescent de seize ans : « Je ne me souviens pas très bien de cette rencontre, mais je sais que nous avons bavardé et que le lendemain je l'ai cherchée. J'avais alors une autre petite amie, que ma famille préférait de beaucoup à Anne, mais c'est parce qu'Ursula avait le même âge que moi, tandis qu'Anne était beaucoup plus jeune. » C'est cependant Anne qui l'attirait : « Quand je pense à Anne, le mot qui me vient toujours à l'esprit, c'est " décidée ". Elle était si décidée pour son âge, très en avance sur les autres filles à cet égard. Elle était très séduisante : elle aimait rire et faire rire les gens. Elle était vraiment très amusante et extrêmement vivante. Elle se livrait à des petites imitations très habiles. Dans mon souvenir, je la vois toujours installée dans un gros fauteuil club, les mains sous le menton et dévisageant la personne avec qui elle était. C'était l'attitude d'une coquette, même si je ne crois pas l'avoir bien perçu à cette époque [63]. » Et d'ajouter : « Probablement étais-je amoureux d'elle. Elle semblait le croire, elle aussi. J'étais amoureux d'Anne comme on peut l'être à seize ans. On était tous les deux des gosses de bourgeois. On savait se tenir [64]. »

Lorsque Hello rencontra les amis d'Anne, il les trouva trop

« bébêtes » et le lui dit. Dans son journal, elle ajoute, sans grande générosité, « et il a bien raison [65] ». Elle raconte aussi qu'elle le fit venir à la maison pour le présenter à ses parents : « Je n'ai pas souvenir de ce jour-là, songe-t-il, même si Anne observe que je l'ai raccompagnée assez tard pour le couvre-feu, ce qui était probablement de ma faute parce que j'avais tendance à ne pas en tenir compte. Un jour, ça a failli me coûter la vie. Je suis allé plusieurs fois chez les Frank. Je ne me souviens pas très bien de sa mère, c'était une dame très calme, mais son père était une personnalité marquante. Il était très bavard et chaleureux. Margot avait à peu près le même âge que moi et elle était très séduisante. Les photographies d'elle ne lui rendent pas justice. Mais c'est Anne que j'aimais. Nous avions de bonnes conversations, nous étions vraiment très bien en compagnie l'un de l'autre. Et quand j'ai lu son *Journal* beaucoup plus tard, quand j'ai découvert sa foi dans l'humanité – cela ne m'a pas surpris le moins du monde parce que c'était tout elle. Très vive et optimiste, le genre de personne que rien n'arrête. Rien ne l'arrêtait [66]. » Anne savait que la famille de son ami ne la voyait pas d'un très bon œil, mais lorsqu'elle lui demanda comment il voyait leur avenir commun, il répondit d'un air triomphant : « L'amour ne se commande pas [67]. »

À la fin de l'année scolaire, les enfants reçurent leur bulletin scolaire : celui de Margot était « brillant comme d'habitude [68] », note Anne à contrecœur mais admirative. Le sien n'était pas si mauvais qu'elle le craignait, même si elle et Lies devaient passer un examen de rattrapage en maths en septembre. « Anne et moi étions passées de justesse, parce qu'on n'était pas très bonnes en maths. Je me souviens que nous sommes rentrées ensemble à la maison et que, pendant quelques jours, je ne l'ai pas revue [69]. » C'est à cette époque qu'Otto commença à parler à Anne d'entrer dans la clandestinité. Margot était déjà au courant, et Anne confia à son *Journal* son espoir ardent que « la réalisation de ces sombres paroles [soit] aussi tardive que possible [70] ». Anne ne s'en doutait pas, mais elle avait rendu sa dernière visite à Jacque et à sa famille dans la première semaine de juillet, lorsqu'elle avait frappé à la porte de l'appartement de la Hunzestraat pour faire voir sa nouvelle robe. « Elle était ravissante avec, se souvient Mme Van Maarsen, et je le lui ai dit. Et que croyez-vous qu'elle a répondu ? C'est normal, c'est un nouveau modèle [71]. » Mme Van Maarsen aimait beaucoup Anne et s'était demandé ce qu'elle pouvait faire pour la mettre en sécurité : « Quand ça a commencé, je me suis dit : Anne viendra habiter chez nous. Mais mon mari était juif lui aussi, et sous surveillance, et Jacque devait aussi porter l'étoile [72]. » À cette même époque, la fille d'amis vint frapper à la porte des Frank. Elle avait été convoquée à Westerbork : « Elle nous raconta qu'elle avait fourré son carnet de croquis dans son sac à dos. Elle était très bonne en dessin, et elle nous dit qu'elle voulait quelques souvenirs, pour plus tard [73]... »

Passant outre l'interdiction faite aux chrétiens de rencontrer des Juifs, Kugler et sa femme allèrent dîner chez les Frank peu avant que ceux-ci n'entrent dans la clandestinité. Pour avoir rencontré Anne et Margot à maintes reprises, Kugler en était arrivé à la conclusion qu'« Anne n'était pas aussi intelligente que sa sœur, ou en tout cas pas aussi développée mentalement, mais elle avait en elle quelque chose d'étrange, de presque sage [74] ». Cette « étrangeté » se manifesta au cours de ce dîner. « Soucieux de tenir ma femme à l'écart, explique Kugler, je ne lui avais rien dit de l'Annexe secrète. Mais elle était sensible, comme Anne Frank, et au cours du dîner se produisit un étrange incident. Le silence se fit et, sans raison particulière, Anne leva les yeux vers ma femme, qui détourna le regard. Au bout d'un moment, alors que le silence régnait encore, Anne dit : " Je viens de parler avec Mme Kugler et personne ne l'a entendu. " Qu'il s'agît d'une simple prémonition partagée ou d'une véritable communication plus directe, je ne le saurai jamais : toutes deux sont mortes. Que les autres n'aient guère prêté attention à cette déclaration étrange en dit peut-être plus long que je ne puis le faire sur son imagination [75]. »

Le 4 juillet, Otto écrivit à sa famille en Suisse :

« Très chers,
Nous avons reçu la carte de maman datée du 22 juin. Toutes les nouvelles sont bonnes à entendre, surtout si c'est pour

apprendre que vous êtes tous en bonne santé. Tout va bien ici aussi, bien que nous sachions tous que la vie devient de jour en jour plus difficile. Ne vous faites aucun souci, je vous en prie, même si vous avez peu de nouvelles de nous. Quand je ne suis pas au bureau, j'ai encore beaucoup à faire et bien des préoccupations, et il faut arrêter des décisions qui sont très difficiles à faire passer.

Les enfants sont en vacances actuellement, mais ils travaillent dur. Anne fait tout son possible... Nous ne vous avons pas oubliés et savons bien que vous pensez à nous tout le temps, mais vous n'y pouvez rien et vous devez prendre soin de vous, vous le savez.

Bien à vous,

Otto. »

Le lendemain, dimanche 5 juillet 1942, débuta sous de fâcheux auspices. Otto se rendit au « Joodse Invalide », pour rendre visite à quelques vieillards. (Goldschmidt, le divorcé de trente ans passés à qui les Frank louaient la grande chambre de l'étage, y travaillait.) Il faisait une chaleur inhabituelle. Hello fit un saut à la maison pour convenir d'une sortie avec Anne dans l'après-midi. Quand il fut parti, Anne s'installa sur le balcon pour lire tout en profitant du soleil. À trois heures, on sonna à la porte. « Mlle Margot Frank ? » Quelqu'un appelait de la rue. Edith descendit et un policier lui remit une enveloppe officielle. Margot était convoquée chez les SS le lendemain matin.

Ce jour-là, la Zentralstelle avait expédié plusieurs milliers de convocations aux Juifs allemands d'Amsterdam. Quatre mille Juifs devaient être déportés vers des camps de travail allemands entre le 14 et le 17 juillet 1942. Mais la convocation ne donnait aucune indication de ce qui allait suivre : « ... Le document était habilement libellé ; il laissait entendre que les requis seraient mis au travail, sans rien laisser entrevoir de ce que les Allemands leur réservaient. Et les malheureuses victimes ne mirent, bien sûr, que trop d'empressement à mordre à l'hameçon [76]. » La plupart étaient des garçons et des filles de quinze à seize ans. Heinz, le frère d'Eva, et Susi Klein, l'amie de Margot, avaient également reçu une convocation. L'enveloppe contenait aussi une liste de vêtements à emporter dans un sac à dos.

Edith sortit aussitôt pour suggérer aux Van Pels d'entrer sans tarder dans la clandestinité. Margot expliqua à Anne que les SS avaient adressé une convocation à leur père ; peut-être est-ce Edith qui le lui avait dit. Lorsque Margot lui dit enfin la vérité, Anne se mit à pleurer. Un véritable coup de massue : le choc fut immense. Ni Anne ni Margot ne pouvaient plus dire un mot : « la chaleur, la tension, tout cela nous imposait le silence [77] ». Hello revint à la même heure qu'Edith et Hermann Van Pels. Edith lui expliqua qu'Anne ne pouvait le recevoir, et lorsque Jacque appela un peu plus tard, elle lui fit la même réponse. Anne et Margot s'en allèrent dans leur chambre préparer leurs affaires. Anne fourra son *Journal* et de vieilles lettres dans un cartable : « Je tiens plus aux souvenirs qu'aux robes [78]. » Elle ne savait pas encore où ils allaient se cacher.

Otto rentra à dix-sept heures. Lorsqu'il sut la nouvelle, il appela Kleiman : « Ils m'ont téléphoné dimanche après-midi, se souvient ce dernier, et ce soir-là je me suis rendu chez eux, sur Merwedeplein. Une convocation était arrivée, ordonnant à Margot de se présenter lundi au centre d'accueil du camp de Westerbork. Alors nous nous sommes dit qu'il n'y avait plus une minute à perdre [79]. » L'idée même de répondre à la convocation ne les effleurait pas : « Nous savions, explique Otto, qu'ils envoyaient ces cartes et que beaucoup de gens avaient obéi à l'ordre. On disait que la vie dans les camps, même en Pologne, n'était pas si terrible ; que le travail était pénible, mais que la nourriture était suffisante, et que les persécutions s'arrêtaient, ce qui était l'essentiel. J'ai dit à beaucoup de gens ce que je soupçonnais. Je leur ai fait part aussi de ce que j'avais entendu à la radio britannique, mais beaucoup ne voulaient toujours pas croire à ces atrocités [80]... »

Van Pels se rendit chez Miep et Jan, qui filèrent chez les Frank et se mirent à emporter leurs affaires pour les mettre en lieu sûr. « Leur hâte, presque leur panique, était sensible, se souvient Miep. Il restait tant de choses à organiser, à préparer. C'était affreux. Mme Frank nous tendit des piles d'affaires.

143

Des vêtements et chaussures d'enfants, apparemment, mais j'étais moi-même si bouleversée que je ne regardais pas ce que je prenais. J'amassais un maximum de choses sous mon imperméable, dans mes poches. Jan faisait de même [81]. »

« Il faisait encore chaud et tout était très étrange », écrivit Anne ce soir-là [82]. Leur locataire, M. Goldschmidt, vint les voir et s'incrusta : impossible de s'en débarrasser sans se montrer grossier. Il resta jusqu'à dix heures. Une heure plus tard, Miep et Jan étaient de retour. « Chacun s'efforçait de paraître normal, raconte Miep, de ne pas courir, de ne pas élever la voix. On nous confia à nouveau d'autres vêtements. Mme Frank empaquetait, triait, ajoutait sans cesse à ce que nous prenions. Une mèche de cheveux, échappée de son chignon, lui tombait sur les yeux. Anne entra, les bras chargés d'affaires. Il y en avait trop et Mme Frank lui dit de les remporter dans sa chambre. Anne ouvrait des yeux comme des soucoupes [83]... »

Dans la soirée, sans doute quand leurs amis furent partis, Otto écrivit à sa famille, en Suisse, laissant entendre aussi clairement qu'il le pouvait qu'ils entraient dans la clandestinité :

« Très chère Leni,
Meilleurs vœux aujourd'hui pour ton anniversaire, nous voulions êtres sûrs que tu reçoives nos pensées le jour dit, car plus tard nous n'en aurons plus l'occasion. Nous vous souhaitons à tous du fond du cœur les meilleures choses. Nous allons tous bien et sommes tous réunis, ce qui est le principal. Tout est difficile ces temps-ci, mais il est certaines choses qu'il faut prendre avec une pincée de sel. J'espère que nous aurons la paix dès cette année-ci, que nous puissions nous revoir. Quel dommage que nous ne puissions plus correspondre avec vous, mais c'est comme ça. Vous devez comprendre. Comme toujours, je vous dis à tous toute mon affection,

Otto [84]. »

Edith, Margot et Anne y ajoutèrent leurs propres vœux : « Je ne peux pas écrire maintenant une lettre sur les vacances. Pensées et bisous d'Anne [85]. » Il était onze heures et demie quand ils se mirent au lit. Anne était épuisée : à peine sous les draps, elle s'endormit.

Le temps avait changé dans la nuit. À cinq heures et demie, dans une quasi-obscurité, les Frank prirent leur petit déjeuner en famille. La pluie crépitait sur les carreaux. Chacun avait passé le plus de vêtements possible pour avoir moins à porter. Margot emplit son cartable de livres de classe et sortit sa bicyclette [86] pour attendre Miep, qui arriva à six heures : « Comme nous en étions convenus la veille au soir, je déposai ma bicyclette devant le porche des Frank. Margot sortit de l'appartement. [...] M. et Mme Frank restèrent à l'intérieur ; Anne se tenait en chemise de nuit dans l'embrasure de la porte, les yeux écarquillés [87]. » Miep et Margot firent des adieux hâtifs et s'éloignèrent. Anne dut passer d'autres habits et mettre une écharpe : « J'étouffais déjà avant de sortir, mais personne ne s'en souciait [88]. » Ils laissèrent une lettre à M. Goldschmidt, le priant de confier Moortje, le chat d'Anne, aux voisins. Ils défirent les lits et laissèrent les reliefs du petit déjeuner sur la table pour donner l'impression qu'ils étaient partis à la hâte. À sept heures trente, ils fermèrent la porte de leur appartement et s'éloignèrent à pied, sous une pluie chaude. Les rues étaient encore sombres et les phares des automobiles étaient brouillés par l'averse. En marchant, Otto dit à Anne où ils allaient se cacher. Elle dut être immensément soulagée en apprenant que Miep, Bep, Kugler et Kleiman allaient s'occuper d'eux.

Miep et Margot furent les premières à arriver à l'Annexe. Margot était terrorisée. Nous étions trempées jusqu'aux os, se souvient Miep : « Je m'aperçus soudain que Margot ne tenait plus sur ses jambes. [...] Je lui serrai le bras pour lui donner du courage. Nous n'avions toujours pas échangé un seul mot. Elle disparut derrière la porte et je m'installai à ma place habituelle, [...], le cœur battant [89]. » Otto, Edith et Anne arrivèrent un peu plus tard, trempés jusqu'aux os et fatigués par leur longue marche : ils montèrent directement à l'Annexe, où Margot les attendait.

Dans l'Annexe, aux murs couvert de papier peint imprimé jaune et de peinture sombre, régnait le plus grand désordre : partout s'entassaient cartons et sacs. Dans la chambre d'Otto et d'Edith se trouvaient deux divans, deux petites tables, un guéridon, une petite bibliothèque et un placard avec 150 boîtes de conserve. Une fenêtre donnait sur la petite cour et les maisons d'en face. À droite, une porte menait à la chambre des filles. Moitié moins grande que la chambre des parents, elle avait aussi une fenêtre et était équipée de deux canapés-lits et de trois placards. La porte à côté, c'était la salle d'eau, avec un lavabo neuf et un coin toilettes. À droite, une porte donnait sur le couloir et l'entrée.

Au-dessus, se trouvait l'appartement des Van Pels. En haut des escaliers, une autre porte donnait sur une grande pièce équipée de doubles fenêtres avec vue sur cour. Un mur était occupé par un évier et des placards, un fourneau à gaz massif sortait de la cheminée. Deux lits et une table complétaient le mobilier. Une porte, à côté de la table de cuisine, donnait sur la chambrette humide de Peter Van Pels, avec une petite fenêtre aux volets fermés en façade. Les escaliers qui menaient au grenier étaient au milieu de la pièce, flanqués par un lit et une armoire.

De la minuscule fenêtre cintrée du grenier, on apercevait la Westerkerk. Au-dessus de la chambre de Peter, une fenêtre donnait sur les appartements de devant et une troisième sur la cour et son magnifique marronnier au côté duquel tout paraissait minuscule.

Dans la journée, Miep se rendit dans l'Annexe. Elle surprit Edith et Margot en état de léthargie sur leur lit, mais Otto et Anne étaient occupés à trier leurs affaires en faisant aussi peu de bruit que possible. Miep elle-même avait le cœur serré : « C'était à vous fendre l'âme. Je préférai les laisser seuls ensemble. Qui pouvait imaginer leur détresse, leur désespoir à l'idée d'avoir laissé derrière eux tout ce qu'ils possédaient au monde – leur maison, des biens rassemblés tout au long d'une vie, le petit chat d'Anne, Moortje. Les souvenirs du passé. Et leurs amis [90]. »

Leurs voisins de Merwedeplein savaient déjà qu'ils étaient partis. Otto avait laissé à leur locataire une lettre faite pour brouiller les pistes, insinuant qu'ils étaient partis pour la Suisse. Le lundi matin, se souvient Toosje, l'amie d'Anne, « je crois que c'était le six [...] à midi, M. Goldschmidt est venu nous voir : " Les Frank sont partis. " Et il remit à maman un billet qu'il avait trouvé sur la table. Ils discutèrent et je vis qu'il avait dans les bras le chat d'Anne. Je pris Moortje avec moi, et il me donna la pâtée du chat, qu'il avait trouvée sur la table. J'allai dans la cuisine lui donner à manger. Maman m'y rejoignit un peu plus tard. Elle regarda Moortje manger et elle me dit : " On va le garder ici " [91]. »

Hello Silverberg, l'ami d'Anne, passa la voir. « Le dimanche, dans l'après-midi, j'allai chez les Frank. Je ne pus voir Anne. Margot avait reçu sa convocation, mais personne ne m'en a rien dit sur le coup. Je rentrai chez moi, sachant d'une manière ou d'une autre que je ne reverrais plus Anne. C'étaient des choses qui arrivaient, et je n'en fus pas particulièrement surpris, même si j'étais très déçu. Je n'arrive pas à me souvenir si j'ai aussi entendu parler de cette histoire de fuite en Suisse, mais je savais qu'ils avaient de la famille là-bas ; si quelqu'un me l'avait suggéré, je n'en aurais pas été surpris [92]. » Jetteke, l'amie de Margot, passa à l'appartement le lundi : « Je suis allée chez elle pour voir ce qui s'était passé, parce que je n'avais aucune nouvelle. J'avais déjà quitté l'école à cette époque. Nous avions tous essayé de quitter l'école beaucoup plus tôt parce que, si on parvenait à trouver du travail, on pouvait échapper à la réquisition. Je travaillais dans un foyer pour enfants. D'autres personnes avaient reçu des avis des Allemands. Quand je suis arrivée chez Margot, la porte était ouverte. J'entrai et je pris sur les étagères un recueil de poésies. Je l'ai toujours. Quelqu'un m'a dit qu'ils étaient partis en Suisse, je crois. Et voilà. En août 1942, je suis entrée moi-même dans la clandestinité [93]. »

Jacque et Lies surent également qu'Anne était partie. Lies appela pour récupérer une balance de cuisine et elle resta sans voix lorsque M. Goldschmidt lui annonça que toute la famille était partie en Suisse. Lorsque, plus tard, elle découvrit la vérité, elle sut d'instinct pourquoi les Frank avaient demandé aux Van Pels de partager leur cachette plutôt qu'à sa famille. Les Goslar avaient un enfant tout petit, Gabi, et un autre bébé en route. Dans ces conditions, il était presque impossible de se cacher. Et de toute façon, ils espéraient plus d'indulgence : par un parent installé en Suisse, ils avaient obtenu la citoyenneté

147

de quelque pays sud-américain et figuraient sur une liste de sionistes. Lies n'en fut pas moins ahurie en apprenant que les Frank étaient partis. Elle courut le dire à ses parents, qui furent aussi secoués qu'elle : « Ce fut un coup de tonnerre dans un ciel bleu. [...] Mes parents en furent très remués ; ils ne comprenaient pas ce qui s'était passé... Je crois qu'Anne est la première amie que j'ai perdue [94]. »

Lies apprit à Jacque qu'Anne et sa famille avaient disparu. La mère de Jacque se souvient : « Lorsque nous sûmes que les Frank étaient partis – en Suisse, nous disait-on, où un officier de l'armée allemande qu'Otto avait connu pendant la Première Guerre était censé les conduire –, nous en avons tous été ravis, en tout cas toutes nos connaissances [95]. » Lies et Anne expliquèrent qu'elles voulaient garder un souvenir d'Anne, et Goldschmidt les laissa entrer dans l'appartement : « Une image de la maison abandonnée de la famille Frank s'est gravée dans ma mémoire : le lit défait d'Anne et par terre, juste devant, ses chaussures neuves, comme si elle venait de les retirer... J'ai vu *Variété*, le jeu qu'elle venait de recevoir pour son anniversaire et auquel nous avions joué comme des folles les dernières semaines, juste là... Je parcourus une fois de plus la pièce du regard pour m'assurer qu'Anne n'avait pas laissé traîner une lettre à mon intention, mais je ne demandai rien. Anne et moi nous étions promis de nous écrire une " lettre d'adieu " si l'une de nous devait partir sans crier gare. Je ne devais la recevoir que des années plus tard [96]. » Elles trouvèrent les médailles qu'Anne avait gagnées à la piscine et les emportèrent – quelques menus souvenirs de l'amie disparue.

UN LOURD SILENCE DE MORT
AVAIT TOUT ENVAHI

1942-1944

5.

« " Clandestinité " est devenu un mot tout à fait courant. Combien de gens n'entrent-ils pas dans la clandestinité ; ils ne représentent naturellement qu'un petit pourcentage et pourtant, plus tard, nous serons sûrement étonnés du nombre de personnes de bonne volonté aux Pays-Bas, des juifs et aussi des chrétiens en fuite, avec ou sans argent. »
Journaux d'Anne Frank, 2 mai 1943.

Dans les jours où la famille Frank entra dans la clandestinité, Westerbork se débarrassa de tous les détenus qui n'étaient pas classés comme « pleinement » Juifs pour laisser la place à ceux qui l'étaient. Le 14 juillet, 700 Juifs furent arrêtés dans les quartiers juifs d'Amsterdam et conduits au quartier général de la Gestapo. On leur déclara qu'ils resteraient en prison tant que les 4 000 qui avaient été convoqués préalablement ne se seraient pas présentés. Cela déclencha un vent de panique au bureau du Conseil juif où les gens « cherchaient des papiers, des dispenses, quémandaient un délai d'une semaine, produisirent des certificats médicaux attestant qu'ils étaient sous médicaments, mutilés ou invalides. Ce fut une pagaille monstre. [...] les concierges étaient débordés, contraints de retenir une masse de gens qui se bousculaient et essayaient tous de rentrer coûte que coûte[1] ». Tous les prisonniers,

151

excepté 40, furent relâchés du quartier général de la Gestapo ; ceux qui restèrent furent déportés aussitôt ; un premier convoi de 4 000 hommes quitta Amsterdam le 17 juillet. Ils furent envoyés d'abord à Westerbork, puis à Auschwitz, où 449 furent immédiatement gazés.

Le point de vue du Conseil juif sur la possibilité de se cacher était que « la chose était irréalisable pour le grand nombre, pour des raisons économiques, et presque impossible pour la grande majorité [2] ». Il est difficile d'évaluer exactement le nombre de ceux qui passèrent outre à cet avis, mais on peut estimer qu'ils furent entre 25 000 et 30 000 [3]. La plupart se cachèrent à la campagne, où ils risquaient cependant d'être découverts par les nazis hollandais qui multipliaient les razzias dans les villages pour y débusquer des Juifs. Dans tous les cas, il était difficile d'entrer dans la clandestinité. « Plonger », ce n'était pas seulement, pour les clandestins, renoncer à tout ce qu'ils possédaient, à leur mode de vie. Ils s'embarquaient dans une existence qui ne ressemblait à nulle autre, une existence dans laquelle leur survie était à la merci de gens qu'ils ne connaissaient pas toujours et à qui ils ne pouvaient pas toujours faire confiance. Un certain nombre d'autres facteurs venait encore accroître le supplice : par exemple, l'observance d'un régime casher était virtuellement impossible. Mais par-dessus tout, personne ne savait à quoi s'attendre, ni ce que l'on attendait d'eux. Eva Schloss, qui se cachait également durant l'été 1942, explique : « On ne peut imaginer ce que voulait dire entrer dans la clandestinité. Ne pas sortir, ne pas voir de gens – c'est une chose qu'un enfant ne peut pas comprendre. Lorsque nous sommes effectivement entrés dans la clandestinité, c'est là que j'ai commencé à réaliser. J'avais treize ans et je débordais d'énergie, mais je ne pouvais tout bonnement rien faire. J'avais peur et j'étais très bouleversée. J'avais tout le temps des disputes avec ma mère pour me libérer de mon énergie. C'était dur, très dur [4]. »

La famille d'Eva se cachait dans des endroits différents. Elle et sa mère d'un côté, son père et son frère de l'autre. Les Frank avaient choisi de se cacher ensemble et certains ont critiqué cette décision. Bruno Bettelheim suggère que leur répugnance à envisager la destruction imminente les a empêchés de prendre les précautions qui les auraient sauvés [5]. Quoi qu'il en soit, même les familles qui avaient préféré se cacher séparément ont souvent été trahies et arrêtées (les Geiringer ont été arrêtés en mai 1944). En tout, ce sont huit personnes qui vivaient dans l'Annexe : les Frank, les Van Pels, qui sont arrivés durant les rafles de juillet, et Fritz Pfeffer, qui les rejoignit en novembre 1942.

La survie dépendait d'un ensemble de facteurs. Le plus important était l'action et l'aide des protecteurs, de « ceux qui aidaient », comme disait Anne. Il était rare que ces protecteurs fissent eux-mêmes des propositions de secours [6]. En général, ils étaient approchés par un ami qui avait besoin d'aide et c'est ainsi que le processus de prise en charge débutait. Parfois, les gens devaient s'en remettre à des protecteurs que la Résistance leur avait trouvés : des inconnus qui ne leur étaient pas personnellement attachés. Certains protecteurs exploitaient d'une manière flagrante ceux dont ils s'occupaient, d'autres étaient indifférents à la souffrance des Juifs et les cachaient en dépit du « bon sens ». Presser cite le cas d'un artiste à qui l'on avait demandé de s'occuper d'un enfant juif ; il le fit, non sans regret : « C'est un tas de pouilleux, mais bien sûr, nous devons les aider [7]. » Tous, ils avaient leurs raisons personnelles pour agir comme ils le faisaient. Eva Fogelman, dans son livre, *Conscience and Courage, Rescuers of Jews During the Holocaust*, distingue plusieurs catégories. Miep, Jan, Bep, Kleiman et Kugler étaient un mélange de morale (« des gens qui étaient conduits à aider les Juifs pour des raisons de conscience ») et de judéophilie (« des gens qui avaient des relations privilégiées avec des Juifs, individuellement, ou qui se sentaient proches du peuple juif [8] »). Ceux qui agissaient pour des raisons morales « avaient leurs propres valeurs et ne se préoccupaient pas du jugement des autres. [...] Les spectateurs qui finissaient par devenir des protecteurs savaient que, s'ils n'agissaient pas, des gens mourraient. [...] Cette morale idéologique reposait sur les croyances éthiques et les notions de justice des protecteurs. La congruence entre les croyances morales et les actes avait toujours fait partie de leur vie. Ils répondaient de leurs croyances [9] ». Les fortes convictions religieuses de Kugler (il était luthérien) ont sans doute joué aussi dans sa décision. Les sauveteurs par morale réagissaient aux sollicitations et se montraient disposés à en aider plus d'un. Miep et Jan Gies avaient caché chez eux un jeune Juif qu'ils ne connaissaient pas auparavant, et Jan était dans la Résistance – un secret qu'il n'avait confié au début qu'à Kleiman, puis plus tard à Miep ; leurs amis cachés n'en surent jamais rien. Après la guerre, les protecteurs judéophiles eurent tendance à poursuivre leurs relations avec les gens qu'ils avaient aidés, souvent de manière très intime. Ce fut le cas entre Otto Frank et ceux qui l'avaient aidé, particulièrement Miep et Jan.

Les protecteurs avaient besoin de savoir qu'ils finiraient par réussir : « Ils avaient besoin de croire en leur capacité de doubler les nazis. [...] Il existait un certain nombre d'inconnues. Personne ne savait combien de temps durerait la guerre ni, jusqu'à la fin, qui la gagnerait. [...] Cacher un Juif était un acte illégal. Une proposition de secours plaçait immédiatement la personne concernée en porte-à-faux vis-à-vis de sa famille, de ses amis ou de ses voisins respectueux de la loi. Cela compromettait toute possibilité de mener une vie normale. En outre, cela signifiait que l'on était totalement responsable de la survie d'une autre personne [10]. » Il était important que les familles de ceux qui venaient en aide aux Juifs, lorsqu'elles avaient été mises dans le secret, soutiennent leur action. Miep et Jan formaient une unité de protection, Bep et son père en formaient une autre, Kleiman et sa femme une troisième. Kugler choisit de ne pas en parler à sa femme [11]. Leur récompense n'était pas d'ordre financier ; leur confiance et leur courage reposaient sur la conviction que leurs actes aidaient ceux qui étaient dans le besoin, sur la haute estime dans laquelle ils étaient tenus, et sur la certitude que leur action se justifiait, bien qu'allant à l'encontre de la loi. Les protecteurs d'Anne firent tout leur possible pour faciliter la vie à leurs amis de l'Annexe, mais ils le firent par choix. Miep déclare : « Jamais je n'ai souhaité être débarrassée de la famille Frank. C'était mon destin, ma charge, et mon devoir. [...] Mais quand j'entrais, tout le monde se levait près de la table. Personne ne disait rien, ils attendaient que je commence. C'était toujours pour moi un moment affreux. Je ressentais là la dépendance de ces gens – excepté Anne. Anne faisait front et disait :

– Hé ! hello Miep, quelles sont les nouvelles [12] ? »

Lorsqu'on lui demande si elle a jamais eu peur elle-même, Miep répond : « Non, surtout pas au début [...] ; l'essentiel était de s'occuper de ces gens. Parfois, je restais éveillée la nuit dans mon lit et je me disais : " Ces pauvres gens cachés là-haut, c'est affreux. Que ressentirais-je moi-même ? " [...] Nous autres, les protecteurs, nous savions qu'il y avait des moments difficiles pour chacun d'entre nous, mais nous n'en parlions pas. Les choses devaient suivre leur cours normal, et si l'on commençait à en parler, cela aurait créé une certaine tension. Nous aurions passé la journée à penser aux gens qui étaient cachés là, et ça, ce n'était pas possible. Il fallait que nous donnions à tout le monde l'impression que nous étions parfaitement détendus, autrement les gens auraient commencé à avoir des soupçons [13]. » Bien qu'ayant la compagnie des autres, les habitants de l'Annexe avaient un besoin maladif de recevoir les visites de leurs protecteurs. Presser explique : « Pour les Juifs exilés et fugitifs, solitaires, leur hôte ou hôtesse étaient comme le soleil, leur seule source de chaleur humaine et de réconfort [14]. » Lorsque l'un des protecteurs était absent, un petit nuage de mélancolie s'abattait sur ceux qui se cachaient.

En contrepartie, les locataires de l'Annexe les aidaient dans les travaux de bureau : des relevés de comptes au stockage des cerises pour la conservation, du remplissage des paquets de sauce à la rédaction des factures. En automne 1943, lorsque Bep s'absenta brièvement pour s'occuper de ses parents malades, Anne et Margot soulagèrent Miep de certains travaux supplémentaires. Dans son *Journal*, Anne se souvient avec quelle application elles exécutaient leur tâche : « Bep nous donne beaucoup de tâches de bureau à faire, à Margot et à moi, nous nous sentons toutes les deux importantes et cela l'aide beaucoup. Classer de la correspondance et remplir le livre des ventes est à la portée de tout le monde, mais nous le faisons avec une exactitude scrupuleuse [15]. » Ce genre de services était très courant entre les protecteurs et leurs protégés : « Les Juifs savaient qu'ils ne vivaient que grâce au bon vouloir de ceux qui les aidaient, et ils faisaient tout ce qu'ils pouvaient pour tenir jusqu'au bout. [...] Même dans les conditions les plus extrêmes, les Juifs cherchaient à se rendre aussi utiles que possible à leurs bienfaiteurs [16]. »

Anne a souvent évoqué la relation entre les deux catégories. L'entrée du 28 janvier 1944 évoque tous les protecteurs : « [...] Il est étonnant de constater la capacité de travail, la noblesse de cœur et le désintéressement de ces personnes prêtes à perdre leur vie pour aider et pour sauver les autres. Nos protecteurs en sont le meilleur exemple, eux qui nous ont aidés jusqu'à présent à traverser ces temps difficiles et finiront, je l'espère, par nous amener sains et saufs sur l'autre rive. [...] Jamais nous n'avons entendu un seul mot faisant allusion au fardeau que nous représentons certainement pour eux, jamais l'un d'eux ne se plaint que nous sommes une trop grosse charge. Chaque jour, ils viennent tous en haut, parlent d'affaire et de politique avec les messieurs, de nourriture et des tracas de la guerre avec les dames, de livres et de journaux avec les enfants. Ils font de leur mieux pour avoir l'air enjoué, apportent des fleurs et des cadeaux pour les anniversaires et les fêtes et sont partout et à tout instant disponibles pour nous. Voilà ce que nous ne devons jamais oublier, que même si les autres se comportent en héros à la guerre ou face aux Allemands, nos protecteurs font preuve du même courage en se montrant pleins d'entrain et d'amour [17]. » Les protecteurs d'Otto faisaient tout pour qu'il pût retrouver son train de vie d'autrefois lorsque la guerre serait finie. Entre 1942 et 1945, l'entreprise réalisa même de modestes bénéfices.

Dans la clandestinité, la sécurité était assurément l'une des préoccupations majeures. L'idée de dissimuler l'entrée de l'Annexe était venue à Kugler et à Johan Voskuijl au milieu de l'été 1942, lorsque les maisons étaient régulièrement fouillées pour trouver des bicyclettes cachées. Voskuijl, bon charpentier, construisit une bibliothèque spéciale qui pouvait être déplacée quand on savait où se trouvait le crochet. La marche haute qui se trouvait devant la porte de l'Annexe fut enlevée et remplacée par la bibliothèque bourrée de vieux classeurs cachant complètement l'entrée. Les habitants de la cache prenaient soin de ne pas compromettre leur sécurité, en masquant les fenêtres avec des bandes de papier et en doublant les volets le soir. Ils ajoutèrent de petites touches personnelles pour donner à leur prison l'apparence d'un foyer ; les photographies et les cartes postales d'Anne sur les murs de sa chambre sont parmi les quelques indications qui ont survécu de leurs efforts pour vivre normalement.

Divers « règlements intérieurs » devaient être respectés à toute heure. Ne pas faire « [...] plus de bruit que des souriceaux [18] » pendant les heures de bureau, ne jamais ouvrir les rideaux, et n'utiliser les toilettes que durant certaines heures faisaient partie des règles impératives. La chose la plus simple exigeait que l'on prît des précautions particulières. Par exemple en septembre 1942, il y eut des problèmes avec les toilettes du bureau, et l'ouvrier qui vint changer les conduites demanda s'il pouvait examiner la plomberie de l'Annexe. Kleiman prétendit avoir égaré la clef et l'ouvrier dit qu'il rappellerait le lendemain. Par bonheur, le problème se régla tout seul ; mais alors ce fut le pharmacien Lewinsohn qui vint travailler dans la cuisine, située juste au-dessous de l'Annexe. Durant toute une journée, il leur fallut s'abstenir de tout mouvement. Kugler jetait sans arrêt des regards en coin vers Lewinsohn. Dans son *Journal*, Anne parle du plombier, de Lewinsohn et de la femme de ménage comme « des trois terribles dangers [19] ».

« De fait, il n'y a pas un seul survivant juif entré dans la clandestinité qui n'ait failli être découvert [...] [20]. » Les clandestins de l'Annexe semblaient être exposés davantage que la plupart. Pendant la guerre, il y eut plusieurs cambriolages à l'Annexe ; le pire fut celui du 8 avril 1944, lorsque des voleurs se mirent à fouiller la bibliothèque pendant que les huit prisonniers, horrifiés, attendaient. Anne parle longuement dans son *Journal* de cet incident terrifiant, après que le danger fut passé. Elle raconte également comment, au printemps 1943, ils apprirent que le propriétaire de l'immeuble voulait le vendre à un certain M. F. J. Piron, sans en informer ni Kleiman ni Kugler. Piron avait débarqué inopinément au bureau, en compagnie d'un architecte, et annoncé son intention d'acheter la maison. Kleiman leur montra les lieux, usant une fois de plus de l'argument de la clef égarée. Piron ne semblait pas particulièrement curieux de l'Annexe, et il ne posa pas de questions gênantes. Les protecteurs et leurs protégés envisagèrent de trouver une autre cachette mais décidèrent, après moult délibérations, que la meilleure solution pour eux était de rester où ils étaient en espérant que tout aille pour le mieux. La tension supplémentaire que ce nouveau danger faisait peser sur eux était immense, d'autant qu'il y avait également un nouveau visage à l'entrepôt, W.G. Van Maaren. Il remplaçait le père de Bep, qui avait un cancer. Au début, les clandestins ne s'en inquiétèrent pas, mais, avec le temps, son comportement devint, au mieux, inquisiteur, et au pire, sinistre ; tout laissait deviner en lui un dénonciateur en puissance [21].

En dehors de la peur d'être découverts, le plus gros casse-tête était la nourriture. Tous les matins, Miep et Bep distribuaient aux familles les rations qu'ils se procuraient pour eux. Le pain provenait de chez un ami de Kleiman, propriétaire d'une chaîne bien connue de boulangeries à Amsterdam. Une certaine quantité de pain était livrée au bureau deux fois par semaine, prétendument pour le personnel. Une partie était payée à la livraison, mais la somme restante était portée sur un compte débiteur à régler à la fin de la guerre. La viande était fournie par Scholte, un ami boucher de Van Pels. Miep lui faisait passer des notes de Van Pels l'informant de ce qu'il fallait prendre sur coupons et de ce qu'il fallait prendre au marché noir. Elle allait régulièrement à l'épicerie de M. Van Hœven, sur le Leliegracht ; c'était un grand homme sympathique, dans la trentaine, qui appartenait à un groupe de la Résistance. Lui et sa femme cachèrent deux hommes juifs dans leur appartement d'Amsterdam ouest, mais ils furent trahis en 1944. Tous les jours à midi, il livrait lui-même les lourds sacs de pommes de terre au bureau, les déposant dans un petit placard de la cuisine. Peter Van Pels allait les chercher le soir et les montait au grenier, où étaient stockés plus de cent vingt kilos de pois secs et de légumes, de même que de nombreuses conserves. Le lait était de la responsabilité de Bep. Elle en montait plusieurs bouteilles par jour du bureau à l'Annexe. Elle leur apportait aussi des fruits lorsque les prix étaient raisonnables.

La dépense que représentait la clandestinité était phénoménale. La majeure partie de la nourriture était achetée au marché noir. Anne observe dans son *Journal* : « Nos cartes d'alimentation sont également achetées clandestinement. Leur prix augmente constamment, de 27 florins, il est déjà passé à 33 florins. Et tout ça pour une simple feuille de papier imprimé [22]. » Jan Gies se procurait ces cartes et d'autres à travers le Fonds du secours national, l'organisation de Résistance à laquelle il appartenait. Dans son *Journal*, il arrive à Anne de se plaindre des « cycles » interminables de nourriture qu'ils enduraient les semaines où n'étaient disponibles qu'une ou deux choses. Anne estimait que la diminution des réserves était attribuable aux Van Pels – « [...] ceux du dessus sont de vraies fines gueules [23] ! » – mais elle gardait cette remarque pour elle-même, sachant que sur le chapitre de la nourriture, M. Van Pels « [...] peut grogner comme un chat en colère [24]... ».

La guerre se prolongeant, Miep faisait souvent la queue pendant des heures à l'épicerie pour s'entendre dire, en arrivant au comptoir, qu'il ne restait plus rien. Le beurre et les rations de graisse étaient régulièrement manquants et la nourriture était souvent périmée. À un moment, le menu à l'Annexe se composait de pain sec et d'ersatz de café pour le déjeuner, et de salade ou de légumes avec des pommes de terre sautées pour le dîner. Bien des disputes tournaient autour du peu de nourriture et de sa répartition. Anne était furieuse contre les Van Pels et le manque de considération apparent de Pfeffer : « Quand, à table, Pf. prend 1/4 du contenu d'un bol de jus de viande à moitié plein alors que tous les autres attendent encore de se servir, cela me coupe l'appétit et j'aurais envie de bondir pour le pousser de sa chaise et le jeter dehors. [...] Quant aux Van Pels, c'est du genre : " Si nous avons assez pour nous, les autres ont le droit d'en profiter aussi, mais à nous le meilleur, le premier choix, et le plus " [25]. » En 1944, ils vivaient sur leurs dernières réserves, et l'homme qui leur procurait les cartes d'alimentation avait été pris par le NSB. Jan procura cinq nouvelles cartes, mais ils furent rapidement à court de beurre, de graisse et de margarine. Ils étaient contraints de manger des flocons d'avoine au déjeuner au lieu de pommes de terres sautées, et de la potée de chou frisé au dîner, au grand dégoût d'Anne. « L'odeur est un mélange de w.c., de prunes pourries et de produit de conservation + 10 œufs pourris. Pouah, l'idée même de devoir manger cette saleté me lève le cœur [26] ! »

La situation se détériora encore plus lorsque leur épicier fut arrêté. Bien que les habitants de l'Annexe fussent profondément désolés pour lui, ils ne pouvaient s'empêcher de se demander ce que cela allait impliquer pour eux : allait-il céder sous la torture et les dénoncer ? Ils étaient cruellement en manque de nourriture. Miep se rendit chez un autre épicier sur le Rozengracht, mais il fallut du temps et de la patience pour convaincre le propriétaire, un homme d'un certain âge, de leur donner des rations spéciales. Les huit clandestins durent sauter le petit déjeuner, se contenter de flocons d'avoine et de pain pour le déjeuner, de pommes de terre, de légumes et de salade pour le dîner. C'était une misérable pitance, à tout le moins, mais Anne a résumé leur point de vue : « Nous allons avoir faim, mais rien n'est pire que d'être découvert [27]. »

Ils redoutaient tous de voir leurs réserves s'épuiser. Le savon par exemple était difficile à obtenir. Au début, ils prirent sur leurs réserves de savon, mais par la suite, ils durent se contenter de ce que Miep ou Bep pouvaient trouver. Le contraste entre leur mode de vie avant la guerre et pendant était saisissant. Anne écrit en 1942 : « À la maison, je n'aurais jamais imaginé qu'un jour je me baignerais dans des toilettes [...] [28]. » Chaque personne faisait ses ablutions dans un endroit différent, utilisant un petit baquet qui pouvait être posé partout. Parfois, Anne et Margot se servaient du bureau de devant, après la fermeture : « Le samedi après-midi on tire les rideaux, nous nous lavons dans le noir, et celle dont ce n'est pas le tour regarde par la fenêtre entre les rideaux et s'amuse de la bizarrerie des passants [29]. » L'électricité devait être utilisée avec économie, et lorsqu'ils avaient dépassé leur ration, les chandelles remplaçaient la lumière électrique ; ils empilaient des manteaux sur les lits pour se protéger du froid. Dans l'obscurité, ils s'amusaient et se tenaient chaud en faisant des exercices et en dansant. Leurs protecteurs mettaient toute leur énergie à leur procurer davantage de nourriture, des couvertures et des habits chauds.

Dans son mémoire, Otto écrit : « Personne ne peut imaginer ce que cela signifiait pour moi que mes quatre employés se soient montrés prêts à se sacrifier, de véritables amis en un temps où les forces du mal avaient pris le dessus. Ils ont donné un exemple vrai de coopération humaine, tout en prenant un énorme risque personnel en s'occupant de nous. À mesure que le temps passait, cela devint de plus en plus difficile. Leurs visites quotidiennes nous étaient un grand soutien. Anne surtout attendait impatiemment chaque jour que quelqu'un vienne et raconte ce qui se passait dehors. Elle n'en perdait pas un mot. Elle était plus intime avec Bep, la plus jeune des secrétaires, et souvent elles chuchotaient toutes les deux dans un coin [30]. » Dans sa lettre à Yad Vashem, il évoque les tâches individuelles de leurs protecteurs : « À Miep et à Bep incombait la tâche extrêmement difficile de trouver la nourriture. Nourrir huit personnes alors que la plupart des produits d'alimentation étaient rationnés n'était pas une tâche facile. [...] M. Gies et M. Kleiman achetaient pour nous des cartes d'alimentation au marché noir et, quand nous avons commencé à manquer d'argent, ils ont vendu une partie de leurs bijoux. M. Kugler vendait aussi des épices sans comptabiliser les ventes pour aider à financer nos besoins. Toutes ces activités étaient risquées, et ils devaient toujours veiller à ne pas être pris par des collaborateurs ou des agents provocateurs. En dehors de la nourriture, bien d'autres choses nous furent nécessaires durant nos vingt-cinq mois de clandestinité : des articles de toilette, des médicaments, des habits pour les enfants qui grandissaient, etc., de même que des livres et d'autres choses pour nous occuper. [...] Leur soutien moral était très important pour nous. Quand la chose était possible, ils nous donnaient une vue optimiste de la situation et ils essayaient de nous cacher les mauvaises nouvelles. Il y eut une grande tension dans leur vie durant ces deux années, et M. Kleiman, qui avait une santé fragile, eut plusieurs ulcères, en raison de toute cette excitation. En dépit de toutes les précautions prises et du dévouement de nos amis, nous avons été trahis [...] [31]. »

Si leur dénonciateur s'était tu, les occupants de l'Annexe auraient dû endurer l'« hiver de la famine », qui a coûté tant de vies aux Pays-Bas, et l'on peut se demander comment ils auraient survécu à tous ces longs mois en attendant le libération. Leur santé se ressentait déjà de leur pauvre régime alimentaire, et toute maladie était particulièrement dangereuse puisqu'ils ne pouvaient suivre un traitement normal. Durant l'hiver 1943, Anne souffrit d'une grosse fièvre causée par la grippe, et toutes sortes de remèdes et de méthodes furent employés pour la soigner, mais en vain. Lorsqu'elle eut enfin retrouvé sa santé et son humour, elle écrivit que le plus grand malheur, lorsqu'on était malade, n'était pas d'avoir la gorge irritée, les membres endoloris ou un mal de tête affreux : « Le pire, c'est que M. Pf. s'est mis à jouer au docteur et a posé sa tête pommadée sur ma poitrine nue pour écouter les bruits à l'intérieur. Non seulement ses cheveux me grattaient horriblement, mais je me sentais gênée, même s'il a fait des études il y a trente ans et possède le titre de docteur. Qu'est-ce qui lui prend, à celui-là, de se pencher sur mon cœur ? Il n'est tout de même pas mon amoureux ! De toute façon, ce qu'il y a de malade ou non à l'intérieur, il ne l'entendra pas, il faut qu'il se fasse déboucher les oreilles parce qu'il commence à ressembler dangereusement à un sourd [32]. »

Pfeffer était invariablement la cible des espiègleries d'Anne et de ses accès d'humeur. Difficile d'imaginer deux personnes aussi différentes et contraintes de partager un espace aussi étroit pendant si longtemps (Margot rejoignit la chambre de ses parents), ce qui ne fit qu'augmenter leur irritation l'un vis-à-vis de l'autre. Pfeffer était un homme intelligent et sérieux, qui avait eu une vie occupée et sportive avant l'occupation, et cette inactivité forcée lui était intolérable. Contrairement à ses compagnons, il n'avait pas de famille dans l'Annexe, et ses seules communications avec son épouse passaient par Miep. Elle rencontrait Lotte toutes les semaines et transmettait des lettres et de petits cadeaux dans les deux sens. Lotte n'avait aucune idée de l'endroit où son mari se cachait et ne mesurait

162

pas à quel point Miep était impliquée. La veille de son entrée dans la clandestinité, Pfeffer écrivit une lettre d'adieu à sa femme. Elle révèle un homme très différent du portrait du « Dr Dussel » qu'en a fait Anne dans son *Journal* et que l'on retrouve dans les adaptations ultérieures au théâtre et au cinéma :

« 15.11.1942, Amsterdam.
Mon cher amour, ma seule et unique,
Je t'envoie un baiser ce matin. Je trouve si difficile de t'écrire quand je songe comment nous pouvions discuter de tout de vive voix. Mais quoi qu'il en soit, mon amour pour toi m'impose de t'écrire car je suis si fier de toi, ma chérie. J'ai longtemps admiré ta courageuse sérénité, ta grandeur d'âme et la noblesse avec laquelle tu as enduré ces temps indescriptiblement difficiles. Ma fierté est dans ma totale dévotion pour toi et dans tous mes efforts, actes et sacrifices pour me montrer digne de ton amour. Comparée à notre attachement indéfectible, cette séparation qu'il faut espérer brève ne compte guère. Ne perds pas ton magnifique courage et ta foi en Dieu. Ton amour fortifiera nos âmes à tous deux. Je te serre dans mes bras et je t'embrasse, avec tout mon amour,

Ton Fritz.
P-S : De tes cigarettes, je n'en fume qu'une par jour [33]. »

La vision que nous avons de Pfeffer à travers le *Journal* d'Anne est constamment partiale. Elle avait d'abord bien pris l'idée de partager sa chambre avec lui, mais l'exaspération et le ressentiment n'ont pas tardé à s'installer. Dans son *Journal*, elle ronchonne : « Il devient de jour en jour plus agaçant et plus égoïste, des petits gâteaux si généreusement promis, je n'en ai plus vu la couleur passée la première semaine. [...] Il me fait enrager [34]... » La tension entre eux ne s'est jamais relâchée. Il y avait des disputes constantes pour l'utilisation de la petite table qui se trouvait dans leur chambre et Otto devait souvent intervenir. Dans le documentaire de Jon Blair, *Anne Frank Remembered*, Werner Peter Pfeffer a évoqué la relation orageuse entre son père et Anne : « Nous parlons ici d'une petite fille placée dans des circonstances très difficiles et qui avait commencé par décréter que mon père n'était pas un homme agréable. C'est pourquoi elle l'a appelé " Dr Dussel ", ce qui signifie " idiot ". Suivant mon expérience de gamin de onze ans ou moins, c'est largement inexact. Et pour commencer, mon père était un homme très strict, mais un homme bon. Ce que les autres ne pouvaient pas voir, c'était son amour de la vie, son amour de la liberté [...]. Il aimait l'aviron, il aimait l'équitation, il aimait l'escalade. Il faut considérer que cet homme a été actif tout au long de sa vie puis, en plein vol, est tombé là ; c'est comme de mettre un oiseau en cage [35]. »

Tous étaient affectés par leur confinement dans quelques pièces d'où ils ne pouvaient s'échapper. Des querelles éclatèrent sur des sujets insignifiants et les relations devinrent extrêmement tendues. La plupart des discussions tournaient autour de la nourriture, mais il y avait aussi d'autres sujets de tension. Anne rapporte dans son *Journal* comment Mme Van Pels enleva ses torchons de l'armoire à linge pour que personne d'autre ne puisse s'en servir. Lorsque Edith, à son grand étonnement, découvrit ce que Mme Van Pels avait fait, elle retira aussitôt les siens. Le même matin, les Frank assistèrent à la première bagarre entre les Van Pels au tempérament chaud, dont les disputes portaient habituellement sur des questions d'argent. M. Van Pels estimait que le seul moyen de remédier à leur appauvrissement était de commencer à vendre leurs vêtements. Mme Van Pels ne voulait pas se séparer de sa fourrure de lapin, laquelle, insistait son mari, rapporterait davantage d'argent au marché noir que l'ensemble de leurs habits. À la fin, elle capitula de mauvaise grâce, et Kleiman donna la fourrure à un ami pour qu'il la vende. Lorsqu'ils touchèrent l'argent, il y eut de nouvelles querelles. Mme Van Pels voulait garder l'argent pour s'acheter de nouveaux habits après la guerre. Il fallut une semaine entière de cris, de cajoleries et de menaces pour la faire changer d'avis.

Il suffisait d'un rien pour mettre le feu aux poudres. Devaient-ils manger des légumes en conserve, par exemple ? En général, les Frank obtenaient gain de cause. Edith pouvait se montrer aussi véhémente que sa plus jeune fille, surtout lorsque ses enfants étaient concernés. Lorsque Van Pels taquinait Margot sur son timide appétit en disant : « Sûrement pour garder la ligne », Edith le fixait et disait d'un ton vif : « J'en ai assez de vos remarques stupides ! » Van Pels, toujours très lâche lorsqu'il devait affronter le courroux d'Edith, restait assis sans un mot, tandis que sa femme, très embarrassée, devenait écarlate [36]. Il y eut de nombreuses disputes entre Mme Van Pels et Anne, et le *Journal* d'Anne montre à quel point cette femme plus âgée la désespérait ; mais « plus tard, rapporte Otto, j'ai parlé à la sœur de Mme Van Pels, quand celle-ci a lu le *Journal*, et elle m'a dit que c'était le portrait tout craché de sa sœur [37] ». Le tempérament de séductrice de Mme Van Pels avait le don de rendre Anne furieuse, surtout lorsque Otto était le sujet de ses attentions. Il l'ignorait, mais Anne, à sa manière brusque, disait : « Après tout, maman ne le fait pas à M. Van Pels [38]. »

Anne avait parfois des moments d'abattement et prenait des pilules de valériane pour combattre la dépression. Sa mère aussi était découragée et elle confiait parfois ses sombres pensées à Miep, qui explique : « Elle avait besoin de se confier, d'avouer à quelqu'un le désespoir qui l'habitait. [...] Mme Frank n'osait confesser qu'elle ne croyait pas à la fin de la guerre. [...] Elle reprochait à Mme Van Pels son intransigeance à l'égard de ses filles, d'Anne en particulier. [...] Ces critiques mettaient Mme Frank dans tous ses états. D'une voix sombre, elle me livrait les pensées qui la tourmentaient.

– Miep, je ne vois pas la fin de tout cela, disait-elle. L'Allemagne ne sera plus jamais ce qu'elle a été.

Je l'écoutais d'une oreille compatissante. [...] Mais quand je la quittais, elle restait assise sur le lit, le visage empreint de tristesse et de découragement [...] [39]. »

Le chapitre le plus noir vint à la fin de 1943. Miep raconte : « Une année et demie d'isolement et de désœuvrement pesait sur les nerfs de chacun. Margot et Peter se réfugiaient dans leur monde intérieur. Lorsque j'apparaissais, je sentais souvent de l'électricité dans l'air, même si chacun s'efforçait de faire bonne figure. Anne se renfermait, écrivait son *Journal*, ou montait cacher sa tristesse dans le grenier [40]. » Anne était sensible à l'atmosphère qui l'entourait, elle voyait que même son père, normalement placide, souffrait : « Papa garde les lèvres pincées, si quelqu'un l'appelle, il lève les yeux d'un air tout effarouché, comme s'il avait peur de devoir à nouveau intervenir pour consolider une situation précaire [41]. » De fait, Otto jouait les arbitres, et il était conscient de son rôle : « Nous avions pensé que nous cacher en commun avec la famille de mon associé rendrait la vie moins monotone. Nous n'avions pas prévu combien de difficultés résulteraient de la différence des personnalités et des points de vue. [...] Dans notre petite communauté, il y avait des différences d'opinion entre des gens différents. Mon rôle était de rendre la vie commune aussi heureuse que possible, et lorsque j'échouais, Anne me reprochait d'être trop complaisant [42]. »

En dépit de toutes les disputes, le *Journal* d'Anne témoigne de nombreux moments de drôlerie durant la clandestinité. Une entrée de 1942 : « Le soir, nous avons tous eu le fou rire car j'ai mis la fourrure de Mme Dreher [43] sur la tête de papa et il a pris un air béat, c'était à se tordre, ensuite M. Van Pels l'a essayée à son tour et il était encore plus ridicule, surtout quand il s'est mis sur le nez les lunettes de Margot. On aurait cru une vieille dame allemande et personne ne l'aurait reconnu [44]. » Contre toute attente, le goût d'Anne pour le théâtre était partagé par Peter Van Pels : il « a fait une apparition, lui dans une robe très moulante de madame, moi dans son costume, avec tout l'attirail, chapeau et casquette compris. Ils étaient pliés en deux, les adultes, et nous, nous n'étions pas en reste [45] ».

C'est le père de Peter qui a rédigé l'amusant « Prospectus et guide de l'Annexe », qui vantait la cachette comme un « Établissement spécialisé dans le séjour temporaire des Juifs et assimilés [46] ». Anne a recopié les plaisanteries de M. Van Pels dans son *Journal*, et sa description des événements fait montre d'une vive ironie et d'un humour inné. Le tableau qu'elle brosse de Pfeffer expérimentant ses talents de dentiste sur Mme Van Pels souffrant de maux de dents est aussi amusant qu'une scène de comédie : « Pf. a commencé à gratter un petit trou, mais penses-tu, rien à faire, madame a lancé bras et jambes dans tous les sens, si bien qu'à un moment donné Pf. a lâché son instrument... qui est resté planté dans la dent de madame. C'est là qu'on a vu le vrai spectacle. Madame se débattait, pleurait (pour autant que ce soit possible avec ce genre d'instrument dans la bouche), essayait de retirer le grattoir mais ne réussissait qu'à l'enfoncer encore un peu plus. Monsieur Pf., les mains sur les hanches, observait la scène avec un calme olympien. Le reste de l'assistance riait à gorge déployée ; c'était méchant, naturellement, car je suis sûre que j'aurais crié encore beaucoup plus fort [47]. »

Lorsque Otto se remémorait cette période, il cherchait à la voir sous un jour positif : « Je dois dire qu'en un sens, c'était une époque heureuse. Je songe à tous les bons moments que nous avons vécus, et tout le manque de confort, l'ennui, les conflits et les peurs disparaissent. C'était si agréable de vivre en si étroit contact avec ceux que j'aimais, de parler des enfants avec ma femme et de faire des projets, d'aider les filles dans leurs études, de lire les classiques avec elles et de parler de toutes sortes de problèmes et d'échanger nos vues sur la vie. Je trouvais aussi le temps de lire. Tout cela n'aurait pas été possible dans une vie normale, lorsqu'on passe la journée au travail. Je me rappelle avoir dit une fois : " Si les Alliés gagnent, et si nous survivons, nous nous souviendrons avec gratitude du temps que nous avons passé ici ensemble [...] " [48]. »

Toute occasion de faire la fête était bienvenue dans l'Annexe. Les anniversaires, Hanoukkah, Noël et le Nouvel An étaient fêtés avec plus de plaisir et de faste que jamais auparavant. Les protecteurs se mirent de la partie et ils organisèrent une fête surprise dans l'Annexe pour marquer l'approche de 1943. De telles occasions soulageaient de la monotonie de deux ans d'isolement. Les clandestins s'efforçaient d'être le plus occupés possible. Miep se souvient : « On aurait dit un tableau vivant : une tête penchée sur un livre ; un visage à l'air pensif, le front baissé sur un tricot ; une main affectueuse posée sur le dos soyeux de Mouschi [49] ; un stylo qui courait sur le papier, s'arrêtait le temps d'une réflexion, reprenait son parcours. Dans le silence. Et lorsque j'apparaissais sur le palier, tous les regards s'éclairaient à ma vue [50]. » Anne demanda à Miep et à Jan de rester pour la nuit et leur consentement provoqua une grande excitation, même parmi les adultes. Edith et Margot préparèrent le dîner auquel Miep et Jan firent grand honneur. Mais pour leur nuit à l'Annexe, ce fut autre chose : le vent dans les arbres, le craquement des poutres du grenier, le bruit des voitures dans les rues obscures les tiraient constamment de leur sommeil. Miep se souvient : « Tout au long de la nuit, j'entendis sonner l'horloge de la Westerkerk. Je ne fermai pas l'œil. J'écoutai le vent qui se levait, le bruit de la pluie, le silence oppressant de la nuit, sentant peu à peu s'infiltrer en moi l'effroi qu'éprouvaient ceux qui restaient jour et nuit cloîtrés dans leur quatre pièces. C'était une épouvante si terrible qu'elle m'empêchait de m'endormir [51]. » Bep fit la même expérience d'horreur lorsqu'elle passa une nuit à l'Annexe. Les occupants habituels de la cache étaient toujours plus radieux le lendemain que n'importe lequel de leurs invités. Ils avaient appris à vivre avec leur peur.

Durant les heures de bureau, les seules activités envisageables à l'Annexe étaient celles qui pouvaient se faire en silence : la lecture, l'écriture, l'étude, les jeux de société et la conversation à voix basse. Les clandestins étaient des lecteurs voraces qui aimaient parler des livres que leur prêtait Kleiman et de ceux que Jan empruntait pour eux chez un ami qui avait une librairie dans le Quartier de la rivière. On aurait dit un groupe d'intellectuels, qui se délectaient de biographies d'artistes et de musiciens, qui écoutaient la « musique immortelle des maîtres allemands » à la radio, citant et lisant les poètes, apprenant l'espagnol, l'anglais, le français et le latin, et parlant de la politique dans le passé et dans le présent. À son grand mécontentement, Anne n'était pas toujours autorisée à accéder aux livres que lisaient Peter et Margot, mais elle dévorait les biographies, les récits mythologiques, les romans à l'eau de rose et les sagas familiales, et, dans son *Journal*, elle dit combien elle a aimé *La Saga des Forsyte*, de John Galsworthy, car Jon lui rappelait Peter, et elle-même se reconnaissait en Fleur.

Un autre genre de littérature lui était proposé par son père dans la soirée. Otto faisait abstraction de sa propre préférence pour Dickens et il lisait à haute voix à la famille des passages de

Goethe, de Schiller et de Körner. Anne avait un carnet dans lequel elle notait les mots nouveaux, des citations et les vers étrangers qui lui plaisaient. Elle compilait les arbres généalogiques de la famille royale et apprenait la sténographie avec Margot et Peter. Otto aidait les trois adolescents dans les disciplines les plus diverses, notamment les langues étrangères, l'algèbre, la géométrie, la géographie et l'histoire. Le grenier devint un lieu paisible d'étude solitaire. Anne s'en servait aussi pour écrire, et Peter s'était fabriqué un petit atelier contre l'un des murs. La nuit, Anne empruntait parfois les jumelles de son père et regardait dans les maisons de l'autre côté de la cour. Au-delà de la noire silhouette du marronnier, elle voyait le cabinet d'un dentiste où, un soir, la patiente était une « veille dame anxieuse [52] ».

Avec le ressort de la jeunesse et sa hardiesse, Anne voyait dans la vie clandestine une grande aventure : elle ne se sentirait jamais chez elle dans cette maison, mais elle ne la détestait pas non plus, elle la voyait plutôt « comme [...] une pension de famille assez singulière où [je] serais en vacances. Une conception bizarre de la clandestinité, sans doute, mais c'est la mienne. L'Annexe est une cachette idéale, et bien qu'humide et biscornue, il n'y en a probablement pas de mieux aménagée ni de plus confortable dans tout Amsterdam, voire dans toute la Hollande [53] ». La peur venait la nuit : « C'est le silence qui me rend si nerveuse [54]. » Les minutes devenaient une éternité et chaque bruit un mauvais présage, chaque véhicule qui passait pouvait être un camion de la Gestapo, et chaque craquement une chaussure dans l'escalier. Les avions passaient, visant l'ennemi dans le noir, et Anne était sûre qu'une bombe finirait par tomber sur l'Annexe. Otto se souvient : « Anne venait alors me rejoindre dans mon lit, terriblement effrayée, un petit paquet de nerfs qui avait besoin de protection. Je la serrais dans mes bras, la réconfortais en lui racontant des histoires. J'étais si heureux lorsque je parvenais à lui changer les idées et lorsqu'elle finissait par s'endormir à la fin de l'attaque aérienne [55]. »

En dehors des terreurs nocturnes, elle nota à plusieurs reprises son soulagement qu'ils aient trouvé une telle cachette :

« Comme nous avons la vie facile ici, facile et tranquille. Nous n'aurions pas à nous inquiéter de toute cette détresse, si nous ne craignions pas tant pour tous ceux qui nous sont chers et que nous ne pouvons plus aider [56]. » « Et nous, nous nous en tirons bien, mieux même que des millions d'autres gens [...] [57]. » « En pensant de temps à autre à nos conditions de vie ici, j'en arrive le plus souvent à la conclusion que, par rapport aux autres Juifs qui ne se cachent pas, nous sommes ici dans une sorte de paradis [...] [58]. » Tout d'abord, sa confiance ne la quittait vraiment que lorsqu'elle songeait à ses amis et à son chat, Moortje, qui lui manquait terriblement. Elle écrivit une lettre d'adieu à Jacqueline Van Maarsen, implorant : « J'espère que jusqu'au moment où nous nous reverrons, nous resterons toujours " *meilleures* " amies [59] ». Oubliées, sa colère passée et sa jalousie, elle ne voulait plus que « s'excuser et expliquer les choses [60] ». Elle savait fort bien que Jacque ne recevrait jamais cette lettre, mais il semble qu'elle ait voulu se protéger contre l'idée qu'elle ne reverrait plus jamais son amie, et elle rédigea même une lettre après la réponse imaginaire de Jacque. Lorsque Jacque connut plus tard l'existence de ces lettres, elle comprit combien il avait dû être difficile pour Anne de supporter ces mois de clandestinité dont la fin était incertaine : « Elle doit avoir été si seule sans aucun ami. Je crois qu'elle écrivait ces lettres *parce qu'*elle était seule, et parce que nous étions convenues de nous écrire des lettres si l'une de nous devait partir. Je suis si heureuse qu'elle les ait écrites et gardées dans le *Journal*. Sans cela, je n'aurais jamais su, et pour moi, ce fut la preuve que son emportement n'était que passager et que tout était rentré dans l'ordre à nouveau. Ce fut un grand soulagement pour moi [61]. »

Son imagination débordante lui permettait souvent d'échapper au malheur d'être enfermée dans l'Annexe. Dans l'un des nombreux rêves éveillés qu'elle faisait pour « après la guerre », on retrouve son cousin Buddy. Anne s'était imaginé qu'ils étaient devenus partenaires au patinage : « Nous formons un couple charmant et nous enchantons tout le monde. [...] Plus tard, on tourne un film pour la Hollande et la Suisse, les amies de Hollande comme celles de Suisse l'adorent [62]. » Lorsque

170

Buddy lut le *Journal*, des années plus tard, il fut profondément ému par cet élan de fantaisie d'Anne : « Ce fut sans doute une pensée douloureuse pour elle [...] ; nous autres, en Suisse, nous étions libres [...] ; elle, tous ses rêves étaient en cage et nous, les garçons, ses cousins, nous pouvions faire tout ce dont elle rêvait. Ce dut être une chose vraiment très dure pour elle [63]. » Lorsqu'il apprit qu'Anne s'était même dessiné une robe de patinage pour le film, il fut « [...] bouleversé. J'en ai pleuré, pour être franc. Surtout que, quand j'ai vu ça, je savais qu'elle n'était plus en vie. J'aurais adoré patiner avec elle [64] ».

La fausse piste qu'avait laissée Otto, faisant croire qu'ils avaient fui en Suisse avec l'aide d'un officier qu'il avait connu, avait convaincu presque tout le monde. Anne s'amusait de « l'imagination des gens. Ainsi une famille de Merwedeplein nous avait vus passer tous quatre à bicyclette, le matin de bonne heure, et une autre dame assurait qu'on nous avait fait monter en pleine nuit dans un camion militaire [65] ». Évidemment, les Elias savaient que les Frank n'étaient pas en Suisse, mais ils n'eurent aucune idée de l'endroit où ils se trouvaient vraiment avant que Kleiman ne commençât à écrire à Erich en glissant des allusions subtiles. Buddy se souvient : « Nous n'avions plus de nouvelles. À vrai dire, ce n'est pas tout à fait la vérité, parce que mon père correspondait avec Kleiman au bureau, et dans ses lettres, Kleiman écrivait quelque chose, des petites choses, dont nous savions que c'était une allusion aux Frank, ainsi nous savions qu'ils allaient bien [66]. » Même dans la Suisse neutre, les Elias avaient leurs ennuis : « Nous n'étions pas sans soucis. Ma mère était courageuse, très courageuse. Comme mon père était juif, il avait été renvoyé de sa firme allemande durant la guerre et nous n'avions pas du tout d'argent. Nous étions vraiment perdus [67]. » Un jour, Leni fut vraiment prise de panique et partit avec son plus jeune fils se réfugier dans une autre partie du pays. À son retour, elle semblait, d'une façon ou d'une autre, avoir trouvé de nouvelles forces. Buddy se souvient : « Ma mère n'avait jamais eu à travailler de sa vie. Mais elle commença à vendre de vieilles chaussures et de vieux habits qui provenaient de réfugiés qui passaient par la Suisse. C'était au début de la guerre. Puis elle commença à leur acheter des meubles. De temps en temps, elle obtenait une chaise, puis une table et doucement – tout doucement – cela devint le plus beau des magasins d'antiquités. Vraiment, elle nous a réellement sortis d'affaire [68]. »

Dans Amsterdam occupée, penser à ses cousins et à ses amis qui pouvaient continuer à vivre relativement normalement plongeait Anne dans la spirale de la dépression. Elle savait que la fille de Kleiman était libre d'aller et venir comme elle voulait, tandis que, elle et tous les autres dans l'Annexe, « [...] nous sommes ici comme des parias. [...] Quand quelqu'un vient de l'extérieur, les vêtements pleins de vent et le visage encore froid, j'ai envie de me cacher la tête sous les couvertures pour ne pas penser : " quand aurons-nous le droit de respirer l'air frais ? " [...] Tu peux me croire, quand on est enfermé pendant un an et demi, certains jours, on en a assez. [...] Faire du vélo, danser, siffler, découvrir le monde, me sentir jeune, savoir que je suis libre, voilà à quoi j'aspire [69] ». Tout comme de nombreuses entrées du *Journal* d'Anne la montrent reconnaissante d'avoir échappé à la capture, d'autres évoquent son pessimisme et son désespoir : « Il m'est absolument impossible de tout construire sur une base de mort, de misère et de confusion, je vois comment le monde se transforme lentement en un désert, j'entends plus fort, toujours plus fort, le grondement du tonnerre qui approche et nous tuera, nous aussi, je ressens la souffrance de millions de personnes [...] [70] » ; « Je me demande sans cesse s'il n'aurait pas mieux valu pour nous tous que nous ne nous cachions pas, que nous soyons morts aujourd'hui pour ne pas avoir à supporter toute cette misère [...] pourvu que la fin arrive, même si elle est dure [71]. » Lorsque leur marchand de légumes fut arrêté, Anne ne put s'empêcher de penser que ce serait sans doute leur propre destin : « La police a forcé la porte là-bas, si bien que nous n'en sommes pas à l'abri non plus ! Si nous aussi un jour... non, je n'ai pas le droit de finir cette phrase, je n'arrive pourtant pas à chasser cette question aujourd'hui, au contraire, cette peur que j'ai déjà vécue me revient dans toute son horreur [72]. »

Elle tentait de calmer ses appréhensions et ses soucis en lisant, en écrivant, en bavardant, ou en montant au grenier pour regarder le ciel et la tour de la Westerkerk. Elle fixait le marronnier « [...] aux branches duquel scintillaient de petites gouttes, les mouettes et d'autres oiseaux, qui semblaient d'argent dans le soleil [73] » ; cela l'apaisait, parce qu'elle croyait que « [...] la nature efface toute votre peur [74] ». Très souvent, lorsque le dernier employé ou visiteur était parti, Anne se faufilait en bas, dans le bureau de devant, avide de voir ce qui se passait aux confins de leur cachette. En l'une de ces occasions, Bep était là, en train de finir son travail après une nuit d'insomnie à l'Annexe. Dans le livre *The Footsteps of Anne Frank*, l'auteur reconstruit la scène : « Soudain la porte s'ouvrit et le visage d'Anne apparut dans l'entrebâillement. Elle chuchota : " Est-ce que tout le monde est parti ? " Anne était en pleine forme, comme elle l'était depuis la matinée. Elle avait parfaitement bien dormi – elle était habituée à l'accablant engrenage de la nuit.

– Est-ce qu'ils sont partis, Bep ?

– Oui, il y a longtemps.

Alors Anne traversa le grand bureau sur la pointe des pieds, se courbant de sorte que personne ne pût la voir de la rue. Elle se posta derrière les rideaux et se mit à regarder à travers une mince fente pour saisir un reflet du monde – une perspective de prisonnier [75]. »

Les protecteurs étaient incapables de maintenir leurs amis dans l'ignorance des déportations et des persécutions en cours. Kleiman se souvient : « Lorsque nous mangions notre assiette de soupe avec eux le soir, nous essayions de ne rien dire de ce qui se passait dehors. Mais il n'était pas possible de garder le secret. L'air en était saturé. Cela pénétrait même les murs [76]. » Lorsque les Van Pels et Pfeffer étaient arrivés à l'Annexe, ils avaient apporté des nouvelles d'amis et de voisins. Anne évoque ces gens et leur destin probable dans un nombre surprenant d'entrées de son journal : « Bep a raconté que Betty Blœmendal, une fille de ma classe, a été emmenée elle aussi en Pologne, quelle horreur, alors que nous, nous sommes si bien ici [77] » ; « On a fait revenir Rosel et Wronker [78] » ; « Miep nous a parlé de quelqu'un qui s'est échappé de Wersterbork, c'est affreux ce qui s'y passe, et si c'est déjà si atroce là-bas, qu'est-ce que ce doit être en Pologne [79] ! » ; « Tante R. est certainement au fond de la dépression, sa fille et son gendre sont à présent en Pologne, son fils et sa belle-fille ont été arrêtés et L. est mort. Il ne reste que P. [80] » Lorsqu'elle évoque son ancien petit ami, Peter Schiff, elle ajoute : « J'aimerais qu'il vienne se cacher ici avec nous. Pauvre garçon, peut-être est-il déjà mort en Pologne [81]. » Ils écoutaient la radio régulièrement, et Otto a rappelé combien c'était important pour eux : « [...] Nous pouvions rester en contact avec le monde extérieur. Nous écoutions régulièrement les informations de Londres [82]. » Leur station favorite, Radio Orange, diffusait cette information : « On massacre régulièrement des Juifs à la mitrailleuse, à la grenade et même au gaz [83]. » La radio allemande était ponctuée de vociférations nazies ; le 4 octobre 1942, Anne écrivit : « Ce matin j'ai aussi écouté la radio, Göring hurlait contre les Juifs, charmant [84] !!! »

Miep se souvient du dilemme de la quantité d'information qu'il fallait leur distiller : « Jan, mon mari disait : " Miep, tu n'as pas besoin de toujours tout leur raconter. Souviens-toi que ces gens sont reclus. Ils ne peuvent pas sortir. Les mauvaises nouvelles les affectent bien plus que nous. Tâche de ne leur dire que la moitié. " C'est ce que je faisais. Mais Anne n'était pas satisfaite. Elle pensait que j'en savais davantage. Et quand j'avais dit tout ce que j'avais décidé de dire et que je m'apprêtais à partir, elle me prenait à part, prétendant vouloir bavarder. Et elle disait : " Miep, qu'est-ce qui se passe ? " Elle me posait tellement de questions que je finissais par ne plus pouvoir résister, et je lui disais tout. C'était Anne. [...] Elle avait toujours des questions à poser à tout le monde. Quand je redescendais, Kleiman me demandait : " Est-ce qu'elle t'a assaillie de questions toi aussi ? " Et une fois de plus, je la défendais. Je disais : " Oui, tant de questions que j'avais à peine le temps de souffler. Mais estimons-nous heureux qu'elle pose tant de questions. Imagine Anne disant soudain qu'elle ne peut plus nous croire [...], comment pourrions-nous nous en accommoder ? " " Oui, disait Kleiman, tu as raison " [85]. » Toute tentative de protéger leurs amis de la vérité était vaine. « Je montais tous les jours, excepté le dimanche, rapporte

Kugler, lorsque tout était fermé. Nous parlions des nouvelles, de ce qui se passait. Ils lisaient les journaux également [86]. » Peu de choses leur échappaient, confirme Bep : « Ils savaient tout. [...] Anne elle-même a vu une fois deux Juifs qui marchaient dans la rue, alors qu'elle était dans le bureau avec moi et qu'elle lorgnait à travers la fente entre les rideaux. Et à voir un Juif marcher dans la rue, on savait toute son histoire au premier coup d'œil [87]. »

Après la guerre, Otto raconta comment ils faisaient pour conserver l'espoir : « Je me souviens avoir un jour lu cette phrase : " Si la fin du monde était imminente, je n'en planterais pas moins un arbre aujourd'hui même. " Lorsque nous vivions dans l'Annexe, notre devise était *" Fac et spera "*, soit " Travaille et espère ! " [...] Le seul espoir que nous avions de supporter la situation était de prendre dès le début notre mal en patience, et que chacun ait ses propres obligations. Avant tout, il fallait que les enfants aient suffisamment de livres pour lire et apprendre. Aucun d'entre nous ne voulait se demander combien de temps cet emprisonnement volontaire allait durer [88]. » Dans son *Journal*, Anne raconte comment ils supportaient l'avalanche incessante de mauvaises nouvelles : « [...] Quand ces nouvelles auront un peu décanté, nous recommencerons sans doute à plaisanter et à nous taquiner ; nous ne nous aidons pas nous-mêmes, ni ceux du dehors, en restant sombres comme nous le sommes tous en ce moment et à quoi sert-il de faire de l'Annexe une Annexe mélancolique. Dans tout ce que je fais, je ne peux pas m'empêcher de penser aux autres, à ceux qui sont partis et quand quelque chose me fait rire, je m'arrête avec effroi et me dis que c'est une honte d'être aussi gaie. Mais faut-il donc que je pleure toute la journée ? Non, c'est impossible et ce cafard va bien finir par passer [89]. »

Otto déclara par la suite que les persécutions avaient « poussé les Juifs à jeter un regard nouveau sur leur identité juive [90] ». Des huit clandestins, Pfeffer était le plus religieux. Dans son *Journal*, Anne fait état de son observance des rituels et des prières, et dans une lettre d'après la guerre, Lotte Pfeffer déclare qu'il était un maître de la langue hébraïque et que cette « religion était tout pour lui [91] ». Otto s'est expliqué, après la guerre, sur les différents degrés de conscience religieuse qui les caractérisaient, Pfeffer, lui-même et sa famille. Selon Otto, Pfeffer « avait une éducation plutôt orthodoxe, tandis que ma femme était libérale et avait un profond sentiment religieux » ; Margot « suivait plus ou moins la voie de mon épouse » ; lui-même « n'avait pas été éduqué dans une sphère religieuse », mais son mariage et les persécutions nazies l'avaient conduit à réévaluer sa religion ; il avait l'impression qu'Anne était « bien plus difficile à percer. Les formes et les cérémonies religieuses ne paraissaient pas l'impressionner beaucoup, mais elle était près de moi lorsque nous allumions les bougies et elle chantait avec nous le *Maoz Tzur*, le chant bien connu de Hannoukah. [...] Elle ne montrait pas d'intérêt pour la religion. Margot était intéressée, mais Anne ne l'a jamais été. Elle n'a jamais eu de véritable éducation juive. [...] Anne n'a jamais montré beaucoup d'intérêt lorsque nous nous rendions à des célébrations juives ou lorsque Pfeffer disait les prières du vendredi. Elle y assistait calmement. Je crois que les formes religieuses du judaïsme avaient peu d'importance pour elle, à l'inverse de ses enseignements éthiques [92]. » Il ne dit rien des Van Pels, mais Anne estime, dans son *Journal*, que leur attitude était ambivalente. Mme Van Pels pouvait dire : « Je me ferai baptiser plus tard », et aussitôt après : « J'ai toujours voulu aller à Jérusalem, parce que je ne me sens chez moi que parmi des Juifs [93]. » Peter semblait aussi confus que sa mère. Anne écrit : « [...] Il a parlé des Juifs. Il aurait trouvé beaucoup plus facile d'être chrétien, et de pouvoir être chrétien après la guerre. Je lui ai demandé s'il voulait se faire baptiser, mais il n'y songeait pas non plus. Au fond, il n'était pas capable d'avoir les mêmes sentiments que les chrétiens, dit-il, mais après la guerre personne ne saurait s'il était chrétien ou juif ni le genre de nom qu'il portait ! [...] Peter a dit aussi : " Les Juifs ont toujours été le peuple élu et le resteront toujours ! " J'ai répondu : " J'espère en tout cas qu'ils seront une fois élus pour leur bien [94] ! " »

L'observance religieuse était un rituel hebdomadaire à l'Annexe, quels que fussent les sentiments mélangés qu'il provoquait. Lorsque l'on pouvait encore se procurer des bougies,

elles étaient allumées tous les vendredis pour marquer le sabbat; c'est Pfeffer qui disait les prières. Ils aimaient tous la cuisine juive traditionnelle et respectaient le calendrier religieux,
encore que ce fût sans ostentation. La fête de Noël était l'occasion de faire entrer un peu de joie dans leurs vies plutôt qu'un
véritable culte, et lorsque Otto proposa à Anne de lui offrir un
exemplaire du Nouveau Testament pour Hannoukah, Margot
marqua sa désapprobation. L'intérêt d'Anne pour sa religion
grandissait à mesure qu'elle approchait de l'âge adulte. Rétro-
spectivement, elle jugea que 1943 était l'année où elle avait
« appris à connaître Dieu [95]! ». Dans les années 1943 et 1944,
ses références à Dieu et aux Juifs deviennent plus fréquentes,
et même en 1942, sa culpabilité d'avoir apparemment échappé
au destin de ses coreligionnaires est profonde : « Je me sens
mauvaise d'être dans un lit bien chaud alors que mes amies les
plus chères ont été abattues ou se sont effondrées. Je suis
effrayée moi-même à la pensée de ceux à qui je me suis toujours sentie si profondément liée et qui sont maintenant livrés
aux mains des bourreaux les plus cruels qui aient jamais existé.
Et tout cela pour la seule raison qu'ils sont juifs [96]. » Elle est
sceptique lorsqu'elle entend un évêque s'adresser à ses fidèles
en les engageant à ne pas hésiter à aider : « Est-ce que cela ser-
vira ? Sûrement pas à ceux de notre croyance [97]. » Sa culpabilité compréhensible, bien qu'illogique, se manifestait sous
forme de cauchemars ; elle voyait Lies vêtue de haillons, mourant de faim et suppliant qu'on l'aide. Pour Anne, Lies était
devenue le symbole des Juifs dont la vie était en jeu. Dans son
Journal, elle interrogeait leurs deux destins : « [...] Pourquoi
ai-je été choisie pour vivre et elle pour mourir peut-être ?
Quelle différence existait entre nous ? Pourquoi sommes-nous
si loin l'une de l'autre [98] ? » Un mois plus tard, Anne ne parvenait pas à se débarrasser de l'image de son amie et priait que
Dieu la protège : « Hanneli, chaque fois tu me rappelles ce
qu'aurait pu être mon sort, chaque fois je m'imagine à ta place.
[...] Je suis égoïste et lâche. Pourquoi faut-il toujours que je
rêve et que je pense aux choses les plus atroces, et que j'aie
envie de hurler de frayeur [99] ? »

Bien qu'elle ait parlé de lâcheté à ce moment-là, à mesure

qu'elle mûrissait, Anne trouvait un réconfort et un soutien dans sa religion. En mars 1944, elle était devenue capable d'écrire : « C'est si lourd, ce que j'ai à traîner, et pourtant, je suis forte. [...] Je sais que je ne suis pas en sécurité, j'ai peur des cachots et des camps de concentration, mais je me sens devenue plus courageuse, je me sens dans les bras de Dieu [100] ! »

Le mois suivant, après le dernier cambriolage de l'immeuble, les mises en garde véhémentes de leurs protecteurs exigeant qu'ils fussent plus prudents dans leur conduite suscitèrent un certain ressentiment parmi les clandestins. Évidemment irritée par ces admonestations et ce qu'elles impliquaient, Anne a écrit l'un des passages les plus chargés d'émotion de son *Journal* : « Cette histoire nous a rappelés brutalement à la réalité, au fait que nous nous cachons, que nous sommes des Juifs enchaînés, enchaînés en un seul lieu, sans droit et avec des milliers d'obligations. [...] Qui a fait de nous, les Juifs, une exception parmi tous les peuples ? Qui nous a fait tant souffrir jusqu'à présent ? C'est Dieu qui nous a créés ainsi, mais c'est Dieu aussi qui nous élèvera. Si nous supportons toute cette misère et s'il reste toutefois encore des Juifs, alors les Juifs cesseront d'être des damnés pour devenir des exemples. [...] Dieu n'a jamais abandonné notre peuple ; à travers les siècles, les Juifs ont survécu, à travers chaque siècle, les Juifs ont dû souffrir, mais à travers les siècles, ils sont devenus forts, les faibles sont repérés et les forts survivront et ne mourront jamais [101] ! »

Le *Journal* n'est pas seulement un compte rendu des événements et un confident pour les frustrations engendrées par la guerre et leur situation ; la majeure partie de sa force vient de l'habileté de l'auteur à y mêler un monologue intérieur qui rend compte de l'évolution d'une jeune fille en train de devenir une femme. Cette évolution est si finement associée aux autres aspects de son existence qu'elle semble sans accroc, mais c'est la formation de son caractère et la manière dont elle s'accommode des problèmes et des tribulations d'une adolescente dans des circonstances aussi catastrophiques qui ont assuré la longévité du *Journal* publié. Anne avait treize ans quand elle entra dans la clandestinité, et presque immédiatement nous la voyons, comme tous les adolescents, tenter de

178

s'émanciper de ses parents. Ce qui provoquait souvent des discussions explosives, surtout entre Anne et sa mère. Fritzi, la seconde femme d'Otto, explique : « Otto m'a souvent raconté combien il était difficile à une fille aussi vive qu'Anne, qui avait toujours été entourée de tant d'amis de son âge, de vivre cachée et de rester silencieuse des heures durant. C'est pourquoi il y a souvent eu des frictions entre Anne et sa mère, et avec les autres personnes de l'Annexe ; ce n'était certainement pas uniquement leur faute, mais aussi celle d'Anne [102]. » Quelques jours après leur arrivée à l'Annexe, qui devait changer leur vie à jamais, Anne écrivait à propos de sa famille : « Je ne suis pas comme eux et j'en prends clairement conscience, surtout ces derniers temps. Ils sont tellement sentimentaux entre eux, et moi, je préfère l'être toute seule [103]. » Peu à peu, Anne commença à comprendre un peu mieux sa mère, mais cela ne la rendait pas plus tolérante : « [...] Aimer maman de l'amour innocent d'un enfant, j'en suis incapable [104]. » Une chose pourtant avait changé : Anne voulait protéger sa mère de son hostilité au lieu de chercher, comme elle le faisait par le passé, à l'y confronter.

Otto était profondément attristé par le manque d'harmonie entre sa femme et sa fille : « Je me rendais bien compte qu'il n'y avait pas une très bonne entente entre ma femme et Anne, et je crois que ma femme en souffrait davantage qu'Anne. En réalité, elle était une excellente mère qui faisait tout ce qu'elle pouvait pour les enfants. Elle se plaignait souvent qu'Anne s'opposait à tout ce qu'elle faisait, mais c'était une consolation pour elle de savoir qu'Anne avait confiance en moi. C'était souvent difficile pour moi de faire la médiation entre Anne et sa mère. D'un côté, je ne voulais pas blesser ma femme, mais il m'était souvent difficile de guider Anne dans la bonne direction lorsqu'elle était effrontée et désagréable avec sa mère. En général, après une telle scène, j'attendais un peu, puis je prenais Anne à part et je lui parlais comme à une adulte. Je lui expliquais que dans la situation où nous étions, chacun d'entre nous devait se contrôler, même s'il y avait des raisons de se plaindre. Souvent ça portait ses fruits, pour un moment [105]. »

Anne était convaincue que ni Margot ni Peter, qui avaient

tous deux trois ans de plus qu'elle, ne pensaient ni ne ressentaient comme elle. Au début, elle les trouvait « tous les deux d'un tel ennui et d'une telle passivité [106] », elle trouvait que Peter était « [...] un dadais timide et plutôt ennuyeux [107] » et que Margot était « [...] une peste, elle m'agace jour et nuit au plus haut point [...]. Je n'arrête pas de la taquiner en la traitant de fille modèle et ça l'agace au plus haut point, mais peut-être qu'elle va enfin changer, il serait grand temps [108] ». Anne voyait les choses avec les yeux d'une enfant qui ne faisait pas de compromis et avec une conscience d'adulte, et les deux n'allaient pas facilement ensemble. Son franc-parler irritait les Van Pels et Pfeffer. Ils dirent aux Frank qu'Anne avait été mal élevée, ce qui provoquait la fureur d'Edith qui, bien qu'étant souvent la cible d'Anne, la défendait jusqu'au bout. Un jour, Van Pels demanda à Kleiman s'il pouvait lui trouver des cigarettes, et Anne, qui était assise juste à côté, lui fit la leçon : « Ces gens font bien assez comme ça pour nous. Renoncez donc à fumer, M. Van Pels. Sinon M. Kleiman va devoir traverser la moitié de la ville pour vous [109]. » Van Pels quitta la pièce, passablement embarrassé et irrité. Souvent, Anne désespérait d'elle-même : « Tout le monde me trouve prétentieuse quand je parle, ridicule quand je me tais, insolente, quand je réponds, roublarde quand j'ai une bonne idée, paresseuse quand je suis fatiguée, égoïste quand je mange une bouchée de trop, bête, lâche, calculatrice etc., etc. Toute la journée, je m'entends dire que je suis une gosse insupportable, et même si j'en ris et fais semblant de m'en moquer, ça me fait de la peine, et je voudrais demander à Dieu de me donner une autre nature qui ne provoquerait pas l'hostilité des gens. C'est impossible [...] [110]. »

Qu'elle dût se cacher n'avait en rien diminué le soin qu'elle prenait de son apparence et la fierté qu'elle en avait. Elle se mit à se décolorer à l'eau oxygénée le petit duvet noir qui poussait sur sa lèvre supérieure. Elle se frisa les cheveux, dans le même style que Margot et elle se confectionna un châle de tissu imprimé avec des roses pour retenir ses cheveux quand elle se brossait. Son rêve de rejoindre ses cousins en Suisse lui inspira une longue et coûteuse liste de produits de beauté et d'habits qu'il lui faudrait acheter si jamais son rêve devait se réaliser.

Elle étudiait son visage dans la glace et demanda à Margot si elle la trouvait jolie. Margot répondit qu'elle avait « de jolis yeux [111] ». Les protecteurs se montraient attentifs aux besoins d'Anne et comprenaient son désir de plaire. « Bien sûr, confie Kleiman, nous tâchions de ne pas oublier combien c'était difficile pour cette enfant. Elle aspirait au monde du dehors, à la vie avec d'autres enfants, et lorsque ma femme arrivait en haut, elle l'assaillait avec une curiosité presque désagréable. Elle demandait des nouvelles de Corrie, notre fille. Elle voulait savoir ce que Corrie faisait, quels petits amis elle avait, ce qui se passait au hockey club [112], si Corrie était tombé amoureuse. Et pendant qu'elle questionnait, elle se tenait là, menue, dans ses habits délavés, son visage blanc comme neige, parce qu'ils n'étaient pas sortis au grand jour depuis si longtemps. Ma femme lui apportait toujours quelque chose, une paire de sandales ou un habit ; mais les coupons étaient si rares, et nous n'avions pas assez d'argent pour nous approvisionner au marché noir. Nous aurions aimé lui apporter une lettre de Corrie de temps en temps, mais Corrie ne devait pas savoir que les Frank n'étaient pas partis, comme tout le monde le croyait, mais qu'ils étaient toujours à Amsterdam. Nous ne voulions pas lui imposer ce secret si lourd à porter [113]. »

Tout le monde essayait d'être aux petits soins pour Anne et de compenser ainsi la vie qu'elle aurait dû mener. Entre autres gâteries, Kugler lui apportait chaque semaine le magazine *Cinema En Theatre*. « C'était sans doute à l'époque la seule publication en Hollande qui ne contenait pas de propagande nazie, se souvient-il. Lorsque nous achetions des magazines, nous nous assurions toujours que le marchand était bon, qu'on pouvait lui faire confiance [114]. » Parfois, Anne lui demandait un journal, et bien qu'il sût que ses parents l'avaient interdit, il lui en apportait en cachette. « Vous n'avez pas idée, écrivit-il après la guerre, de l'expression dont les yeux d'Anne étaient capables. C'était parfois comme si elle voulait vérifier qu'elle avait bien compris. Puis à nouveau, soudainement et sans transition, elle redevenait tout à fait enfantine [...] [115]. » Anne accepta l'installation dans l'Annexe car elle s'adaptait facilement, mais il y eut des moments où l'inactivité forcée était particulièrement dure. Son père estimait qu'elle souffrait plus que n'importe lequel d'entre eux : « Dès le début, il était clair pour nous qu'une vie de réclusion totale serait bien plus difficile à supporter pour Anne, qui était si vivante, que pour nous. Nous savions que ses nombreux amis et l'école lui manqueraient. Margot, qui était plus mûre, pouvait s'accommoder de la situation [116] ».

L'habileté d'Anne à traduire en mots les aspects les plus complexes de son évolution est peut-être ce qui révèle le plus clairement son talent littéraire. Elle était aussi curieuse d'elle-même qu'elle l'avait toujours été, et elle examinait avec une certaine candeur les changements qui se produisaient dans son esprit et dans son corps : « [...] Ces derniers temps, j'ai l'impression de ressentir une gêne devant Margot, Maman et Papa. [...] Je trouve si étonnant ce qui m'arrive, et non seulement ce qui se voit à la surface de mon corps mais ce qui s'accomplit à l'intérieur. [...] Comme je suis venue ici à 13 ans à peine, j'ai commencé plus tôt à réfléchir sur moi-même et à m'apercevoir que je suis une personne à part entière. Parfois le soir dans mon lit, il me prend une terrible envie de me palper les seins et d'écouter les battements tranquilles et réguliers de mon cœur [117]. » Elle appréciait d'avoir ses règles : en dépit de la gêne, elle avait l'impression « de porter [en elle] un doux secret [118] ». La découverte de soi était accélérée chez elle par son enfermement et par l'impossibilité de se mêler à des enfants de son âge avec qui elle aurait pu discuter de ces choses. Dans son désespoir de ne pouvoir partager ses pensées, elle jeta son dévolu sur Peter Van Pels.

Au début, elle l'avait trouvé bête et ennuyeux. Maintenant, il était « bon et gentil [119] », un croisement, dans l'imagination d'Anne, entre Peter et son premier amour, Peter Schiff. Elle était tellement décidée à poursuivre cette relation d'une manière si subtile qu'au début elle ne s'aperçut pas qu'elle était en train de tomber amoureuse de lui. Une conversation qu'ils eurent à propos de Mouschi lui fit réaliser qu'ils étaient des jeunes gens « [...] du sexe opposé même, et capables d'aborder ce sujet [aussi] librement et sans faire de blagues [120] ». Anne n'avait personne d'autre avec qui parler de sexe ; à cette époque, très peu de parents étaient disposés à parler des choses sexuelles avec leur progéniture. Lorsqu'elle aborda le sujet avec son père, il lui dit qu'elle « ne pouvait pas encore comprendre le désir [121] ». Ce n'était d'aucune utilité pour Anne, qui écrivit : « Au contraire, j'ai toujours été sûre que je le comprenais, et maintenant je le comprends tout à fait [122]. » Elle tentait de trouver des mots pour décrire les émotions nouvelles qui l'assaillaient : « Le soleil brille, le ciel est d'un bleu profond, il souffle un vent délicieux et j'ai une telle envie – une telle envie – de tout... [...] Je crois que je sens en moi le printemps, je sens l'éveil du printemps, je le sens dans tout mon corps et dans mon âme. [...] Je suis en pleine confusion, je ne sais pas quoi lire, pas quoi écrire, pas quoi faire, je sais seulement que je ne suis qu'envie [123]. » Un jour plus tard, ses désirs étaient comblés parce qu'elle avait cru remarquer que Peter la regardait, ce qui lui procurait « une douce sensation [124] ». Bientôt, il se confia à elle, ce qui était exactement ce qu'elle avait voulu. Quand il lui faisait des compliments, elle sentait quelque chose de « chaud et doux à l'intérieur [125] ». Elle se demandait si Margot était amoureuse de Peter, mais lorsqu'elle le lui demanda, Margot répondit qu'elle ne l'était pas et qu'elle ne l'avait jamais été. Anne se sentit libre de le courtiser et ils passèrent des heures ensemble au grenier, assis près de la fenêtre en regardant la Westerkerk, ou bien ils regardaient dans la cour, comment le marronnier passait de l'hiver au printemps.

En 1944, Anne écrivit dans son *Journal* un long passage sur ce qui avait changé en elle depuis son anniversaire de 1942. Elle sentait maintenant qu'elle était une jeune femme, qu'elle attendait de la vie autre chose que les femmes qu'elle connaissait, quelque chose de plus qu'un mari et une famille (bien qu'elle voulût cela aussi) : « Je n'ai que 14 ans mais je sais très bien ce que je veux, je sais qui a raison et qui a tort, j'ai mon avis, mes opinions et mes principes et même si ça peut paraître bizarre de la part d'une gamine, je me sens un adulte, beaucoup plus qu'un enfant, je me sens absolument indépendante d'une autre âme quelle qu'elle soit [126]. » Quelques jours plus tard, elle recevait son premier « vrai » baiser de Peter, et elle écrivit une exubérante lettre à Kitty à ce sujet, mais elle ne tarda pas à être assaillie par un sentiment de culpabilité. Était-ce bien ? se demandait-elle. Margot n'aurait jamais rêvé de faire une chose pareille, et ses amies à l'école auraient été scandalisées. Elle décida de parler de leur relation à son père. Il la prévint prudemment que, « dans ces affaires, l'homme est toujours l'élément actif, la femme peut le retenir [127] ». Otto parla à Peter en tête à tête et lui suggéra qu'Anne et lui passent moins de temps ensemble. Anne craignait que Peter ne considère cela comme une trahison et elle continua comme avant, ce qui ennuya son père et lui fit du souci. Elle écrivit une longue lettre à Otto, expliquant que personne ne l'avait aidée, et qu'elle s'était arrachée au malheur toute seule, par ses propres efforts. Elle lui demanda de croire en elle, parce que « je suis indépendante de corps et d'esprit [...] [128] ». Après avoir lu la lettre, Otto s'assit avec elle et la discussion émouvante qu'ils eurent les laissa tous deux en larmes. Anne avait honte d'avoir excédé son père et promit de se conduire mieux à l'avenir : « Je n'ai qu'à reprendre exemple sur papa et je vais m'améliorer [129]. » Peu à peu et inévitablement, les sentiments profonds d'Anne pour Peter commencèrent à s'étioler ; il ne pouvait pas satisfaire son besoin de parler de sujets « plus profonds » et il n'était pas intellectuellement son égal. Se souvenant de cet épisode, Otto y voyait un réconfort pour sa fille : « Au début, il y avait peu de contact entre lui et mes enfants. Il était paresseux et indifférent. Mais ensuite, il fut troublé par l'avidité à étudier de mes enfants, et il eut peur de rester en arrière. Il y avait une sorte de camaraderie entre eux, et plus tard, lorsque Anne fut plus mûre, ils découvrirent leurs sentiments l'un pour l'autre. Ceci causa quelques problèmes, mais parce que je leur faisais confiance à tous deux, à Anne et à Peter, je pouvais leur parler ouvertement. Je comprenais que cette amitié rendrait à Anne la vie plus facile à l'Annexe [130]. »

Anne savait que la raison, en partie du moins, de sa maturité précoce était due aux circonstances exceptionnelles : « N'ai-je vraiment que 14 ans ? Ne suis-je vraiment encore qu'une écolière godiche ? Suis-je encore vraiment si inexpérimentée en toutes choses ? J'ai plus d'expérience que les autres, j'ai vécu quelque chose que personne ou presque ne connaît à mon

« Anne, a écrit d'elle son père Otto, était toujours joyeuse, toujours très aimée des garçons et des filles... une enfant normale, pleine d'entrain qui avait besoin de beaucoup de tendresse et d'attention, qui nous enchantait et fréquemment nous excédait. Il suffisait qu'elle rentre dans une pièce pour que l'agitation règne. » Sur cette photo de 1935 elle prend le soleil à Sils-Maria, la station suisse où séjourna Nietzsche. Les cousins d'Otto y possédaient une luxueuse villa. Famille de banquiers et d'hommes d'affaires, les Frank avaient vécu dans l'aisance puis avaient connu des temps plus difficiles à la suite de la crise et de l'inflation qui secouèrent l'Allemagne de Weimar.

Otto et Leni, sa petite sœur «fragile» qu'il aimait à protéger, vers 1916-1917. Otto porte son uniforme d'officier de l'armée allemande qu'il emportera dans l'Annexe : «Né en Allemagne, issu d'une famille assimilée qui vivait dans ce pays depuis des siècles, je me sentais profondément allemand. Sans quoi jamais je ne serais devenu officier au cours de la Première Guerre mondiale ni ne me serais battu pour l'Allemagne. Mais par la suite, nous le savons, cela ne fit guère de différence aux yeux de nos persécuteurs.»

Otto et Edith en lune de miel à San Remo, 1925. Le couple s'était marié le 12 mai 1925, le jour de l'anniversaire d'Otto, à la synagogue d'Aix-la-Chapelle, qui sera incendiée par les nazis durant la Nuit de cristal (9-10 novembre 1938), Otto avait 36 ans. Un mariage de raison ? C'est du moins ce qu'insinue Anne dans ses *Journaux*.

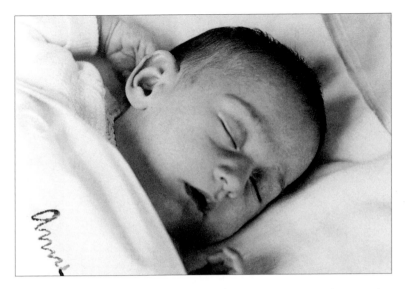

Anne photographiée par son père quelques heures après sa naissance, le 12 juin 1929. Grand amateur de photos, Otto Frank n'a cessé de photographier ses enfants : autant Margot ressemblait à sa mère, autant Anne était le portrait craché de son père.

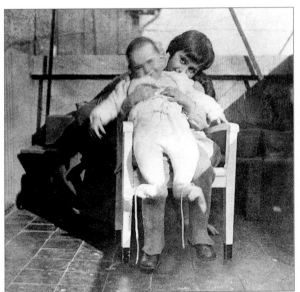

Photo de gauche : Sur le balcon, à Francfort, 1929-1930, Margot serre Anne dans ses bras. Une scène de vie idyllique, dans une ville de culture qui comptait une très forte communauté juive relativement bien assimilée. Anne Frank ne cessera de s'interroger sur l'irruption de la barbarie dans ce monde policé. Ce passage de son *Journal* du 9 octobre 1942 est peut-être le plus éloquent de tous : « Un peuple reluisant, ces Allemands, et dire que j'en fais partie ! Et puis non, il y a longtemps que Hitler a fait de nous des apatrides, et d'ailleurs, il n'y a pas de plus grande hostilité au monde qu'entre Allemands et Juifs. »

Photo de droite, de gauche à droite : Margot, Anne, leur cousin et camarade de jeux Stephan (le fils de Leni), et Edith ; les enfants deviendront inséparables : piscine, patinage, emplettes, glacier, etc., tout était bon pour sortir.

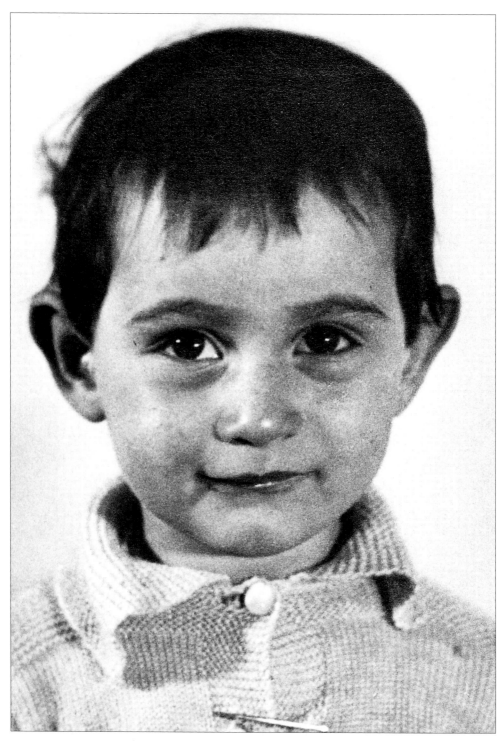

Anne Frank, 1932. Une petite enfant espiègle et qui, déjà, n'en faisait qu'à sa tête. Un matin, la gouvernante retrouva Anne assise sur le balcon sous la pluie, au beau milieu d'une flaque, gloussant de plaisir. De se faire gronder ne lui fit ni chaud ni froid. Elle ne fit même pas mine de se relever. Elle voulut qu'on lui raconte une histoire tout de suite, et peu lui importait que Kathi n'en eût pas le temps. Elle n'avait qu'à raconter une histoire courte.

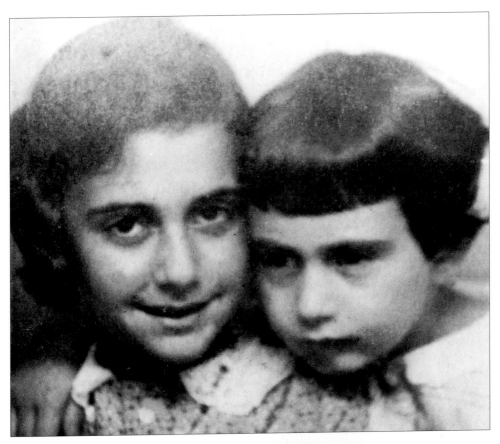

Photo ci-dessus : Margot et Anne, en 1933, à l'époque où la famille Frank a quitté l'Allemagne pour émigrer aux Pays-Bas. Anne était aussi affable que Margot était timide. Otto Frank fut l'un des premiers à « prendre Hitler au sérieux » et à vouloir soustraire les siens au danger nazi. Plutôt que la Suisse ou les États-Unis, il choisira la Hollande, où ses affaires l'avaient déjà conduit à maintes reprises.

Photo ci-contre : Tous les jours, pendant les vacances de l'été 1935, les Frank se rendaient à la plage populaire de Zandvoort, dans les environs d'Amsterdam. Margot, Mme Schneider, la secrétaire francfortoise d'Otto, Anne et Edith « en train de manger des glaces, entourées par le capharnaüm habituel des vacanciers ».

Anne en compagnie de son amie Sanne Ledermann, Merwedeplein 1934-1935 :
« Quand on nous voyait ensemble, on disait toujours : voilà Anne et Sanne. » Sanne sera
elle aussi victime de la Shoah.

Vers 1935, Anne à l'école Montessori, où s'appliquait une méthode pédagogique accordant une importance primordiale à l'éducation sensorielle, développant la mémoire de l'enfant en laissant s'épanouir sa liberté. Anne (entourée sur la photo) grandit dans le cadre pédagogique peu orthodoxe de cette école.

Le 12 juin 1939, Anne fêta son dixième anniversaire et fut autorisée à inviter ses amies préférées. La photographie prise pas son père ce jour-là les montre ensemble en plein soleil sur Merwedeplein, se donnant le bras et portant leurs plus jolies robes : Anne, Sanne et Lies sont les deuxième, troisième et quatrième à partir de la gauche ; Kitty Egyedi est la troisième en partant de la droite. Des neuf jeunes filles qui assistaient à la fête ce jour-là, six seulement étaient encore en vie six ans plus tard : Anne, Sanne et Juultje Ketellapper furent toutes les trois victimes de la Shoah.

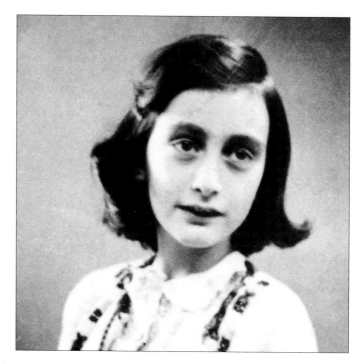

Anne en mai 1939, à l'époque où, profitant de la « patience du papier », selon sa propre expression, elle commença à écrire, d'abord des confidences de fillette, puis des histoires, puis enfin le *Journal* bouleversant qu'on connaît.

Margot et Anne à Zandvoort, en juillet 1939, accompagnées de leur grand-mère, Rosa Hollander. Anne a collé cette photo dans son *Journal* : « Margot et moi sortions juste de l'eau et je me rappelle, j'avais très froid, grand-mère est assise derrière nous, si gentille et paisible. Comme elle l'était si souvent. »

Anne à Laren en 1939, à la veille de la Seconde Guerre mondiale. La famille Frank s'était bien intégrée à Amsterdam. Les enfants parlaient le néerlandais parfaitement, et la famille avait retissé des liens parmi la communauté juive émigrée. Les nouvelles affaires d'Otto, confitures et épices, marchaient assez bien et assuraient à la famille une vie décente.

Margot et Anne à Zandvoort, août 1940. Anne a collé la photo dans son *Journal* : « Je me console à l'idée que Margot n'était pas très formée non plus. Elle avait treize ans… Elle n'a donc vraiment pas de quoi se moquer de moi sur ce point. » Malgré l'occupation, la vie a repris son cours. Les nazis hollandais sont encore relativement discrets, et Otto Frank ne songe pas encore à fuir ou à vivre dans la clandestinité.

Album d'autographes de Henny Scheerder, une camarade de classe d'Anne Frank. Daté du 4 mars 1940, il contient un poème écrit et signé par Anne : « Ce que je t'offre est de peu de valeur, cueille les roses de la terre et ne m'oublie pas. » Dans chaque coin de la page, elle a répété sa supplique : « Ne m'oublie pas ! » © Simon Wiesenthal Center Library and Archives.

Anne en 1941 à la piscine d'Amsterdam où ses prouesses lui valurent deux médailles. Ce sont les derniers instants de détente : bientôt, la piscine, comme tous les établissements publics d'Amsterdam, sera interdite aux Juifs.

1941 : Anne en vacances. On reconnaît son amie Sanne à l'extrême droite. En choisissant d'émigrer aux Pays-Bas, qu'il connaissait par ses affaires, plutôt qu'en Suisse ou aux États-Unis, comme le reste de sa famille, Otto croyait pouvoir compter sur le bon sens des Hollandais. Jusqu'au bout, il veilla à ce que les enfants ne souffrent pas de l'émigration et demeurent aussi insouciants que le permettait la situation.

Victor Kugler, le « contremaître », Bep Voskuijl, la secrétaire qu'Anne considérait comme une « autre sœur », et Miep Gies, la « jeune et robuste Hollandaise » d'origine autrichienne. Tous trois furent des collaborateurs et amis d'Otto Frank : le moment venu, ils seront aussi des « protecteurs » ; au second plan, deux intérimaires (1941).

Été 1941 : au milieu, Anne et Sanne, les inséparables ; derrière Sanne, sa sœur, Barbara.

Margot, Hermann Whilp et Anne sur Merwedeplein en 1941. Cette grande place au cœur d'Amsterdam était le rendez-vous des enfants : à l'époque, Anne commençait à s'intéresser aux garçons et à trouver ses copines un peu « bébêtes ».

Peter Van Pels, sans date. L'ami « honnête et généreux (...), modeste et serviable » que Margot et Anne retrouvaient à la Maison de la jeunesse juive et qui partagea leur vie à l'Annexe. La promiscuité aidant, Anne en tombera un temps amoureuse : c'est la première et dernière fois qu'elle embrassa un garçon « pour de vrai ». Elle s'en ouvrit à son père, qui lui donna des conseils de prudence.

Anne dans le costume qu'elle avait choisi pour le mariage de Miep le 16 juillet 1941. «Anne essaie son tout nouveau manteau», a écrit Miep. De bonne heure attirée par la mode, Anne épatait ses copines en choisissant elle-même ses toilettes, plutôt que de suivre les conseils de sa mère.

Homme de confiance et intime d'Otto Frank, Johannes Kleiman, après la guerre, pose à côté de la bibliothèque pivotante qui dissimulait l'entrée de l'Annexe. Fidèle entre les fidèles, « protecteur » des Frank, il risquera sa vie pour eux. Il sera arrêté en même temps que les huit « pensionnaires » de l'Annexe : Otto, Edith et leurs deux filles, les Van Pels et leur fils, Peter ainsi que Pfeffer, un brillant chirurgien orthodontiste. Otto sera le seul des huit à survivre à la déportation.

L'Annexe secrète, au 263, Prinsengracht, où la famille Frank et leurs amis restèrent deux ans cachés à partir du mois de juillet 1942, après que Margot eut reçu une convocation qui signifiait la déportation assurée. Le lendemain, commençait cette vie étrange et intense en ce lieu où Anne a écrit son « chef-d'œuvre » : « Après la guerre, je veux publier un livre intitulé *L'Annexe* » (*Journaux d'Anne Frank*, 11 mai 1944).

Anne et Margot, photos prises entre 1935 et 1942. « Là aussi je suis mignonne, hein ? » lit-on sous les photos qu'Anne a collées dans son *Journal*. « J'aurais peut-être une chance de réussir à Hollywood. Mais en ce moment, hélas, j'ai en général une tout autre tête » (18 octobre 1942). Margot, la grande sœur trop sage, était de trois ans l'aînée d'Anne. Elles resteront unies jusqu'au bout. Lorsque, en octobre 1944, à Auschwitz, Anne sera envoyée au « Bloc de la gale », Margot la rejoindra volontairement. Elle mourra la première, en mars 1945, à Bergen-Belsen, d'épuisement et du typhus. Convaincue que ses parents aussi étaient morts, Anne, moribonde, s'est alors laissée aller.

âge [131]. » Elle ne voulait pas s'apitoyer sur elle-même et déclara à Kitty : « J'ai souvent été abattue, mais jamais désespérée, je considère notre clandestinité comme une aventure dangereuse, qui est romantique et intéressante. Dans mon journal, je considère chaque privation comme une source d'amusement ; [...] Ceci est un bon début pour une vie intéressante et c'est la raison, la seule raison pour laquelle, dans les moments les plus dangereux, je ne peux pas m'empêcher de rire du burlesque de la situation. Je suis jeune et je possède encore beaucoup de qualités enfermées en moi, je suis jeune et forte et je vis cette grande aventure. [...] Chaque jour, je sens que je me développe intérieurement, je sens l'approche de la libération, la beauté de la nature, la bonté des gens de mon entourage, je sens comme cette aventure est intéressante et amusante ! Pourquoi serais-je donc désespérée [132] ? » Il lui fallait parfois lutter pour conserver un tel optimisme : « Nous, les jeunes, nous avons deux fois plus de mal à maintenir nos opinions à une époque où tout idéalisme est anéanti et saccagé, où les hommes se montrent sous leur plus vilain jour, où l'on doute de la vérité, de la justice et de Dieu. [...] C'est un vrai miracle que je n'ai pas abandonné tous mes espoirs, car ils semblent absurdes et irréalisables. Néanmoins, je les garde, car je crois encore à la bonté innée des hommes [133]. »

L'aspiration d'Anne à trouver quelqu'un – un être identifiable – à qui écrire lorsqu'elle était dans la clandestinité prit la forme de lettres envoyées à diverses personnes. En fait, les « destinataires » étaient des personnages de la tétralogie de Cissy Van Marxveldt, *Joop ter Heul*, très connue des jeunes filles hollandaises à cette époque-là. Le livre tournait autour de Joop, de ses amies et de son club, et les suivait depuis l'école jusqu'à la maternité. Anne écrivit à chaque personnage à tour de rôle, mais se fixa en définitive sur un seul, Kitty Francken, qui devint sa correspondante. Kitty était probablement son personnage préféré, mais peut-être était-ce aussi parce qu'elle avait le même surnom ou que, sur Merwedeplein, elle avait connu et admiré une Kitty Egyedi. « Je me souviens qu'Anne avait une amie qui portait ce nom, explique Otto. Elle m'a un jour montré un dessin de son amie. Elle était très impressionnée et dit : " Regarde comme Kitty dessine bien ! " Kitty vit aujourd'hui à Utrecht. Je lui ai rendu visite récemment, mais nous ne pouvons savoir avec certitude si elle a servi de modèle pour le *Journal* [134]. » Kitty Egyedi elle-même ne le croyait pas : « J'aime que ce soit mon nom qu'elle ait utilisé, parmi tous les amis qu'elle avait. Mais seule Anne pourrait dire en quel sens elle a pensé à moi quand elle l'a fait. Il se peut qu'elle ait pensé à moi au début, quand elle a commencé à écrire à Kitty. Mais Kitty sera bientôt tellement idéalisée, elle vivra tellement sa propre vie dans le *Journal* qu'il n'y a plus de sens à se demander qui est désigné par le nom de « Kitty ». Le nom dans le *Journal*, ce n'est pas moi, certainement pas [135]. »

Anne écrivait habituellement son *Journal* dans la chambre de ses parents, dans sa propre chambre, ou au grenier, sur la table près de la fenêtre. Tout le monde savait qu'Anne avait un *Journal*. « Elle disait souvent : " Papa, j'écris, veille s'il te plaît que personne ne me dérange. Je rédige mon *Journal* " [136] », raconte Otto. Anne faisait parfois lecture de passages de son *Journal*, bien qu'elle n'ait jamais laissé personne le lire. La seconde femme d'Otto, Fritzi, raconte : « Anne amusait les gens en lisant des histoires ou des récits drôles des événements qui se déroulaient dans l'Annexe. Ainsi, tout le monde savait bien sûr qu'Anne écrivait et qu'elle avait un certain don pour cela. Mais personne n'imaginait qu'elle était réellement très douée [137]. » Kugler se souvient comment Anne observait tout un chacun, pour mieux en rendre compte dans le *Journal* : « Des petites choses que je faisais quand je montais. [...] Elle était fine observatrice ; [...] entre les pages de son carnet de notes cartonné, elle tenait une chronique sensible des tensions et des désespoirs, des petites joies et des moments de terreur vécus par les huit êtres humains reclus [138]. »

Quand Anne se conduisait mal, le *Journal* devenait une arme utile. Otto menaça de le confisquer, à la grande inquiétude d'Anne : « Oh, frayeur insurmontable. À partir de maintenant, je vais le cacher [...] [139]. » Miep se souvient : « Elle continuait à se montrer très secrète à ce sujet, rangeait ses papiers dans la mallette en cuir usé que son père gardait dans sa chambre. Les Frank avaient pour principe de respecter la vie privée de chacun, y compris celle des enfants : compte tenu du peu d'intimité qui pouvait régner dans la cachette, l'intimité d'Anne était toujours préservée et respectée. Personne n'aurait osé, sans sa permission, toucher à ses papiers ou lire ce qu'elle écrivait [140]. » Anne craignait de manquer de papier : « Je pourrais peut-être demander à Bep d'aller voir chez Perry s'ils vendent toujours des carnets, sinon je vais devoir bientôt prendre un cahier, car mon journal est presque rempli, quel dommage ! Heureusement, je peux le faire durer un peu grâce aux feuilles que j'ai collées entre les pages [141]. » Les protecteurs satisfaisaient ses besoins en lui donnant des cahiers de comptes vierges et des fournitures. Bep se souvient : « À plusieurs reprises, elle m'a demandé de lui donner un carnet pourvu d'une serrure en me disant clairement qu'elle avait besoin d'un tel carnet pour y écrire son *Journal.* Je n'ai malheureusement jamais pu répondre à son souhait. Cependant, il m'est arrivé plusieurs fois de prendre au bureau du papier pelure de différentes couleurs, rouge, jaune, bleu et blanc par exemple, pour le lui donner [142]. »

Durant l'été 1943, Anne se découvrit une nouvelle passion : écrire des contes. Le 7 août, elle confia à Kitty : « Il y a quelques semaines, j'ai commencé à écrire une histoire, une histoire totalement inventée et j'y ai pris un tel plaisir que les fruits de ma plume sont en train de s'accumuler. Comme je t'ai promis de te faire un compte rendu fidèle et sans fioritures de tout ce qui m'arrive, je te laisse juger aussi du plaisir que mes histoires pourraient donner à de petits enfants [...] [143]. » Suit l'histoire intitulée « Chaton ». Certains des contes d'Anne, comme « La bataille des patates » ou « Les vilains », sont des histoires tout à fait objectives qui décrivent directement ses expériences à l'Annexe. D'autres, comme « Kitty » ou « La famille de Porter » et « Le rêve d'Éva », sont des histoires d'une facture étrangement éthérée. Anne tenait la liste de ses écrits dans un livre de caisse de format oblong avec un index et la date de la rédaction. Parfois, elle faisait des lectures à voix haute à ses compagnons de l'Annexe et aux protecteurs. Elle écrivait souvent sur la routine quotidienne à l'Annexe, et ce sont là ses meilleures compositions et les plus vivantes.

L'article qu'elle a appelé « Les vilains » traitait du problème persistant des puces, bien que les vilains de la pièce ne soient pas les puces, mais les Van Pels, qui n'avaient pas tenu compte des conseils qu'on leur avait donnés pour s'en débarrasser, livrant l'Annexe au siège des « bestioles ». « Les vilains » se terminait ainsi : « C'est leur faute, s'il y a des puces ici. À nous la puanteur, les démangeaisons et les tracas. La nuit Mme Van Pels ne supporte pas les odeurs. M. Van Pels fait semblant de vaporiser un produit, mais il rapporte les chaises, les couvertures, sans rien faire. Au diable les Frank et leurs puces [144]. »

Au début de 1944, Anne envisageait déjà l'importance de son *Journal* après la guerre : « [...] Le monde continuera de tourner sans moi et, de toute façon, je ne peux rien contre ces événements. Je laisse les choses se faire, mais si je suis sauvée, si j'échappe à l'anéantissement, je trouverais vraiment affreux que mon journal et mes contes soient perdus [145]. » Elle sentait que ce qu'elle écrivait était « [...] ce que j'ai de plus précieux, [...] je n'ai rien à moi seule, à part mon *Journal* [146] ». Elle savait maintenant ce qu'elle ferait après la guerre : « Plus tard je veux beaucoup écrire, et même si je ne deviens pas écrivain, ne jamais négliger l'écriture, à côté de mon travail ou des mes activités. Oui, je ne veux pas, comme la plupart des gens, avoir vécu pour rien. Je veux être utile ou agréable aux gens qui vivent autour de moi et qui ne me connaissent pourtant pas, je veux continuer à vivre, même après ma mort ! Et c'est pourquoi je suis si reconnaissante à Dieu de m'avoir donné à la naissance une possibilité de me développer et d'écrire, et donc d'exprimer tout ce qu'il y a en moi [147]. » La pire des choses serait « [...] une vie comme celle de maman, de Mme V. P. et de toutes ces femmes qui font leur travail puis qu'on oublie, je dois avoir une chose à laquelle je peux me consacrer, en plus de mon mari et de mes enfants [148] ! ». Elle mentionne à plusieurs reprises cette détermination : « C'est que je me suis promis de mener une autre vie que les autres filles et, plus tard une autre vie que les femmes au foyer ordinaires [149]. »

Le sort des « autres » femmes est une chose à laquelle elle a réfléchi en profondeur dans une entrée datée 13 juin 1944. Ses rêveries avaient été enflammées par un passage du livre de

Paul de Kruif, *Strijders voor het leven* (Les Combattants de la vie). Anne était frappée par l'idée que « les femmes endurent en général plus de souffrances, de maladies et de misère, ne serait-ce qu'en mettant leurs enfants au monde, que n'importe quel héros de guerre [150] ». Avec une certaine prévoyance, elle écrivait que les femmes n'en étaient qu'au commencement de leur émancipation et qu'il y aurait bientôt un autre combat pour leurs droits. Elle désapprouvait l'idée que la femme ne soit là que pour procréer, s'occuper de son mari, de son foyer et de ses enfants. « Les femmes sont des soldats, qui luttent et qui souffrent pour la survie de l'humanité, beaucoup plus braves, plus courageux, que tous ces héros de la liberté avec leur grande gueule ! [...] Je pense que la conception selon laquelle la femme a le devoir de mettre les enfants au monde se modifiera au cours du prochain siècle et fera place à du respect et de l'admiration pour celle qui, sans renâcler et sans faire de grandes phrases, prend de tels fardeaux sur ses épaules [151] ! » La voie vers l'avant était l'éducation, écrivait Anne, et elle condamnait « simplement les hommes et tout le fonctionnement du monde, qui n'ont jamais voulu prendre conscience du rôle important, difficile mais en fin de compte magnifique, lui aussi, que joue la femme dans la société [152] ».

Une émission de Radio Orange lui permit de mettre tout cela en perspective. Le 28 mars, Gerrit Bolkenstein, ministre de l'Enseignement, des Arts et des Sciences, fit un discours dont Anne pensa qu'il s'adressait directement à elle : « L'histoire ne s'écrit pas seulement à partir d'actes officiels et de documents d'archive. Si nous voulons que la postérité prenne la mesure des épreuves que notre peuple a traversées et surmontées pendant ces années de guerre, nous aurons justement besoin de témoignages plus modestes – un journal, les lettres d'un travailleur du STO en Allemagne, une série de prêches d'un pasteur ou d'un prêtre. Seule l'accumulation d'une grande quantité de ce matériau simple et quotidien permettra de brosser dans toute sa profondeur et son éclat le tableau de notre lutte pour la liberté [153]. » À la fin, il suggéra qu'après le conflit devrait être créé un centre qui s'occuperait de collecter les documents personnels de la Seconde Guerre mondiale. Les

189

autres occupants de l'Annexe se tournèrent immédiatement vers Anne et se mirent à parler avec excitation de son *Journal*. Une graine avait été plantée dans l'esprit fertile d'Anne : « Pense comme ce serait intéressant si je publiais un roman sur l'Annexe, rien qu'au titre, les gens iraient s'imaginer qu'il s'agit d'un roman policier [154]. »

Au début du mois d'avril, elle porta un long regard détaillé sur ce qui l'attendait : « [...] Je dois travailler [...] pour devenir journaliste, car voilà ce que je veux ! Je sais que je peux écrire, certaines de mes histoires sont bonnes, mes descriptions de l'Annexe humoristiques, beaucoup de choses dans mon *Journal* sont parlantes, mais... si j'ai vraiment du talent, cela reste à voir. [...] Le meilleur et le plus sévère de mes juges ici, c'est bien moi, c'est moi qui sais ce qui est bien ou mal écrit. Quand on n'écrit pas, on ne peut pas savoir à quel point c'est agréable ; avant, je regrettais toujours d'être complètement incapable de dessiner, mais à présent je suis trop contente de savoir au moins écrire. Et si je n'ai pas le talent d'écrire dans les journaux ou d'écrire des livres, alors je pourrais toujours écrire pour moi-même. [...] Quand j'écris, je me débarrasse de tout, mon chagrin disparaît, mon courage renaît ! Mais voilà la question capitale, serai-je jamais capable d'écrire quelque chose de grand, deviendrai-je jamais une journaliste et un écrivain ? Je l'espère, oh je l'espère tant, car en écrivant je peux tout consigner, mes pensées, mes idéaux et les fruits de mon imagination [155]. » Quelques jours plus tard, elle était découragée : « " Les confidences d'un vilain petit canard " sera le titre de toutes ces sottises ; M. Bolkenstein ou Gerbrandi ne trouveront certainement pas grand intérêt à mon journal [156]. » L'abattement ne dura pas et déjà une semaine plus tard elle écrivait : « J'ai l'intention de demander à " de Prins " s'ils veulent bien publier un de mes contes, sous un pseudonyme évidemment, mais comme mes contes sont encore trop longs jusqu'à présent, je ne crois pas que j'ai beaucoup de chances de réussir [157]. »

Le 11 mai, elle se sentait prête pour commencer à travailler sur « Het Achterhuis » : « Tu sais depuis longtemps que mon souhait le plus cher est de devenir un jour journaliste et plus tard un écrivain célèbre. Réaliserai-je jamais ces idées (ou cette folie !) de grandeur, l'avenir nous le dira, mais jusqu'à présent je ne manque pas de sujets. Après la guerre, je veux en tout cas publier un livre intitulé " L'Annexe ", reste à savoir si j'y arriverai, mais mon journal pourra servir [158]. » Puis, le vrai travail d'écriture commença : « Au bout de longues tergiversations, j'ai enfin commencé mon " Annexe ", dans ma tête j'ai déjà terminé, mais en réalité les choses iront beaucoup moins vite, si tant est que je termine jamais [159]. » Sa nouvelle version fut écrite sur des feuilles de papier de couleur. Anne modifia certaines parties du texte original, supprima certains détails et en ajouta d'autres, et elle combina un certain nombre d'entrées. Elle possédait quatre journaux. Le premier était daté du 15 juin 1942-5 décembre 1942 (le *Journal* original) ; le deuxième allait du 5 décembre 1942 au 22 décembre 1943 ; le troisième couvrait la période du 22 décembre 1943 au 17 avril 1944 ; et le dernier allait du 17 avril 1944 au 1er août 1944, là encore un cahier d'écolier sur la première page duquel elle avait écrit : « Devise de la propriétaire : L'homme doit avoir de l'élan [160] ! » Le deuxième *Journal*, dans son état initial, n'a jamais été retrouvé, mais Anne devait le garder avec elle à partir de là, pour y travailler. Elle établit une liste de changements de noms pour tous ceux qu'elle' avait nommés, pour le cas ou le *Journal* serait publié ; elle se nomma elle-même « Anne Robin [161] ». La dernière date du *Journal* révisé est le 29 mars 1944. Anne allait avoir 15 ans le 12 juin 1944. Miep et Bep lui firent cadeau d'une collection de livres de caisse du bureau qui n'avaient pas servi. Elle questionna Bep sur la possibilité d'envoyer ses histoires à des magazines sous un nom d'emprunt. Lorsque Bep lui demanda si elle voulait vraiment devenir écrivain, elle dit : « Oui... non... Oui... », puis décida de s'en tirer par un large sourire : « Non, je veux me marier jeune et avoir plein d'enfants [162]. »

Un incident qui se déroula durant l'été 1944 troubla Miep et elle se demanda si le *Journal* n'était pas devenu beaucoup trop important pour elle. Après avoir terminé tôt son travail au bureau, elle monta leur faire une visite surprise. Entrant dans l'Annexe, elle remarqua Anne, assise dans la chambre de ses parents, à côté de la fenêtre, en train d'écrire son *Journal*.

Lorsque Miep s'approcha, elle se retourna et montra un visage bien différent du visage souriant auquel Miep était tellement habituée : « Les sourcils froncés, comme si elle souffrait d'une violente migraine, elle fixait sur moi un regard sombre, hostile. Je restai sans voix. La jeune fille qui écrivait à cette table n'était pas celle que je connaissais. Je restai figée, comme hypnotisée par ses yeux lourds de reproche [163]. » Au même moment, Edith entra dans la pièce et dit : « Comme vous le voyez, ma chère Miep, nous avons une fille qui écrit. » Et Miep d'ajouter : « À ces mots, Anne se leva brusquement. Elle referma son cahier et, gardant cette même expression sur le visage, dit d'une voix que je ne lui connaissais pas : " Exactement, et il m'arrive d'écrire aussi à votre sujet [164]. " » Un instant, Miep fut ahurie, puis dit d'un ton sarcastique : « C'est très gentil », et elle retourna au bureau, très perturbée. Elle ne trouvait pas d'explication au brusque changement d'attitude d'Anne : « Le regard d'Anne m'avait bouleversée. Je savais que son *Journal* était devenu essentiel dans son existence. J'avais l'impression d'avoir violé un instant d'intimité, d'avoir fait irruption dans une amitié très secrète. [...] Je venais de voir une Anne différente [165]. »

Le mois suivant, le 1er août, Anne écrivit sa dernière lettre à Kitty. Elle finissait ainsi : « En moi, une voix sanglote : " Tu vois, voilà où tu en es arrivée, de mauvaises opinions, des visages moqueurs ou perturbés, des personnes qui te trouvent antipathique, qui rencontre [*sic* !], et tout cela seulement parce que tu n'écoutes pas les bons conseils de la bonne moitié en toi. " Ah, j'aimerais bien écouter, mais je n'y arrive pas, quand je suis calme et sérieuse, tout le monde pense que je joue encore la comédie et alors je suis bien obligée de m'en sortir par une blague, sans même parler de ma propre famille qui pense qu'à coup sûr, je suis malade, me fait avaler des cachets contre la migraine et des calmants, me tâte le pouls et le front pour voir si j'ai de la fièvre, s'enquiert de mes selles et critique ma mauvaise humeur, je ne le supporte pas longtemps, quand on fait à tel point attention à moi, je deviens d'abord hargneuse, puis triste et finalement je me retourne le cœur, je tourne le mauvais côté vers l'extérieur, et le bon vers l'intérieur, et ne cesse de chercher un moyen de devenir comme j'aimerais tant être et comme je pourrais être, si... Personne d'autre ne vivait sur terre [166]. » À l'intérieur de la couverture de son *Journal*, elle avait écrit : « Soit [*sic*] gentil et tiens courage [167] ! »

Trois jours plus tard, le 4 août 1944, l'amitié intime entre l'auteur et son *Journal* était rompue. Ce jour-là, Kugler entra dans l'Annexe et dit, désespéré : « La Gestapo est là. »

6.

« J'ai peur des cachots et des camps de concentration... »

Journaux d'Anne Frank, 12 mars 1944.

Tandis que la famille Frank vivait cachée, l'expulsion de la
population juive des Pays-Bas s'accélérait.

Le 6 août 1942, le « Jeudi Noir », 2 000 Juifs d'Amsterdam
furent arrêtés, malmenés et acheminés sur Westerbork en
attendant les trains pour Auschwitz. Le lendemain furent organisées de nouvelles rafles dans divers quartiers d'Amsterdam,
et 600 Juifs prirent le chemin de Westerbork. Deux jours plus
tard, plusieurs centaines de Juifs se firent arrêter au cours
d'une grande razzia sur Amsterdam-Zuid. Le 5 septembre,
714 Juifs hollandais arrivaient à Auschwitz : 651 furent gazés.

En octobre 1942 commencèrent trois semaines de rafles qui
se soldèrent par près de cinq mille arrestations. Le Hollandse
Schouwburg, un théâtre dans le quartier de Plantage, remplaça
la Zentralstelle comme principal point de départ pour les
camps. Sous son plafond ornementé et une lumière triste et
artificielle, les otages croupissaient les uns sur les autres des
jours durant, tenaillés par la soif et par la faim. Les salles
n'étaient jamais aérées. « Il y avait partout des enfants qui
pleuraient, dans les couloirs, dans les halls, les foyers, les balcons, la fosse, les escaliers. Certains ne tenaient pas en place et

faisaient les cent pas. Et, pour couronner le tout, chacun était rongé par l'angoisse de l'incertitude [1]. »

Le bruit de ce qui se passait dans les camps commençant à se répandre, les Juifs de tous les Pays-Bas prirent d'assaut les bureaux du Conseil juif, réclamant vainement les fameux timbres d'exemption, « Bolle », qui leur permettaient de rester un peu plus longtemps chez eux. Les listes de ceux qui y avaient droit étaient dressées avec le plus grand soin, mais la moitié seulement des personnes inscrites les reçut réellement.

Malgré le regain d'activité et le recrutement des groupes de résistants, Juifs ou non [2], l'exil forcé continua. Le 18 octobre 1942, 1 594 Juifs hollandais, sur un convoi de 1 710, disparurent dans les chambres à gaz d'Auschwitz. Des rafles furent organisées au début novembre dans les maisons de repos juives : 450 personnes furent acheminées à Westerbork. Quelques jours plus tard, un nouveau convoi de 1 610 déportés partait pour l'Est.

L'année 1943 commença par de nouvelles rafles dans les maisons de repos, les hospices et les orphelinats. L'hôpital psychiatrique juif d'Apeldoorn fut « vidé » le 21 janvier en même temps que de nombreuses maisons du centre-ville. Les déportés convoyés à Auschwitz depuis Apeldoorn furent gazés ; les infirmières qui avaient tenu à tout prix à accompagner leurs malades furent jetées dans une fosse et brûlées vives. Le 8 février, un millier de Juifs de Westerbork, y compris tous les enfants de l'hôpital, furent déportés à Auschwitz. Les enfants, qui pour la plupart avaient la scarlatine ou souffraient de diphtérie, furent gazés en même temps que plus de 500 autres déportés. Le 10 février, l'ordre fut donné à tous les Juifs qui vivaient encore en province de rejoindre Amsterdam. Le même mois, un nouveau décret stipula que tous les enfants déplacés seraient assimilés à des Juifs et devaient être « traités en conséquence ». L'Hospice juif d'Amsterdam fut évacué le 1er mars. Le Conseil juif avait prévenu le personnel qu'une rafle se préparait, et la plupart des responsables avaient fui, ne laissant derrière eux qu'une poignée d'infirmières pour apaiser les patients. Le Conseil ayant obtenu la certitude que la rafle avait été annulée, il le fit savoir à l'hôpital et le personnel revint. Les nazis revinrent aussitôt et arrêtèrent tout le monde, hormis quelques employés qui parvinrent à se cacher sous une scène de théâtre improvisée. Les 355 membres du personnel et les 416 patients furent tous gazés à Auschwitz.

Les rafles et les déportations se poursuivirent tout au long du mois de mars 1943. Le 22 mars, lors d'une réunion des SS, Hans Rauter déclara qu'il ne devait plus rester un seul Juif aux Pays-Bas, qu'ils devaient être chassés de toutes les provinces, systématiquement. À cette date, deux convois de déportés partaient chaque semaine, soit environ 12 000 Juifs conduits chaque mois à une mort certaine. *Vrij Nederland*, une publication clandestine, brossa le tableau de la vie à l'ombre des convois : « Sur le coup de huit heures, à la tombée de la nuit, recommence pour nos concitoyens juifs la terrible épreuve de l'attente. Chaque bruit de pas est une menace, chaque voiture un malheur imminent, chaque sonnerie une condamnation. Les fourgons de police sont dehors, les garçons en vert et les " appâts " juifs hollandais prêts pour leur sinistre travail nocturne. Tous les soirs, on enfonce des portes, et l'on arrache les femmes, les enfants, les vieillards et les malades de leur refuge comme les poissons d'une mare, sans défense, sans recours, sans espoir ni aide. Nuit après nuit, par centaines, arrachés à leur foyer, toujours vers la même destination, la mort. Lorsque vient le matin, les rescapés font le tour de leurs amis et de leurs relations pour voir qui est resté. Puis arrivent les camions de déménagement, qui emportent les meubles, et dans la soirée, ça recommence [3]... »

Le 21 mai, le commandant de la Sécurité allemande, Aus der Futen, annonça que 7 000 membres du Conseil juif d'Amsterdam allaient être déportés. Les présidents du Conseil dressèrent une liste de noms, mais ils étaient encore loin du compte. En représailles, la police multiplia les rafles aveugles. Le 26 mai, à l'occasion d'un raid éclair, 3 000 Juifs furent arrêtés : l'ancien quartier juif d'Amsterdam était désormais vide, mis à part les membres du Conseil juif et ceux qui se planquaient. Le 20 juin, à l'aube, 5 000 Juifs se firent « cueillir » dans l'est et le sud de la ville. Les seuls Juifs désormais autorisés à rester à Amsterdam étaient ceux dont la carte d'identité portait un numéro de série particulier, les Juifs stérilisés, certains mariés à des non-Juifs, et les « Juifs Calmeyer », ainsi nommés parce qu'ils essayaient de prouver qu'ils n'étaient pas juifs et adressaient des requêtes à cet effet à la justice allemande représentée par Hans Calmeyer.

Le 23 juillet 1943, Aus der Futen ordonna une nouvelle rafle à Amsterdam, cette fois dirigée contre le Conseil juif. Les rescapés croyaient qu'un nouveau timbre les mettrait à l'abri des déportations futures. Mais, le 29 septembre 1943, près de 5 000 Juifs, presque tous ceux qui étaient parvenus à se soustraire aux déportations, furent victimes d'une dernière grande rafle. Le Conseil juif avait cessé d'exister. Dans quelle mesure ses membres ont-ils contribué à sauver des vies ? Le débat reste ouvert. D'aucuns l'accusent d'avoir berné les Juifs, de les avoir entretenus dans un sentiment de sécurité mensonger en leur conseillant de « prendre les transports » au lieu d'entrer dans la clandestinité ; tandis que des milliers de familles juives périrent dans les camps, les parents des présidents du Conseil furent épargnés. Asscher et Cohen furent en effet arrêtés après la guerre, mais les charges contre eux furent abandonnées. « Si la guerre avait pris fin en 1942, explique Presser, la communauté juive leur aurait élevé un monument comme aux chefs courageux et débrouillards qui avaient sauvé les Juifs de Hollande [4]. » Mais les Juifs hollandais ne furent pas sauvés, et la Cour d'honneur juive recommanda que les deux hommes fussent écartés de toutes les organisations juives jusqu'à la fin de leurs jours. Premier ministre des Pays-Bas pendant la guerre, le professeur Gerbrandy va encore plus loin : « Nous croyons que le Conseil juif s'est laissé impliquer dans la liquidation de la communauté juive hollandaise. Ils ont collaboré avec les Allemands [5]. »

Après la dernière rafle, ne restaient plus à Amsterdam que les Juifs vivant sous une fausse identité, et ceux qui se planquaient. Dans « Tramhalte Beethovenstraat », Grete Weil évoque le silence oppressant qui régnait en ville et usait les nerfs de tous les rescapés après la fin des déportations. « Dans la Beethovenstraat, les nuits étaient calmes. De temps à autre passait une voiture, parfois ils entendaient des pas et tendaient l'oreille. Si c'étaient des bruits de bottes, ils se blottissaient, immobiles. Souvent il y avait des alertes antiaériennes, le crépitement de la DCA, et très haut dans le ciel le bourdonnement des bombardiers en route vers l'Allemagne. Puis de nouveau les sirènes et le silence. Le silence chassait le sommeil, juste le silence [6]... »

Le 4 août 1944, le cauchemar de la vie clandestine avait pris fin pour la famille Frank. Un autre cauchemar avait commencé, qui touchait non seulement les amis arrêtés avec eux, mais aussi ceux qui étaient restés derrière.

Juste après la rafle, Miep se retrouva seule dans les bureaux. Les manutentionnaires étaient encore là, mais elle ne les voyait ni ne les entendait. Kleiman lui avait remis les clés du bâtiment, mais dans l'après-midi le chef des magasiniers, Van Maaren, passa les prendre [7]. Miep n'y vit rien d'étrange : « Quand un des policiers du SD vit le nom Gies sur ma carte d'identité, il se rappela que le nom avait un rapport avec la firme [...]. J'étais, en fait, complice aux yeux des Allemands. [...] J'ai conclu de ce que me disait Van Maaren qu'il devait être considéré comme " administrateur " *(Verwalter)*. À l'époque, il était courant que l'on nomme un administrateur pour chaque entreprise juive. Comme à ce moment-là je n'avais encore aucun soupçon à l'égard de Van Maaren, je préférais le voir désigné, lui, plutôt qu'un inconnu, comme administrateur. [...] Van Maaren se vanta devant moi d'avoir de bonnes relations avec le SD et me dit que je n'avais pas à craindre d'arrestation. Il ferait le nécessaire auprès du SD [8]. »

Jan revint vers cinq heures. Bep reparut peu après. Jan avait déjà rendu visite à Lotte Pfeffer : « Elle ne soupçonnait rien, elle ne savait même pas que son mari avait passé ces deux années à Amsterdam. C'est moi que le lui ai appris. Toutes les personnes concernées étaient au courant maintenant. Au moins *savaient*-ils [9]. » Bep avait erré sans but à travers la ville avant de regagner le Prinsengracht. Tous trois furent bientôt rejoints par Van Maaren, qui ferma la porte derrière son jeune assistant, Hartog. Jan suggéra de monter à l'Annexe se faire une idée des dégâts. Van Maaren demeurant en possession des clés, ils s'engagèrent dans le petit escalier en colimaçon qui menait au couloir. La bibliothèque était encore en place. Les hommes du SD avaient refermé la porte cachée. Miep sortit un double des clés et l'ouvrit. Ils entrèrent.

Dans la chambre des Frank, l'armoire où ils rangeaient leurs objets précieux était vide, les tiroirs avaient été renversés et le sol était jonché de livres et de papiers. Miep se souvient : « Il y régnait un vrai chaos [...]. J'ai trouvé par terre le *Journal* d'Anne Frank, [...] de même qu'un livre de caisse portant l'écriture d'Anne et un certain nombre de feuilles volantes de papier pelure portant aussi l'écriture d'Anne [10]. » Elle montra le *Journal* à Bep, qui le ramassa. Jan les regarda fouiller dans ce capharnaüm : « Les membres de la Gestapo avaient manifestement tout mis sens dessus dessous. Je sais que ma femme a ramassé par terre un livre avec une couverture à carreaux. Il n'est pas impossible qu'elle ait dit alors que c'était le *Journal* d'Anne Frank [11]. » Miep et Bep purent ainsi sauver le *Journal*, un album de photos, des papiers, des manuels scolaires, des livres de lecture, un sac à chaussures brodé aux initiales « AF » et un petit carnet de citations recueillies par Anne. Jan sortit de la bibliothèque les livres à rendre, ainsi que les manuels et les brochures espagnols de Pfeffer. Van Maaren fit main basse sur un paquet d'effets d'Hermann Van Pels [12]. Ils quittèrent l'Annexe les bras chargés mais, en traversant la salle de bains, Miep aperçut le châle d'Anne qui était resté suspendu au portemanteau : « Malgré mes bras encombrés de papiers, je le pris avec moi. Je ne sais toujours pas pourquoi [13]. »

Au bureau, Miep ouvrit l'un de ses tiroirs pour y fourrer le *Journal*, les feuilles volantes, les livres de caisse et l'album de photos. Bep lui dit qu'elle se plierait à sa décision, quelle qu'elle soit. Miep fit un signe en direction des papiers d'Anne : « Je vais tout garder, dit-elle en lui prenant les autres papiers des mains. Je les garderai pour Anne, pour le jour où elle reviendra [14]. »

Ce même 4 août 1944, dans l'après-midi, le fourgon de police qui transportait les Frank, les Van Pels, Pfeffer, Kugler et Kleiman s'arrêta devant le siège de la Gestapo dans l'Euterpestraat, au sud de la ville. Dans la cour, flottait un drapeau noir orné des insignes de la SS. Les nazis avaient réquisitionné une massive école de brique rouge, dominée par une grande tour à horloge. La si détestée Zentralstelle se trouvait juste en face. Le secret demeure autour des activités de la Gestapo parce que les archives n'ont jamais été retrouvées, mais ce qui *est certain*, c'est que « bon nombre de détenus y subirent des inter-rogatoires, les SD s'appliquant à briser la résistance et à faire régner l'ordre dans les territoires occupés. Au cours de ces interrogatoires, de nombreuses personnes furent torturées ; et les caves, qui servent aujourd'hui à ranger les bicyclettes, ont en particulier une histoire sinistre et épouvantable [15] ».

Les dix interpellés furent conduits à l'intérieur et enfermés dans une pièce où se trouvaient déjà d'autres détenus, assis sur des bancs. Ils attendaient. Pfeffer avait l'air « sonné [16] », tandis que Margot, Anne et Peter chuchotaient de temps à autre. Se tournant vers Kleiman, Otto lui dit à voix basse : « Vous n'ima-ginez pas ce que je ressens, Kleiman. Dire que vous êtes ici parmi nous, et que c'est notre faute... » Kleiman l'interrompit : « Chassez-vous cette idée de la tête. Je savais ce que je faisais et je n'aurais pas agi autrement [17]. » Finalement, Kugler et Kleiman furent placés dans une autre cellule, tandis qu'on emmenait les Frank et leurs amis pour les interroger. Kugler leur jeta un dernier coup d'œil : « Au fond du couloir, devant le bureau de Silberbauer, nous vîmes les Frank, les Van Pels et Pfeffer. Ils avaient tous les huit un air grave et inquiet, ne sachant pas ce que l'avenir leur réserverait. On s'adressa des signes de la main et ce fut notre au revoir [18]. »

L'entrevue avec les anciens occupants de l'Annexe secrète fut brève. Une femme tapa à la machine le procès-verbal. Sil-berbauer demanda à Otto s'il avait connaissance d'autres Juifs qui se cachaient à Amsterdam. Otto répondit que non, que vivant dans la clandestinité depuis deux ans il avait perdu tout contact. Silberbauer parut le croire et en resta là. Les prison-niers furent reconduits dans leur cellule.

Mitgefangen, mitgehangen : « Pris avec eux, pendus avec eux [19]. » C'est sur ces mots que Silberbauer reçut Kleiman et Kugler quand les gardes les firent entrer dans son bureau. Il se renversa dans son fauteuil et alluma une cigarette. Sur le bureau se trouvaient divers objets appartenant à Otto, le matériel de dentiste de Pfeffer et une petite somme d'argent. La bicyclette de Peter, dont il ne s'était guère servi avant d'entrer dans la clandestinité, était également dans la pièce : « J'eus le cœur serré en voyant ces objets inanimés qui avaient appartenu à mes amis. Ces objets étaient les témoins muets du destin tragique qui les avait tous emportés. » L'interrogatoire commença :

« Lieu de naissance ? me demanda Silberbauer.

– Autriche, répondis-je fièrement, enchaînant aussitôt : et j'ai servi dans la marine autrichienne au cours de la Première Guerre mondiale.

J'insistai particulièrement sur ce point parce que, à son dialecte, j'avais remarqué qu'il était lui-même autrichien. Peut-être le choc fut-il trop grand pour lui. D'abord M. Frank – un Juif – officier de l'armée allemande, puis un ancien de la marine autrichienne. Il se pencha, écrasa sa cigarette et suspendit l'interrogatoire... Ça suffit pour aujourd'hui [20]. »

Kugler et Kleiman furent conduits dans des cellules au sous-sol, puis transférés dans la soirée à la prison d'Amstelveensweg, à Amsterdam. Leur incarcération dura un mois. Un jour, l'un de leurs codétenus, un vieil homme surpris en train d'écouter la radio, fut emmené pour interrogatoire : à son retour, il avait l'air dément et tenait des propos incohérents. « Nous réussîmes finalement à le calmer, se souvient Kugler, et nous apprîmes qu'il avait assisté à la torture de Juifs (et de Gentils accusés de cacher des Juifs). Il avait vu un boxeur professionnel frapper les malheureux détenus. Et il avait entendu leurs cris de douleur tandis qu'on les soumettait à l'atroce supplice des poucettes [21]. » Peu après, Silberbauer convoqua de nouveau Kugler : « Il essaya de me faire dire que [les entreprises du Prinsengracht] appartenaient en fait à un Juif (M. Frank). Mais je protestai que c'étaient moi et M. Kleiman qui en étions les propriétaires. Il finit par se lasser et lâcha : Suffit. L'interrogatoire est terminé [22]. » Kugler et Kleiman furent placés dans des cellules voisines, chacune enfermant six personnes bien qu'elles fussent prévues pour une. Ils ne sortaient qu'une fois par jour pour prendre un peu d'exercice dans la cour et en profitaient pour se glisser des messages et des mots de réconfort. Ils ne savaient pas s'ils resteraient en vie ou s'ils seraient exécutés.

Les huit détenus juifs passèrent la nuit au siège de la Gestapo. Eva Schloss imagine bien leur peur et leur désespoir, car sa famille était aussi passée par là après avoir été dénoncée : « L'ancienne école réquisitionnée grouillait de nazis. Il y avait des soldats partout, des bureaux, des salles de documentation et des cellules. Ils voulaient qu'on leur dise qui nous avait protégés. Mais ma mère acheta leur liberté en donnant ses bijoux aux Allemands. Et les Allemands ont tenu parole, c'est déjà ça, n'est-ce pas ? Mais nous n'arrivions pas à croire que nous en étions arrivés là [23]. »

Le lendemain, les Frank et leurs amis furent transférés à l'Huis van Bewaring, sur la Weteringschans : un grand bâtiment lugubre avec deux ailes partant d'un bloc central qui donnait sur une section de canal répugnante. Il y avait des barreaux de métal à toutes les fenêtres. Eva et les siens y séjournèrent eux aussi : « C'était une prison convenable, normale, pour de vrais criminels. Tout le monde se retrouva dans ces salles immenses, où il y avait des rangées de lits. Des centaines de personnes et pas de toilettes, juste des seaux dans un coin. Et tout au long de la nuit le bruit des gens qui pleuraient ou criaient, des enfants qui vagissaient – après la vie clandestine : un véritable asile de fous. Épouvantable, épouvantable [24]. » Les Frank, les Van Pels et Pfeffer restèrent là les deux jours suivants.

Au Prinsengracht, Miep avait repris les affaires en main. Tous les représentants et les magasiniers étaient maintenant au courant de l'arrestation. L'un des représentants, Daatselaar, conseilla à Miep d'essayer de soudoyer la Gestapo pour faire libérer ses amis. Daatselaar était membre du NSB, mais Otto l'avait toujours cru digne de confiance. L'argent est le point faible du SD, expliqua-t-il à Mies, ajoutant que les Allemands « étaient en difficulté sur tous les fronts et seraient probablement disposés à coopérer si la rançon était assez élevée ». Il assura pouvoir trouver les fonds, au besoin. Miep téléphona donc à Silberbauer, qui lui répondit : « C'est bon, lundi matin à la première heure. »

Le lundi 7 août, Miep se rendit au siège de la Gestapo. Silberbauer était dans son bureau, entouré de dactylos affairées. Miep se plaça devant lui et lui fit un signe avec le pouce et l'index : de l'argent. Il hocha la tête : « Je ne puis rien faire pour vous aujourd'hui. Revenez demain. » Ce qu'elle fit. « Désolé, je ne puis rien faire pour vous. Je ne suis pas assez gradé. » À bout de nerfs, Miep le traita de menteur. Il haussa les épaules. « Allez voir mon patron à l'étage. » Miep monta l'escalier et entra dans une salle où un groupe d'officiers nazis écoutaient la radio placée au milieu d'une table. La BBC. L'un d'eux s'approcha en criant : *Schweinehund ! Salope !* Miep redescendit en toute hâte. Silberbauer l'attendait : « Vous voyez bien ? » Elle ne pouvait faire plus, et elle le savait [25].

Après la guerre, Miep raconta que, lorsqu'elle revint de la Gestapo « très abattue », Van Maaren lui dit : « Je connais des gens qui peuvent se renseigner pour vous. » Elle ajoute : « Il ne m'a pas dit de qui ou de quoi il s'agissait et si ces gens-là entretenaient des contacts avec le SD, mais j'ai eu alors la nette impression que, d'une façon ou d'une autre, il avait une certaine influence auprès des Allemands [26]. » Accusation que dément formellement Van Maaren : « Je n'ai jamais dit à Mme Gies que j'avais de bons contacts avec le SD et qu'elle n'avait pas à craindre d'être arrêtée. Au contraire, dans mon entourage, j'étais bien connu pour mes sentiments antiallemands [27]. »

Les démarches de Miep pour sauver ses amis furent vaines. Elle l'ignorait alors, mais lors de sa deuxième visite au siège de la Gestapo, les Frank, les Van Pels et Pfeffer étaient déjà dans le train pour Westerbork.

Dans son Mémoire, Otto se contente d'une vague allusion au convoi du 8 août : « Après quelques jours dans la prison d'Amsterdam, nous fûmes tous transférés dans un camp de concentration hollandais. Nous avions le cœur gros, parce que deux des personnes qui nous avaient aidés, Kleiman et Kugler, avaient été également arrêtées, et nous ne savions pas quel sort leur était réservé [28]. » Le train était un train de voyageurs ordinaire, avec des compartiments des deux côtés, mais sitôt que les passagers eurent grimpé à bord, les portes furent verrouillées. Les Frank ne s'en inquiétèrent pas outre mesure : « Nous étions de nouveau réunis, explique Otto, et nous avions reçu quelques vivres pour le voyage. Nous savions où nous allions, c'était un peu comme si on partait de nouveau en voyage, ou comme si on faisait une excursion, et nous étions réellement enjoués. Tout au moins, si l'on compare ce voyage à ce qui allait suivre... La guerre était tellement avancée que nous pouvions placer quelque espoir dans la chance. Alors que le train roulait vers Westerbork, nous espérions que la chance serait avec nous [29]. »

Le Jour J, le 6 juin, leur avait remonté le moral et ils avaient bon espoir de voir la fin de la guerre. Anne restait clouée à la fenêtre, fascinée par la campagne : « C'était l'été. Les prairies, les champs de chaume et les villages défilaient. Les fils du téléphone, à droite de la voie, dessinaient des ondulations devant les fenêtres. Ça ressemblait à la liberté [30]. » Le train arriva à destination en début d'après-midi.

Le *Kamp Westerbork* se trouvait dans la province de la Drenthe, à environ cent vingt kilomètres au nord d'Amsterdam : un site « aussi inhospitalier que possible. Loin du monde civilisé, isolé au milieu des marécages. D'accès difficile, avec des routes non pavées, où la moindre averse transformait le sable en boue [31] ». À l'origine, c'était un camp de réfugiés pour Juifs allemands, créé à l'initiative des autorités hollandaises et surnommé la « Jérusalem des Pays-Bas [32] ». Au début de la guerre, le camp hébergeait sept cent cinquante réfugiés, qui furent évacués lorsque les Allemands réaménagèrent la zone en point de départ vers les camps de l'Est. La plupart revinrent une fois les travaux achevés.

Le périmètre du camp était marqué par une clôture haute de barbelés parsemés de miradors. Cent sept baraquements, avec des rangées de lits superposés trois par trois, étaient faits pour accueillir chacun trois cents personnes. Il y avait l'électricité dans les baraques, mais elle marchait rarement. Les hommes et les femmes étaient séparés la nuit mais, le jour, ils étaient libres de leurs mouvements. L'allée centrale qui traversait le camp fut surnommée « Boulevard des misères » (en français).

Westerbork était une ville en soi, avec sa laverie et sa blanchisserie, un hôpital bien équipé et une maternité, des ateliers, un hospice de vieillards, une immense cuisine moderne, une école pour les enfants de six à quatorze ans, un orphelinat, une église, un atelier de couture, un tailleur, des fabricants de meubles, un serrurier, une section de potagers, des décorateurs, des relieurs, des maçons, des vétérinaires, des opticiens, une section de construction, une division électrique et technique, un garage et une chaudière, des égouts, un central téléphonique, des baraques disciplinaires et une prison. Juste au-delà des barbelés se trouvait une ferme gérée par la section agricole du camp. Dans l'enceinte de l'hôpital se trouvaient un cabinet de dentistes, des coiffeurs, des photographes et un bureau de poste. On pouvait également faire du sport, notamment de la boxe, du tir à la corde et de la gymnastique. Il y avait même un cabaret, une chorale et une troupe de ballet dont la rumeur disait qu'elle offrait les meilleurs spectacles et avait les plus beaux costumes de tout le pays [33]. Dans un café, deux crooners d'Amsterdam, « Johnny et Jones », chantaient régulièrement accompagnés d'un orchestre à cordes. Enfin, on pouvait se procurer des articles de toilette, des jouets et des plantes aux magasins du camp.

L'Administration de Westerbork enrigistrait tous les nouveaux arrivants, tandis que le Registre central établissait un dossier sur quiconque franchissait les portes du camp. Chaque semaine, il dressait la liste des déportés. L'Antragstelle tâchait d'obtenir des exemptions pour certains pensionnaires. La section la plus redoutée était l'OD, les services spéciaux, dont les membres brutalisaient les gens et gardaient les baraques disciplinaires. Westerbork échappait à la juridiction quotidienne des SS parce que la direction du camp était confiée à des Juifs. Ceux-ci n'en devaient pas moins rendre des comptes au commandant du camp, Albert Gemmeker, qui habitait à la lisière du camp et avait un petit élevage de poulets. Cet homme demeurait une énigme pour les internés. Rarement il élevait la voix ou donnait des punitions. Il était réputé incorruptible. Il s'intéressait aux spectacles montés dans le camp et aimait à plaisanter ensuite avec les comédiens juifs. Dans la serre, les jardiniers juifs soignaient les fleurs avec une attention particulière pour lui, qui ne craignait pas de faire appel aux services de coiffeurs, de dentistes ou de médecins juifs. Tous les mardis, cependant, il assistait tranquillement au départ des convois vers l'Est.

La ligne de chemins de fer menant au camp fut achevée en novembre 1942. Les trains s'arrêtaient au milieu de l'enceinte. Pour éviter d'être sur la liste des déportés, certains étaient prêts à tout, ils « sacrifiaient leur dernier sou, leurs bijoux, leurs habits, leurs vivres et, dans le cas des jeunes filles, leur corps [34] ». Le déroulement de la semaine était rythmé par la routine des transports. « Les convois s'ébranlaient tous les mardis matin, « et le mardi soir, tout avait retrouvé son calme ; la sociabilité et la paix régnaient de nouveau. Le mercredi et le jeudi étaient des jours d'optimisme serein et d'euphorie. Le vendredi, les peurs revenaient... Le samedi, tout le monde était à cran. Le dimanche, plus personne ne tenait en place. Le lundi, la panique gagnait et tout le monde tournait en rond à la recherche de parents, tâchant d'obtenir des renseignements, appliquant l'oreille sur le sol. Et le mardi, nouveau convoi [35]. »

Dans l'après-midi du 8 août, à leur arrivée à Westerbork, les Frank, les Van Pels et Pfeffer se prêtèrent à la routine des nouveaux arrivants. Des officiers de l'OD les firent descendre à la hâte du train et les dirigèrent vers les bureaux d'enregistrement, sur la place principale. On leur délivra des cartes de rationnement tout en remplissant des formulaires et des fiches. Puis il leur fallut s'acquitter des mêmes formalités au bureau de Classification et au bureau du Logement. Les Frank furent interrogés par Vera Cohn, qui en a gardé un vif souvenir : « Un petit groupe, M. Frank, sa femme et ses deux filles, un autre couple avec un fils, et un dentiste : tous s'étaient cachés ensemble à Amsterdam. M. Frank était un homme charmant, courtois et cultivé. Il se posta devant moi, grand et bien droit. Il répondit tranquillement à mes questions de routine. Anne se tenait à côté de lui. Par certains côtés, elle n'était pas jolie, mais ses yeux – vifs, jeunes, avides – intriguaient. Elle avait quinze ans alors. [...] Aucun des Frank ne semblait désespéré. [...] Leur maintien, comme ils se regroupèrent autour de mon bureau, respirait le calme et la dignité [36]. » Quant au mari de Vera, il travaillait à l'Antragstelle, où l'on décidait qui pouvait échapper aux convois, et il discuta du sort des Frank avec elle : « Quand les Frank furent introduits dans mon bureau, lui confia-t-il plus tard, ils savaient qu'ils auraient droit à des pièces d'étoffe rouge sur leurs épaules ; il était douloureusement conscient de la futilité de leur réclamation. Mais l'espoir, si ténu qu'en soit le fil, est l'une des forces les plus puissantes qui soient dans un camp de concentration. Les formalités terminées, les Frank furent enfermés dans leurs baraques spéciales. Nous ne les avons plus jamais revus [37]. »

Avant de rejoindre leurs baraques, les arrivants passaient par un bloc de quarantaine, où un représentant de Lippmann, Rosenthal & Co leur demandait s'ils avaient des objets de valeur. Les nouveaux internés étaient soumis à une fouille. Ils devaient se déshabiller et se mettre à genoux ; ils se faisaient insulter et souvent rouer de coups. Puis on leur assignait un bloc. Parce qu'ils s'étaient cachés, les Frank et leurs amis étaient considérés comme des « Juifs condamnés ». Ils furent placés dans l'enceinte disciplinaire, baraque 67. Au total, 10 000 Juifs passèrent par ce bloc. Leur liberté était encore plus réduite que dans le reste du camp et ils devaient se défaire de leurs vêtements au profit de sarraus bleus marqués aux épaules par une pièce de tissu rouge et de galoches. Les hommes avaient le crâne rasé, les femmes les cheveux coupés. Ils n'avaient pas droit au savon et ils recevaient une ration alimentaire moindre que les autres détenus, alors même que leur travail était plus dur. À l'occasion, ils étaient chargés de gros travaux à l'intérieur du camp ; ils y avaient aussi droit à un système disciplinaire à part.

Les amis et la famille étaient la clé de la survie dans les camps. Le premier jour, à Westerbork, les Frank rencontrèrent Rosa et Manuel de Winter, ainsi que leur fille Judy, qui était du même âge qu'Anne. Les de Winter vivaient dans la clandestinité depuis un an quand un mouchard les avait dénoncés à la

Gestapo. Sal et Rose de Liema, un jeune couple arrêté alors qu'il se cachait, se lièrent aux Frank alors qu'ils travaillaient dans l'usine de batteries du camp. Un autre couple, Lenie de Jong-Van Naarden et son mari, arrêté dans les mêmes circonstances, connut les Frank au camp. « Mon mari était vite entré en contact avec Otto Frank, se souvient Lenie, et ils s'entendaient très bien. Ils avaient des discussions de fond et nous avions d'excellentes relations avec Mme Frank, que j'appelais toujours Mme Frank. Jamais je ne l'appelai par son prénom ; c'était vraiment une femme très particulière. J'avais moins de mal à dire " Otto ". Elle se faisait beaucoup de souci pour ses enfants. Elle était toujours à s'occuper de ses enfants... Anne, surtout, était une gentille fille... Ces enfants attendaient tellement de la vie [38]. » Ronnie Goldstein-Van Cleef connut aussi la famille : « Les Frank étaient très abattus. Ils avaient cru qu'il ne pouvait rien leur arriver. Ils étaient très soudés. Ils ne se quittaient pas d'une semelle [39]. »

Tous les jours, c'était la même routine. L'appel, puis le travail, à cinq heures du matin : les enfants à l'atelier des câbles, les adultes au Service industriel, où ils passaient la journée à démonter de vieilles batteries d'avion sur de longues tables à tréteaux. Les discussions étaient autorisées, mais les gardes les tenaient à l'œil et leur criaient d'accélérer le rythme. En guise de repas, les ouvriers recevaient un morceau de pain ranci et quelques louches de soupe trop claire. Janny et Lientje Brilleslijper, qui étaient également dans la section disciplinaire, travaillaient à côté des Frank. « En allant au travail ou au retour, je parlais beaucoup avec Edith, se souvient Lientje. C'était une femme ouverte et intelligente, très chaleureuse. [...] J'étais très sensible à sa franchise et à sa bonté [40]. » L'animosité d'Anne envers sa mère avait disparu. La seule chose qui importait désormais, c'était de rester ensemble. « Les deux filles étaient très attachées à leur mère. Dans son *Journal*, Anne a écrit que sa mère ne la comprenait pas, mais je crois que ce n'était que l'effet de l'adolescence. Au camp, elle s'accrochait à sa mère [41]. »

Rachel Van Amerongen-Frankfoorder était l'une de ces jeunes femmes à qui ses activités de résistante avaient valu d'être envoyée dans la section disciplinaire. Elle travaillait pour les services internes du camp quand Otto lui demanda si elle ne pouvait pas trouver un petit boulot pour Anne : « Anne était très gentille, se souvient Rachel, et elle demanda aussi si elle pouvait m'aider :

– Je sais tout faire, assura-t-elle ; je suis très habile de mes mains.

Malheureusement, je n'avais rien à lui proposer et l'adressai aux responsables des baraques. [...] Nettoyer les batteries n'était pas un travail agréable, pas plus que laver les toilettes, mais les gens préféraient ça. Je crois qu'Otto était impatient de trouver une occupation à Anne. C'est pour cela qu'il est venu me voir avec Anne – pas avec sa femme ni avec Margot. Je crois qu'il tenait à Anne comme à la prunelle de ses yeux [42]. »

Ceux qui se souviennent des Frank à Westerbork assurent qu'Anne y semblait heureuse. Ainsi Rosa de Winter : « Je voyais Anne Frank et Peter Van Pels tous les jours à Westerbork. Ils étaient inséparables. [...] Anne était si charmante, si rayonnante. [...] Ses mouvements, ses airs... elle semblait si gaie que souvent je me posais la question : serait-elle vraiment heureuse ? Si incroyable que cela puisse paraître, elle était bel et bien heureuse à Westerbork [43]. » Dans le courant de l'été 1944, le climat était plutôt à l'optimisme dans le camp. Eva Schloss, qui y était internée à cette époque, explique : « Nous ne redoutions pas particulièrement d'aller à Westerbork. Ce n'était pas un camp de concentration et nous pensions pouvoir y rester jusqu'à la Libération. J'étais très contente d'avoir retrouvé mon père et mon frère. Leur planque ne leur avait laissé aucune occasion de sortir (ma mère et moi pouvions le faire, à l'occasion), si bien que Westerbork leur apparaissait un peu comme un havre de liberté. Nous avions retrouvé l'espoir. Pas un instant nous n'imaginions que nous n'y survivrions pas [44]. »

Par sa force intérieure, Otto fit forte impression à Rosa de Winter : « Le père d'Anne était calme [...], mais d'un calme rassurant qui aidait Anne et nous aidait tous nous aussi. Il était dans le quartier des hommes, mais comme Anne était tombée malade, il venait la voir tous les soirs et restait des heures à son chevet pour lui raconter des histoires. Anne lui ressemblait tant que, lorsqu'elle fut rétablie et que ce fut au tour de David de tomber malade – un gamin de douze ans qui vivait dans les baraques des femmes –, elle se comporta exactement comme lui, restant à son chevet pour lui parler. David venait d'une famille religieuse, et Anne et elle ne cessaient de parler de Dieu [45]. » Le Mémoire d'Otto prouve qu'il était loin d'être aussi confiant qu'il en avait l'air : « Au camp, il nous fallait travailler, mais le soir nous avions quartier libre et nous pouvions nous retrouver. C'était un soulagement particulier pour les enfants, de ne plus être isolés et de pouvoir parler avec d'autres. Quant à nous, les plus âgés, nous redoutions les rumeurs de déportation vers les camps de la mort en Pologne [46]... »

Au début du mois de septembre, le commandant de Westerbork, Gemmeker, fit venir les chefs de section et leur donna pour consigne de dresser une liste d'un millier de personnes pour un nouveau convoi de déportés vers l'Est. Ce fut aussitôt la panique dans le camp. Le service des renseignements de Groningue fit savoir que le train partirait de Westerbork dans la matinée du 3 septembre 1944.

La veille, un responsable de l'OD, accompagné d'un officiel allemand, entra dans les baraques disciplinaires et lut la liste des noms : parmi eux se trouvaient ceux d'Hermann, Auguste et Peter Van Pels, de Fritz Pfeffer, et d'Otto, Edith, Margot et Anne Frank.

À Amsterdam, Miep et Jan écoutaient la radio tous les soirs. Le 28 août, la Royal Air Force commença à larguer des armes pour la Résistance en perspective de l'invasion des Pays-Bas par les Alliés. Soixante-cinq tonnes d'armes et de matériel de sabotage furent parachutées au même endroit. Craignant que les Pays-Bas ne devinssent un théâtre d'opérations, les Allemands renforcèrent le couvre-feu et réduisirent encore les rations alimentaires. Le charbon, l'électricité, le gaz et les transports furent à nouveau restreints. La population du sud du pays fut évacuée vers le nord, hors de portée de la progression des forces alliées.

Une semaine ou deux après la rafle du Prinsengracht, des

agents allemands débarrassèrent l'Annexe de ce qu'il restait de meubles et d'objets pour expédier leur butin en Allemagne. Miep, qui se trouvait au bureau à ce moment-là, ne supportait pas de les voir faire, mais elle pria Van Maaren de grimper à l'Annexe et de rapporter tous les papiers qu'il trouverait avec l'écriture d'Anne. Il en trouva quelques-uns et les remit à Miep, qui les rangea dans son tiroir. Sachant qu'on l'avait trouvé par terre dans l'Annexe, les représentants demandaient parfois à voir le *Journal* d'Anne, mais Miep leur opposait toujours un refus : « Non. Personne n'a le droit de le lire. Même si ce sont les pensées d'une enfant, elles n'appartiennent qu'à elle. Je remettrai ce journal à Anne, et à Anne seule [47]. » Après cet ultime pillage de l'Annexe, Mouschi, le chat de Peter, resté caché depuis le 4 août sortit de sa tanière. Tout émue de le retrouver, Miep l'emmena dans la cuisine pour lui donner du lait. Sachant combien Peter et Anne l'aimaient, elle devait désormais s'occuper de lui.

En l'absence de Kleiman et de Kugler, la banque avait autorisé Miep à signer les chèques pour régler les factures et payer le personnel. Il y avait suffisamment de commandes pour maintenir l'entreprise à flot. De temps à autre, Silberbauer se présentait au bureau pour un contrôle de routine, sans échanger un mot avec Miep. En sa nouvelle qualité d'« administrateur », Van Maaren renvoya Hartog, son assistant, pour diriger lui-même l'entrepôt, et « se comportait parfois comme s'il était le directeur de la firme [48] ». « Une fois en possession des clés et chargé par le SD de s'occuper de l'immeuble, affirma plus tard Kleiman, Van Maaren se prit pour l'administrateur et se fit passer pour tel. Il empruntait auprès de relations commerciales et oubliait de leur rembourser les sommes. Lors d'un désaccord avec le personnel administratif, il a même déclaré une fois qu'il était prêt à tout et qu'il ne reculait devant rien, même s'il fallait marcher sur des cadavres [49]. » Ces vantardises et ces traits de caractère mis à part, Miep et Gies semblent lui avoir prêté peu d'attention au cours des mois qui suivirent l'arrestation. Ils avaient la tête ailleurs. Bep avait pris des congés pour retrouver sa famille et Miep travaillait plus dur que jamais : le soir, elle rentrait fourbue et abattue. Jan avait quitté son travail pour rejoindre la Résistance et Karel, leur locataire clandestin, avait trouvé une nouvelle adresse.

Le 3 septembre, le bruit se répandit par la radio que Lyon était tombée entre les mains des Alliés. Un jour plus tard, avec l'aide des résistants belges, les Britanniques réussirent à prendre Anvers.

À Amsterdam, Miep ne cessait d'écouter les nouvelles : « Notre tour viendrait [50]. »

« Le 2 septembre, se souvient Rosa de Winter, on nous apprit qu'un millier de personnes partiraient dans la matinée. [...] Dans la nuit, on rassembla les quelques affaires qu'on nous avait autorisés à garder. Quelqu'un avait un peu d'encre, et on en profita pour inscrire nos noms sur les couvertures que nous devions emporter. Et l'on fit répéter sans cesse aux enfants les adresses auxquelles nous devions nous retrouver après la guerre, au cas où nous serions séparés. Je redonnai à Judy l'adresse de sa tante à Zutphen, tandis que les Frank s'étaient mis d'accord sur une adresse en Suisse [51]. »

Eva Schloss, qui avait été déportée avec sa famille quelque temps plus tôt, se souvient : « Lorsque nous avons su que nous étions sur la liste, nous avons tout essayé pour nous faire rayer, mais en vain. Les gens qui dressaient les listes étaient surtout des Juifs, je crois, et ils faisaient leur possible pour protéger leurs amis et parents. Quant à nous, eh bien, nous n'avions qu'à partir. Tout le monde fit ses bagages, même si plus tard on devait tout nous retirer. Mais, à ce moment-là, on se disait que si on avait une petite valise, ou quelques effets, on pourrait les garder avec soi. En réalité, nous n'avions aucune idée de la brutalité du traitement qui nous serait réservé à Auschwitz. Ni de la rapidité avec laquelle elle s'abattrait sur nous [52]. »

Le 93ᵉ convoi de Westerbork transportait 1 019 personnes : 498 femmes, 442 hommes et 79 enfants. Ce fut le tout dernier train à quitter les Pays-Bas pour les camps d'extermination. Alors que le soleil se levait, le 3 septembre 1944, le « Boulevard des misères » fut bouclé. Le train était déjà arrivé : « Une longue chaîne de wagons était arrivée dans la nuit, en plein cœur du camp. Il attendait, impassible, comme un bourreau masqué qui dissimule sa hache nue [53]. » Gemmeker se tenait sur le quai avec son chien à côté de lui. Les gardes déambulaient, détendus et souriants. À 7 h du matin, les hommes, les femmes et les enfants commencèrent à sortir des baraques. « Appel des noms, collecte des papiers du camp... Tout le monde en rang ; un silence de mort s'abattait sur le camp [54]. » Chaque passager avait un sac à l'épaule, ainsi qu'une couverture roulée attachée par une ficelle. Ordre leur fut donné d'avancer par groupes de trois. Les malades et les invalides furent transportés sur des brancards et des voitures. Du quai, on accédait au train par une haute marche, et il fallait du temps pour que les wagons fussent pleins. « Les wagons de marchandises avait été complètement scellés, raconte un témoin de ces convois, mais ici ou là avait été retirée une planche, et les gens passaient les mains par les ouvertures et les agitaient comme s'ils étaient en train de se noyer. Le ciel est plein d'oiseaux, les lupins pourpres se dressent si royalement et pacifiquement, deux vieilles se sont assises sur la caisse pour bavarder, le soleil brille... et, juste sous nos yeux, le meurtre collectif [55]. »

À 11 h retentit le coup de sifflet. Les gardes qui se trouvaient encore sur le quai pouvaient lire l'inscription affichée à l'arrière du train qui s'éloignait : « Westerbork-Auschwitz : Auschwitz-Westerbork. Ne pas détacher les wagons, le convoi doit revenir intact à Westerbork. »

Dans les voitures brinquebalantes et surpeuplées, le sol était jonché de paille. Dans chaque wagon avait été placé un seau d'eau potable ainsi qu'un autre seau plus grand en guise de W-C et un sac de sable pour recouvrir les excréments. Certains wagons étaient balayés par les courants d'air ; dans d'autres, la seule ventilation venait des trous percés dans le toit. Une minuscule fenêtre carrée et une lanterne suspendue assuraient un éclairage médiocre. Soixante-quinze personnes s'entassaient les unes sur les autres dans l'obscurité. Les wagons empestaient dès le début, et la puanteur devint ensuite insupportable avec les premiers cas de dysenterie et les premiers morts.

Dans une voiture, les Frank, les Van Pels, Pfeffer, les de Winter, Ronnie Goldstein-Van Cleef, Lenie de Jong-Van

Naarden, ainsi que Lentje et Janny Brilleslijper s'assirent tous ensemble sur les sacs, se pressant contre les parois. Ils partageaient leur wagon avec des malades dans un état désespéré. L'espace manquait. Il faisait froid. Personne ne savait exactement où ils allaient, mais la rumeur courait que le train roulait vers Auschwitz [56].

Les heures avaient passé. Ils surent qu'ils étaient en Allemagne. À chaque arrêt, un garde ouvrait la porte et lançait un seau de confiture de betterave ainsi que quelques morceaux de pain. Le seau hygiénique était vidé. Parfois, les arrêts s'éternisaient, et les gardes leur criaient de l'extérieur de remettre leurs objets de valeur. Quelques mains tendaient des pièces et des bijoux qu'ils avaient cousus dans leurs vêtements.

Anne, Margot, Peter et Judy étaient ensemble et bavardaient tranquillement. À l'occasion, l'un d'eux grimpait aux barreaux pour jeter un coup d'œil par la fenêtre. Un jeune homme qui ne cessait d'observer leur laissait la place. Il essayait de deviner où ils allaient. « Anne traversait son pays natal, se souvient Rosa, mais ça aurait aussi bien pu être le Brésil ou l'Asie, car même lorsqu'ils parvenaient à lire le nom de la gare qu'ils traversaient à toute allure, le nom ne signifiait rien pour nous. Ce n'était qu'un petit village. Tout ce que nous savions, c'est que nous allions vers l'est. [...] Quant à nous les adultes, nous gardions le silence. Tout au plus demandions-nous une fois de plus aux enfants s'ils se rappelaient encore leur adresse, rien de plus [57]. »

La nuit, il était impossible de dormir. Les vibrations des wagons à bestiaux, la puanteur et la peur les tenaient éveillés. Les nerfs craquaient, les gens se disputaient, criaient, sanglotaient. Lenie de Jong-Van Naarden se souvient d'Edith qui cherchait à s'occuper : « Mme Frank avait réussi à subtiliser deux combinaisons de travail et, à la lumière d'une chandelle, elle s'efforçait d'arracher le morceau de tissu rouge. Ils devaient se dire qu'ainsi on ne saurait pas qu'ils étaient des " condamnés ". [...] Pour elle, c'était important et elle tira une certaine satisfaction d'y être parvenue. Beaucoup, dont les filles Frank, se serreraient contre leur père ou leur mère, tout le monde était mort de fatigue [58]. » Dans son Mémoire, Otto évoque le voyage en deux phrases : « L'abominable transport – trois jours enfermés dans un wagon à bestiaux – fut la dernière fois que je vis ma famille. Chacun de nous essaya de se montrer aussi courageux que possible et de ne pas baisser la tête [59]. »

Dans la nuit du troisième jour, le train commença à ralentir. Les passagers se levèrent, s'armant de courage. Une prière s'éleva dans les wagons, comme un murmure. Le train obliqua en direction d'un bâtiment long et bas avec une entrée en arc et un grand toit pointu. Des projecteurs balayaient les marais. Le train s'arrêta.

Puis ce furent des coups de crosse sur les portes : *Juden, raus, schnell, RAUS !*

QUI NOUS A INFLIGÉ CELA?

1944-1945

7.

« Je n'ai pas assez confiance en Dieu. [...] J'ai envie
de hurler de frayeur. »
Journaux d'Anne Frank, 29 décembre 1943(a).

Les portes du train furent ouvertes. « La première chose
que nous avons vue d'Auschwitz, se souvient Rosa de Winter, ce sont les projecteurs aveuglants braqués sur le train, et
dehors sur le quai, des hommes qui couraient dans tous les
sens, comme s'il fallait à tout prix qu'ils montrent comme ils
travaillaient dur [1]. » Ces hommes étaient des kapos (chefs
prisonniers) qui attrapaient ceux qui étaient le plus près
d'eux et les tiraient brutalement vers le sol. Derrière les
kapos, des officiers SS saluaient les gardes qui avaient
accompagné le train.
   Les kapos hurlèrent aux arrivants de se dépêcher. Les
gens appelaient et criaient lorsqu'ils étaient séparés des
leurs. Au milieu, les kapos s'activaient, sortaient les bagages
du train et les empilaient à l'arrière du quai. Les corps de
ceux qui étaient morts durant la dernière partie du voyage
furent jetés à côté des valises. Par-dessus le nuage de
vapeur du train qui refroidissait, un haut-parleur beuglait :
« Les femmes à gauche ! Les hommes à droite ! » Otto
Frank, Hermann Van Pels, Peter Van Pels, Fritz Pfeffer et
tous les autres hommes du train furent écartés lorsque des

gardes SS s'avancèrent, poussant les femmes en colonnes de cinq, puis sur deux rangs.

Eva Schloss se souvient de ce moment : « En un sens, ces toutes premières minutes, quand les portes du train furent ouvertes, furent merveilleuses, à cause de l'air frais et de la soudaine liberté de mouvement. Mais c'est alors que nous vîmes Mengele. » Dans le camp, le docteur Josef Mengele était surnommé « L'ange de la mort ». Il s'intéressait en particulier aux jumeaux et aux handicapés physiques. L'une de ses expériences sur les jumeaux consistait à en tuer un pour voir les effets produits sur l'autre. Depuis son arrivée à Auschwitz, en mai 1943, plus de 1 500 jumeaux avaient été victimes de ses expériences. « Il avait fière allure, vraiment, admet Eva. Très soigné, avec ses bottes au cirage éclatant. Et il était grand. Normalement, on aurait dit de lui que c'était un bel homme. Seulement, c'est lui qui décidait qui allait vivre et qui allait mourir... Nous avons dit au revoir à nos hommes : nous eûmes assez de temps pour faire nos adieux. J'ai embrassé mon père : je ne savais pas si je le reverrais jamais. Lorsque les hommes se furent rangés de leur côté, ils reçurent un nouvel ordre : " En rang par cinq ! " Toujours des rangs de cinq, l'un derrière l'autre, des rangs de cinq, des rangs de cinq. Ma mère me donna un chapeau et un manteau, ce qui me sauva de la chambre à gaz parce qu'ainsi Mengele, qui ne perdait jamais son temps à regarder quelqu'un de près, ne pouvait pas deviner mon âge [2]. »

La sélection qui se déroulait sur le quai avait pour objet de décider qui serait admis dans le camp. Deux colonnes furent formées. Les cheveux argentés de Mengele scintillaient dans la lumière, ses yeux voilés se promenaient sans nulle émotion sur les arrivants, et un mouvement presque imperceptible de sa main gantée de blanc envoyait les gens à gauche ou à droite.

Le haut-parleur hurla de nouveau : « Il y a une heure de marche jusqu'au camp des femmes. Pour les enfants et les malades, nous avons prévu des camions tout au bout du quai. » Des croix rouges étaient peintes sur les véhicules : les gens s'y précipitèrent, s'accrochant désespérément lorsque les moteurs se mirent en marche. En quelques minutes, ils avaient disparu. Eva raconte : « Les Allemands étaient malins ; ils invitaient les vieux et les malades, ou les tout-petits, à grimper dans ces camions. C'était une sorte de sélection naturelle. Les camions allaient droit à la chambre à gaz [3]. »

Les femmes durent marcher vite. Elles arrivèrent devant un portail surmonté d'une arche où l'on pouvait lire en lettres de fer noires : « ARBEIT MACHT FREI », « Le travail rend libre. » Elles franchirent le portail, sous les reflets bleus des clôtures électrifiées qui couraient tout le long de l'enceinte. Des silhouettes immobiles se tenaient sur les miradors. C'était l'entrée de Birkenau, le camp d'extermination d'Auschwitz, « la plus grande de toutes les usines de mort [4] ». Il ne subsistait plus aucun doute sur l'endroit où elles se trouvaient. Janny Brilleslijper se souvient : « C'était insensé, l'instant où nous avons compris : " Oui, c'est un camp d'extermination ". C'était épouvantable... L'effet horrible de cette lumière aveuglante de néon, une lumière sale, bleuâtre, et le ciel gris par-dessus, plus ou moins éclairé par les néons... C'était une sorte de cauchemar, un enfer [5]. »

Les femmes furent conduites dans un bâtiment étroit baptisé sauna par euphémisme. Chaque nouvelle arrivante devait se déshabiller et passer sous la douche, tandis que ses habits étaient confisqués pour « décontamination ». Venait ensuite la « section coiffure », où on lui rasait les aisselles et le pubis avant de lui couper les cheveux très court, sinon de lui raser aussi le crâne. La détenue recevait des vêtements « neufs », des chaussures et une robe grise en forme de sac, souvent avec une grande croix dans le dos pour marquer qu'elle était nouvelle. Une fois affublée de son sac, elle traversait une rangée de bureaux d'enregistrement, puis on lui tatouait l'avant-bras. Eva remarque : « Au départ, ce processus, si dur qu'il fût, nous redonna espoir, parce que nous pensions qu'ils n'allaient certainement pas nous tuer maintenant, après s'être donné tant de mal ! Ça n'avait pas de sens ! Mais c'étaient les kapos qui s'acquittaient de ces tâches, et ils étaient encore plus cruels que les Allemands, qui se contentaient de patrouiller dans le camp. Et ce sont les kapos qui, au milieu de tout cela, nous ont demandé : " Avez-vous fait vos adieux à votre mère, à votre frère, à votre père ? Ils sont partis à la chambre à gaz maintenant. Vous ne les reverrez plus. Vous voyez ces cheminées et la fumée qui s'en dégage ? Ce sont sans doute eux déjà [6] ". »

Les nouvelles venues furent ensuite affectées à leurs baraques. Anne Frank, Margot, Edith, Rosa et Judy furent placées au bloc 29. Les bâtiments étaient tous identiques : « La baraque typique était une grande bâtisse de 44,2 mètres de long sur 8,5 de large. Il y avait une salle d'eau rudimentaire et un W-C. Il y avait une pièce pour les *Blockälteste* (les chefs de bloc). Les couchettes (*koje*) étaient disposées sur trois niveaux ; il n'y avait pas assez de place entre les niveaux pour s'asseoir. Elles étaient en bois grossier... recouvertes de matelas de paille ou de simple paille jetée. Sur chaque couchette, il y avait en général deux couvertures. Les couvertures et les matelas de paille étaient répugnants... De plus, les fèces et l'urine coulaient souvent d'une paillasse à l'autre, les prisonniers souffrant de la faim, de la diarrhée et de polyurie... Ceux qui ne pouvaient trouver de place sur une couchette étaient obligés de dormir en dessous – et la terre battue était une mare d'excréments [7]. »

Des 1 019 passagers du convoi de Westerbork, 212 femmes et 258 hommes furent admis à Auschwitz. Otto Frank, Fritz Pfeffer et Peter Van Pels faisaient partie du second groupe, mais, avant de pénétrer dans l'enceinte du camp, ils virent ce qui arrivait aux hommes, aux femmes et aux enfants qui avaient été envoyés dans l'autre colonne. Otto : « Je n'oublierai jamais ce moment à Auschwitz où Peter Van Pels, alors âgé de dix-sept ans, et moi avons vu un groupe d'hommes sélectionnés. Parmi ces hommes, il y avait le père de Peter. Les hommes s'en allèrent. Deux heures plus tard arriva un camion chargé de leurs vêtements [8]. »

Hermann Van Pels comptait parmi les quelque 500 personnes de Westerbork retenues sur le quai. Il y avait là tous les enfants de moins de quinze ans. Une fois les valises, les sacs à dos, les jouets et les autres objets emportés, le groupe sélectionné fut dirigé à quelques pas de là, dans un bâtiment rectangulaire sans fenêtres. Les kapos leur ordonnèrent de se déshabiller et offrirent leur aide pour plier les vêtements, ranger les chaussures par paires, trouver des serviettes et apaiser la gêne lorsque hommes, femmes et enfants se retrouvèrent assis nus sur les bancs froids. Les prisonniers furent poussés dans une grande pièce vide. Des rangées de pommeaux de douche perçaient le plafond bas. 549 personnes furent entassées les unes sur les autres. Les portes se refermèrent brutalement derrière eux.

Traînant derrière lui un sac à lacet, un SS grimpa sur le toit par une échelle. S'accroupissant, il sortit un masque, des gants et un marteau. Il revêtit les habits de protection et, avec le marteau, perça le couvercle de la boîte en fer blanc qui se trouvait dans son sac, en exposant le contenu – des cristaux verts – à l'air. Il atteignit l'un des deux conduits de la toiture et en retira une boîte en fer-blanc au bout d'un fil, puis il versa les cristaux verts, referma le couvercle et laissa redescendre le récipient à travers les conduites d'acier et la grille de protection. Quand il eut terminé, il rangea son masque et ses gants dans le sac et redescendit par l'échelle.

Juste en dessous, des cris déchirèrent l'obscurité lorsque les lumières s'éteignirent. La première émanation de gaz brûlait les poumons. Les plus faibles tombèrent rapidement sur le sol, mais les plus robustes se ruèrent vers la porte en tendant les bras. Lorsque le gaz monta plus puissamment, la fumée devint visible. Au bout de quinze minutes, plus personne ne criait.

Le *Sonderkommando* rouvrit les portes de la pièce. La pyramide des corps emmêlés était souillée d'excréments, de sang menstruel, de transpiration, de vomi et d'urine. Le *Sonderkommando* entreprit de séparer les corps. Des crochets d'acier ouvrirent les bouches, des tenailles explorèrent les cavités pour extraire les dents en or ; les alliances furent arrachées des doigts, les cheveux longs coupés. Dans le crématoire, on chargea 30 kilos de charbon dans chaque four : les corps frais brûlaient facilement. Les plus grands des crématoires pouvaient brûler 6 500 personnes en vingt-quatre heures. Les corps étaient chargés sur des planches. De petites fenêtres dans les portes permettaient à l'observateur de juger de la rapidité des opérations. Les cadavres enflaient et explosaient dans les cages de fer : en un quart d'heure, il n'en restait que des cendres.

Le gazage du quatre-vingt-treizième convoi de Westerbork fut parmi les derniers d'Auschwitz-Birkenau. L'été 1944 avait été « [...] une orgie de tuerie. [...] Les fournaises des crématoires atteignaient de telles températures que les briques réfractaires craquaient et il fallut construire des fosses supplémentaires pour brûler les corps. Les flammes étaient alimentées par la graisse qui s'écoulait des corps en crémation. La graisse chaude était recueillie dans des gouttières en béton qui couraient autour des cheminées, et elle coulait dans des cuves, sur le côté, d'où des prisonniers de ce *Kommando* particulier l'écopaient avec des louches à long manche, pour en arroser les corps qui étaient en train de brûler. Ces fosses étaient une invention du Hauptscharführer SS Otto Moll, âgé de vingt-neuf ans. Comme à cette époque on jugeait qu'il ne valait pas la peine de gazer les bébés et les petits enfants, Moll les jetait vivants dans ces gouttières de graisse humaine en ébullition [9] ». Cependant, vers la fin de 1944, alors que la défaite allemande commençait à se profiler, Himmler ordonna l'arrêt des gazages.

Son ordre vint trop tard pour sauver Hermann Van Pels, qui est mort à Auschwitz le 6 septembre 1944 [10].

Aux Pays-Bas, le 5 septembre 1944 resta dans les mémoires comme le « Dolle Dinsdag » (Le Mardi fou). Après la libération de Bruxelles et d'Anvers, dans un mouvement d'euphorie collective, les Hollandais se convainquirent que la libération était en marche. Les gens mirent des drapeaux à leurs fenêtres, impatients d'acclamer leurs libérateurs, et chantèrent dans les rues. Les collaborateurs hollandais se bousculèrent dans les gares dans l'espoir de fuir avant que les Alliés n'arrivent. Mais la journée s'acheva sans qu'aucun soldat allié soit apparu, et l'abattement s'empara des Pays-Bas.

Deux jours après le Mardi fou, Kugler et Kleiman furent transférés de leur prison de l'Amstelveenweg. Kugler se souvient : « C'était le 7 septembre 1944, après 20 heures, l'heure du couvre-feu pour les citoyens d'Amsterdam. Dans la ville immobile, des yeux apeurés lançaient des regards furtifs derrière les fenêtres closes. Les doigts pointés désignaient l'étrange scène qui se déroulait dans la rue. Des tramways passaient, transportant des prisonniers de l'Amstelveensweg. Des soldats allemands portant des mitrailleuses automatiques sur les genoux patrouillaient en automobile le long des tramways. Kleiman et moi étions parmi ces prisonniers [11]. »

On les emmenait à la prison du Weteringschans, où leurs amis de l'Annexe avaient été internés le mois précédent. Ils furent séparés après leur arrivée, et Kugler fut sidéré de se retrouver dans une cellule individuelle : « [...] le luxe me stupéfia. Les murs étaient peints et il y avait un lit dans la cellule. Sur le lit, il y avait un oreiller, des draps propres et des couvertures. Il y avait même un éclairage électrique au plafond. Cela me changeait tellement de la cellule que je venais de quitter. Je m'assis sur le lit pour mieux me familiariser avec mon nouvel environnement. Bientôt je découvris de pitoyables messages grattés sur les murs : " Moi aussi ils vont me fusiller. Priez pour moi ! " " Je meurs pour la Reine et pour notre patrie, Dieu est avec moi. " Je compris que j'étais dans une cellule destinée aux condamnés à mort pour actions contre l'ennemi. Je fus pris de sueurs froides, parce que j'étais persuadé que je vivais mes dernières heures [12]. » Fort heureusement, il n'en était rien. Kugler avait été placé dans la cellule par erreur. Un garde l'emmena dans une autre cellule, où il retrouva Kleiman.

Le lendemain, lors d'un appel, Kugler fut désigné pour aller travailler hors de la prison. Tous les jours, pendant une semaine, on le conduisit dans une usine de la Valckenierstraat pour démanteler des machines destinées à être expédiées en Allemagne. Le 11 septembre, il fut envoyé en même temps que Kleiman au camp de transit d'Amersfoort. Au bloc administratif, ils remirent leurs alliances et leurs montres, et on leur demanda pourquoi ils étaient là. « J'ai répondu *Judenbegünstigung* (j'ai aidé des Juifs), ce qui me valut quelques regards malveillants », se souvient Kugler [13]. Kugler et Kleiman furent logés dans la même petite baraque où ils dormaient côte à côte sur une banquette étroite ; le travail était astreignant et fatigant, ponctué d'appels, de mauvais traitements et de coups de matraque. La santé de Kleiman se détériora rapidement et une hémorragie gastrique lui épargna de poursuivre ce travail.

Le 17 septembre, à l'heure des premières incursions alliées aux Pays-Bas, la reine Wilhelmine, s'exprimant depuis Londres, appela les cheminots hollandais à se mettre en grève de sorte que les trains militaires allemands ne puissent pas atteindre leur destination. La grève qui s'ensuivit, et qui devait durer deux semaines, ne s'acheva qu'en mai 1945. Le gouvernement allemand répliqua en rationnant tous les vivres, l'électricité, le gaz et le charbon. « L'hiver de la famine » aux Pays-Bas allait commencer.

Kugler attendait son transfert en Allemagne, le 17 septembre, quand des avions américains bombardèrent la gare principale d'Amersfoort. Le transfert fut annulé, mais les gardes furieux se vengèrent en brutalisant les prisonniers. Kleiman fut relâché le lendemain pour raisons de santé. Il retourna à Amsterdam, où il mit environ deux mois pour se rétablir. Lorsqu'il reparut dans les bureaux du Prinsengracht, Miep et Bep l'accueillirent par des cris de joie. Miep se souvient : « Nous nous étreignîmes longuement, riant et pleurant tout à la fois [..] L'émotion m'emportait comme une vague de bonheur. [...] Son retour en bonne santé me remplit d'espoir pour nos amis [14]. »

Kugler était maintenant seul à Amersfoort et, à la fin septembre, il fit partie des 1 100 hommes transférés d'Amersfoort à Zwolle pour creuser des tranchées antichars et accomplir d'autres travaux pénibles sous le contrôle de gardes allemands en armes. De retour au bureau du Prinsengracht, Miep, Bep et Kleiman (qui avait pris les affaires en main à son retour) étaient au travail et tâchaient de rester optimistes. « Nous continuâmes à attendre l'arrivée de nos libérateurs, raconte Miep. Les jours passaient lentement. [...] Le mauvais temps s'installa. Rien n'avait changé pour nous ; les Allemands étaient toujours là. En fait, ils étaient plus brutaux, plus assoiffés de vengeance que jamais. Peu à peu, notre espoir de les voir partir commença à s'émousser [15]. »

Tous les jours, à Auschwitz-Birkenau, les sirènes retentissaient à 3 h 30 du matin pour faire sortir les gens des baraquements. À chaque fois, c'était une course échevelée vers les baraques des latrines situées à l'arrière du camp, où un long banc percé de centaines de trous servait de toilettes. Le petit déjeuner était une sorte de liquide brun versé dans la gamelle. Quand elles étaient perdues, les gamelles ne pouvaient être remplacées : la seule solution était alors d'« organiser », comme on disait dans l'argot du camp, c'est-à-dire de troquer ou de voler. Ainsi Anne s'était-elle procuré auprès d'une autre femme un caleçon long. « Nous n'avions pas d'habits en dehors d'un sac gris et, en dessous, nous étions nues, rappelle Rosa. Mais quand il commença à faire froid, Anne entra un jour dans les baraques en portant des sous-vêtements d'homme. Elle était très drôle avec ces longues jambes blanches, mais elle restait charmante à sa façon [16]. »
Pendant les appels, les femmes devaient se tenir par rangs de cinq dans le carré de rassemblement pendant que les chefs de bloc comptaient. Pour que le compte soit bon, les morts devaient être présents. Les appels du matin duraient habituellement quarante-cinq minutes. Les appels du soir pouvaient durer de une à cinq heures. Les femmes devaient rester debout sous le soleil, la pluie, la grêle et la neige aussi longtemps que le décidait la responsable de l'appel; pendant ce temps, on distribuait les punitions. Ronnie Goldstein-Van Cleef, qui avait fait partie du convoi de Westerbork, se trouvait souvent à côté d'Anne pendant les appels. Elles partageaient toujours un gobelet de « café » : « Nous nous servions de la même petite tasse et nous nous la faisions passer. [...] Margot était tout près, à côté d'Anne ou devant, suivant la manière dont les choses s'étaient passées, puisqu'il fallait toujours être par rangs de cinq. Anne était très calme, paisible et un peu renfermée. Le fait qu'elles aient fini là l'avait profondément affectée, c'était évident [17]. » À la fin de l'appel, les morts étaient jetés dans des wagons à bestiaux et emmenés.

Depuis le bloc d'Anne il fallait marcher une demi-heure pour atteindre le lieu de travail. Le travail consistait à retourner la terre pour faire un tas de mottes d'herbe. C'était complètement absurde, mais les kapos ne cessaient de courir parmi elles en criant : « Plus vite ! Plus vite ! », et en battant celles qui désobéissaient. À 12 h 30, on apportait de grandes gamelles de soupe dans le champ. Chaque femme tendait son bol et recevait une louche de liquide vert. Pendant une demi-heure, elles s'asseyaient par groupes de cinq, buvant leurs bols, puis elles retournaient travailler six heures durant. À 18 h, elles regagnaient le camp.

Le repas du soir consistait en une tranche de pain et un minuscule morceau de margarine. Ce sont les assistants des chefs de bloc qui distribuaient le pain. Anne était l'une de ces assistantes. « Anne était la plus jeune de son groupe, raconte Rosa, mais elle n'en était pas moins le chef. Elle distribuait aussi le pain dans les baraquements, et elle le faisait si bien et si équitablement que l'on n'entendait pas les récriminations habituelles [18]. » À 9 h, les sirènes retentissaient et les femmes étaient autorisées à rentrer dans les baraques. Pendant les six heures et demie qui suivaient, elles essayaient de dormir.

La plupart des occupantes du baraquement s'organisaient en groupes d'entraide. Edith, Margot, Anne, Rosa et Judy rencontraient régulièrement trois femmes qu'elles avaient connues à Westerbork : Blœme Evers-Emden, Lenie de Jong-Van Naarden et Ronnie Goldstein-Van Cleef. Blœme raconte : « La mère et les filles étaient toujours ensemble. La nécessité existentielle avait eu raison des discordes que l'on peut deviner dans le *Journal*. Elles étaient toujours ensemble. Il ne fait pas de doute qu'elles étaient un soutien important les unes pour les autres. Tout ce qu'une adolescente peut penser de sa mère n'avait plus la moindre importance [19]. » Edith ne pensait qu'à ses filles. « Mme Frank était toujours auprès de ses enfants, et elle veillait qu'elles aient quelque chose à manger [20] », se souvient Ronnie. « Mme Frank mettait toute son énergie à maintenir ses filles en vie, à les garder auprès d'elle, à les protéger, confirme Lenie. Bien sûr, nous parlions entre nous. Mais on ne pouvait absolument rien faire, si ce n'est donner des conseils du genre : " Si elles vont aux latrines, allez avec elles [21]. " »

Le 27 octobre, il y eut une nouvelle sélection dans le bloc d'Anne : les plus jeunes et les plus robustes quitteraient Auschwitz pour aller travailler dans une usine de munitions tchécoslovaque. Tout le monde espérait désespérément être choisi, sachant que les chances de survie étaient bien plus grandes ailleurs. Judy de Winter et Blœme Evers-Emden furent au nombre des sélectionnées. Anne, Margot et Edith restèrent à Auschwitz. Elles furent rejetées parce que Anne avait la gale, et sa mère et Margot ne voulaient pas la laisser seule au camp. Blœme se souvient : « Je parlai à Mme Frank, qui était avec Margot. Anne était ailleurs, elle avait la gale, [...] elle devait être isolée. Le résultat était qu'Anne ne pouvait venir avec notre groupe. Mme Frank, soutenue par Margot, dit : " Nous restons bien sûr avec elle. " Je me souviens que j'approuvais, que je comprenais cela. Ce fut la dernière fois que je les vis [22]. »

La gale est provoquée par des parasites, entraînant des éruptions cutanées et une multitude de plaies rouges et noires provoquant d'atroces démangeaisons. Anne fut envoyée au *Krätzeblock* (Bloc de la gale), où Margot la rejoignit volontairement. Lenie se souvient qu'Edith était « complètement désespérée. Elle ne mangea même pas son morceau de pain. Nous avons creusé un trou sous le mur en bois des baraques où se trouvaient les enfants. Le sol y était assez tendre et si l'on avait assez de forces, on pouvait creuser, ce que j'ai fait. Mme Frank se tenait à côté de moi et elle a juste demandé : " Est-ce que ça marche ? – Oui ", ai-je répondu. J'ai creusé tout près du bois et par le trou, nous pouvions parler avec les filles. Margot a pris le morceau de pain que j'ai fait passer par-dessous et elles l'ont partagé [23]. » Inévitablement, Margot aussi attrapa la gale. Ronnie Goldstein-Van Cleef, qui était dans la baraque avec elles, et une autre fille nommée Frieda Brommet, se souviennent comment la mère de Frieda et Edith Frank cherchèrent de la nourriture dans tout le camp pour l'apporter aux filles malades.

Ronnie trouva une montre en or à l'intérieur de son matelas, où un précédent prisonnier l'avait cachée. Par le trou sous la baraque, elle la fit passer à Edith et à Mme Brommet, qui l'échangèrent contre une miche de pain, un morceau de fromage et un bout de saucisse. Margot et Anne avaient besoin de toute la nourriture que l'on pouvait trouver, parce que leur santé déclinait rapidement. Ronnie se souvient : « Les filles Frank étaient très repliées sur elles-mêmes. Elles ne faisaient plus du tout attention aux autres. Lorsque la nourriture arrivait, elles s'animaient un peu, et elles échangeaient quelques mots. Pendant ce temps, un peu par intuition – parce que je pensais que ça leur donnerait du courage –, je chantais pour elles. [...] Les filles Frank faisaient peine à voir. Leurs mains et leurs corps étaient couverts de boutons et de plaies. Elles s'appliquaient un peu de baume, mais elles ne pouvaient pas faire grand-chose. Elles étaient en très piteux état ; pitoyable, me disais-je. Il n'y avait pas du tout de vêtements. Ils nous avaient tout enlevé [24]. » Allongées nues sur leurs banquettes dures et froides, les prisonnières du *Krätzeblock* voyaient les corps s'empiler le long du mur. Tous les jours, le tas était un peu plus élevé.

Otto, Peter Van Pels et Fritz Pfeffer luttaient pour survivre dans le camp des hommes. Le mari de Rose de Liema, Sal, faisait partie de leur groupe. Il se souvient : « [Otto Frank] disait : " Nous devrions essayer de nous écarter de ces gens, parce que si l'on parle tout le temps de nourriture, on perd peu à peu la tête ; nous devrions tenter de survivre mentalement. " Le plus grand problème était de garder l'esprit sain. Ne pas penser à chaque jour qui passait. Nous parlions de Beethoven et de Schubert, et d'opéra. Nous chantions même, mais nous ne parlions pas de nourriture [25]. » Otto et Sal devinrent très proches, et leur relation aida au moins autant Otto qu'elle aida Sal :

« Écoute, me dit-il, tu ne voudrais pas m'appeler papa Frank, parce que, vois-tu, j'ai besoin d'être le papa de quelqu'un.

Je ne comprenais pas de quoi il parlait et je lui répondis :

– Qu'est-ce que tu veux dire ? J'ai un père dans la clandestinité en Hollande : tu n'as pas à jouer ce rôle avec moi.

– Je sais, dit-il, mais fais-le pour moi. Je suis le genre d'homme qui a besoin de ça, j'ai besoin d'être le papa de quelqu'un.

– Si ça peut t'aider, je le ferai [26]. »

Le 29 octobre eut lieu une sélection dans leur baraquement. Otto, Sal et Peter Van Pels restèrent à Auschwitz, mais Pfeffer fut transféré au camp de Sachsenhausen. De là, il fut envoyé au camp de concentration de Neuengamme, en Allemagne. Nous ne savons rien de la suite, si ce n'est que Fritz Pfeffer est mort à Neuengamme le 20 décembre 1944 [27].

Le 30 octobre eut lieu une sélection au camp des femmes d'Auschwitz-Birkenau. À moins de 100 kilomètres de là, les Russes avançaient. Le cri « bloc fermé ! » retentit à l'appel du soir. Lientje Brilleslijper raconte : « On nous a brutalement chassées des baraques, mais pas pour aller au travail. On nous a conduites sur le grand terrain de manœuvre et on nous a obligées à nous déshabiller. Nous sommes restées debout là pendant un jour, une nuit et un autre jour. Debout, debout, puis quelques pas et debout encore, avec juste un petit morceau de pain sec en guise de nourriture. Puis on nous a parquées dans une grande salle où, là au moins, il faisait chaud. C'est là que la sélection a eu lieu [28]. »

Impatient, Josef Mengele se tenait près de la lumière bleue des projecteurs. Lientje se souvient : « Il nous faisait monter sur une balance, puis il inclinait sa main vers la droite ou vers la gauche, pour indiquer la vie ou la mort. Un simple geste, d'un air distrait... vers la chambre à gaz [29]. » Rosa de Winter était dans la queue avec Edith, Margot et Anne Frank. « Ça a duré très longtemps, se souvient-elle. Nous vîmes qu'il en choisissait beaucoup qui n'étaient pas trop âgées ou malades et nous sûmes qu'elles étaient sauvées, et que les vieilles et les malades seraient gazées [30]. » Pour être épargnées, les femmes se donnaient quelques années de moins que leur âge, et elles mentaient sur leur état de santé. Rosa annonça : « J'ai vingt-neuf ans, et je n'ai jamais eu de dysenterie jusqu'à présent. » Mengele fit pivoter son pouce « et il m'envoya rejoindre les vieilles et les malades. Puis vint Mme Frank, et elle aussi fut immédiatement envoyée dans notre groupe [31] ».

231

« La suivante ! », hurla-t-il.

Anne et Margot s'avancèrent. Elles étaient toujours en piteux état en raison de la gale, mais elles étaient jeunes toutes les deux. Rosa et Edith attendaient dans la terreur de voir si elles les rejoindraient ou si elles seraient envoyées à gauche, vers un destin inconnu. Rosa se souvient avoir regardé les deux jeunes filles : « 15 et 18 ans, nues, mais fières, alors qu'elles approchaient des SS à la table de sélection. [...] Anne encourageait Margot, et Margot s'avança, droite, dans la lumière. Elles se tinrent là un instant, et Anne nous regarda, le visage lumineux ; son regard était droit, et elle se tenait droit [...] [32] ! »

« À gauche ! », hurla Mengele, et Anne et Margot s'éloignèrent.

Alors s'éleva le cri d'angoisse d'Edith Frank : « Les enfants ! Mon Dieu, les enfants [33] ! »

8.

« Que la fin vienne, même si elle est dure. »
Les Journaux d'Anne Frank, 26 mai 1944 (c).

Les femmes désignées pour rester à Auschwitz s'avancèrent vers la porte ouverte du bloc sordide et vide. Les projecteurs des miradors étaient braqués sur les cadavres prisonniers de la clôture électrifiée. À l'intérieur des baraques sans éclairage, Rosa et Edith s'agrippaient l'une à l'autre. « Nous couchions l'une au-dessus de l'autre, se souvient Rosa. Quantité de femmes pleuraient. Je me redressai sur mon lit et regardai autour de moi. Ma mère m'a appris à faire toujours bon usage de mes yeux et de mes oreilles. Soudain, la porte de la baraque s'ouvrit. Une femme entra, une torche à la main. Elle promena la lumière sur nous. Elle me choisit en même temps que vingt-cinq autres qui paraissaient valoir la peine d'être sauvées du lot. " Vite, vite, dit-elle, après l'appel, vous courez vite vers un autre bloc. " C'était un chef de bloc, une Grecque. De loin, nous vîmes par la suite des camions s'arrêter devant le bloc pouilleux afin de charger les autres : direction, le crématorium [1]. » Edith avait certes échappé à ce destin, mais elle tomba malade et fut finalement conduite à l'hôpital du camp, où elle devint de plus en plus faible.

Anne et Margot Frank comptaient parmi les 634 femmes désignées pour ce convoi [2]. Chacune reçut de vieux vêtements, des chaussures dépareillées, une couverture, un quart de miche de pain, 150 grammes de saucisse et un morceau de margarine. Puis on les conduisit vers le train. Personne ne savait où elles allaient, mais le voyage fut effroyable. Il faisait un froid terrible, les wagons étaient surchargés, et on ne leur distribua ni vivres ni eau. Au bout de quatre jours, le train s'immobilisa et des SS déverrouillèrent les portes. Les femmes exténuées descendirent sur le quai de la gare de Celle. À quelques kilomètres de là se trouvait le camp de concentration de Bergen-Belsen [3].

À ses débuts, Belsen avait accueilli les troupes allemandes et servi de camp de prisonniers pour 600 soldats français et belges. Dans le courant de l'été 1941 vinrent s'y ajouter 20 000 prisonniers de guerre russes. Le surpeuplement provoqua une épidémie de typhus qui coûta la vie à des milliers de détenus. En avril 1943, Himmler proposa de réunir 10 000 Juifs qui pourraient être échangés contre des otages allemands. Les SS réquisitionnèrent alors Belsen, mais trouvèrent le camp « dans le pire état qu'on puisse imaginer. Les baraques étaient délabrées, les installations sanitaires et les cuisines inexistantes [4] ». Ils firent venir des ouvriers des camps de concentration pour remettre en état et reconstruire les baraques. Entre janvier et septembre 1944, c'est environ 4 000 Juifs destinés à servir de « monnaie d'échange » qui arrivèrent avec leurs familles à Belsen. La plupart étaient des Juifs hollandais de Westerbork qui avaient reçu des timbres d'exemption ou figuraient sur une « liste d'autonomie ». Une poignée furent libérés dans le cadre d'échanges.

La décision de faire venir les prisonniers malades des autres camps – et, ainsi, de prendre le risque de contaminer le reste des détenus – marqua un tournant dans l'histoire de Belsen. Le premier transport d'invalides, qui souffraient pour la plupart de tuberculose, atteignit Belsen à la fin de mars 1944. Les médicaments et les installations sanitaires manquaient pour les soigner. Sur les mille premiers malades qui arrivèrent dans le camp, il n'en restait que 57 pour voir la libération du camp, un an plus tard.

Les trente kilomètres carrés du camp de Belsen étaient subdivisés en plusieurs camps. La construction du dernier d'entre eux, le « camp des tentes », commença le 7 août 1944, en prévision de l'arrivée de milliers de Juives hongroises et polonaises venues des ghettos ou des camps de travail. Le 11 août, lorsque le premier convoi arriva au camp, dix ou douze tentes étaient dressées. À la mi-août, près de 4 000 femmes vivaient dans des tentes, mais la plupart n'y faisaient qu'un court séjour avant d'être envoyées au travail. Le 5 septembre 1944, on força les détenus à installer des baraques destinées aux 3 000 femmes attendues d'Auschwitz-Birkenau, fin octobre, début novembre. Lorsqu'elles arrivèrent, les baraques étaient encore inhabitables. Au nombre des « malades non incurables » figuraient Margot et Anne Frank [5].

Lientje et Janny Brilleslijper étaient aussi dans le convoi d'Auschwitz. Au hasard de leurs promenades à travers le camp, elles retrouvèrent Anne et Margot. « En nous promenant, raconte Lientje, on entendit le bruit d'un robinet sur une petite colline. On courut s'y laver. Là-haut, on vit approcher deux silhouettes décharnées. On se jeta à leur cou. Toutes deux parlaient hollandais. Quatre jeunes filles au crâne rasé, maigres et tremblantes. Anne et Margot avaient plein de questions à nous poser, et nous en avions autant pour elles. Nous voulions savoir ce qu'était devenue leur mère, car nous savions qu'à Auschwitz les hommes avaient été séparés des femmes. Anne se mit à pleurer toutes les larmes de son corps et Margot répondit à voix basse : " Sélectionnée [6] ". » Les quatre jeunes filles s'assirent ensemble sur la colline, observant les rangs des retardataires qui arrivaient de la gare de Celle. « Elles étaient inséparables, comme ma sœur et moi. On aurait dit deux oiseaux transis de froid, elles faisaient peine à voir. Quand on se fut lavées, nues en plein air, on s'est rhabillées en toute hâte, car on n'avait qu'une robe et une couverture légère, une couverture à laquelle on tenait comme à un trésor. Puis on s'est glissées dans l'une des tentes. Nous étions maigres et nous avions quatre couvertures. On s'est blotties l'une contre l'autre pour se réchauffer [7]. »

Anne et Margot commencèrent par se demander si elles devaient entrer sous les tentes et conclurent finalement que ça valait mieux que de rester dehors. « On a attendu jusqu'au dernier instant puis on a dû aller au fond de la tente. Ce n'était pas très agréable parce qu'il y faisait une chaleur étouffante. Je ne sais pas comment c'était possible, probablement à cause de la masse des gens. On suffoquait tellement ça empestait, comme la cage aux lions du zoo d'Artis. [...] On était assises sous la tente, avec la pluie qui crépitait et qui tambourinait sur la toile. L'eau dégoulinait par des trous [8]. » Elles dormirent sur la paille, serrées l'une contre l'autre, avec deux cents femmes. Il n'y avait ni toilettes ni éclairage. « Quand on voulait se rendre aux latrines en plein air devant la tente, se souvient une déportée, il n'y avait pas moyen de se frayer un chemin vers la sortie [9]. » Une autre détenue, Anita Lasker-Wallfisch précise : « Pendant quelques jours, nous avons vécu ainsi. Couchées à même le sol, entassées, gelées et désespérées [10]. »

Dans la soirée du 7 novembre, un terrible orage éclata sur la lande. Le vent se déchaîna, entrant par violentes rafales, arrachant les tentes de leurs pieux et les jetant par terre. Les femmes hurlèrent en tâchant de se protéger la tête. « Nous étions là dans une obscurité totale, à essayer de nous dégager les unes des autres, de sortir des plis de la tente. Après y être parvenues tant bien que mal, nous passâmes le reste de la nuit, en plein air, tandis que la pluie et le vent se déchaînaient [11]. » Un groupe de SS finit par arriver et les dirigea vers la tente des cuisines, les rouant de coups au passage. Le lendemain, alors qu'elles tremblaient encore de froid, on les déplaça à nouveau. « On nous cantonna dans une vieille grange emplie de haillons et de vieilles chaussures, rappelle Lientje.

– Pourquoi veulent-ils faire de nous des bêtes ? demanda Anne.

– Parce que ce sont eux-mêmes des bêtes de proie, répondit l'une de nous.

Puis on s'est mises à parler d'après ; car on croyait que le temps paraissait affreusement long dans notre misère, mais que cette misère ne durerait pas bien longtemps. Nous ne savions pas que le pire était encore à venir [12]. »

L'hospice, le foyer des vieillards et des baraques d'une autre partie du camp furent évacués pour héberger les femmes frigorifiées. Lientje et Janny perdirent de vue leurs amies l'espace de quelques jours, pendant que s'effectuait le tri. Elles finirent par se retrouver sous le même toit, dormant sur des châlits dans une bâtisse de pierre, avec une seule salle d'eau pour des milliers de personnes. Le bâtiment devait bientôt ressembler à de « gigantesques latrines, d'autant que de nombreuses détenues, affaiblies et moribondes, souffraient de diarrhée. Certaines n'avaient plus la force de se traîner jusqu'aux toilettes et se soulageaient sur place ; les linges maculés d'excréments restèrent parfois sur les lits des semaines durant. [...] Les conditions hygiéniques se dégradèrent jusqu'à en devenir horrifiantes, tandis que les cadavres de milliers de victimes étaient abandonnés dans l'enceinte [13] ». Le 2 décembre 1944, près de la moitié des détenues de Belsen furent transférées au camp des femmes. De nouveaux convois arrivaient des camps de concentration et des avant-postes, proches du front. Belsen devint dangereusement surpeuplé, nombre des nouveaux arrivants succombant rapidement à la maladie et aux épidémies.

Anne et Margot se retrouvèrent juste sous les paillasses de Lientje et Janny. Elles n'avaient pas encore le moral cassé par la misère environnante. « Quand on était couchées, se souvient Lientje, Anne racontait des histoires. Margot aussi. Des histoires idiotes et des blagues. Chacune son tour. Le plus souvent, il était question de nourriture. Un jour, on se dit qu'on irait dîner à l'Hôtel américain d'Amsterdam, et Anne éclata en sanglots à la pensée qu'on ne rentrerait jamais... On dressa le menu, des masses de mets délicieux à manger. Et Anne dit qu'elle avait encore beaucoup à apprendre [14]. » Elles auraient dû aller travailler hors du camp mais, en raison de leur état de santé, on les avait affectées au hangar aux chaussures, d'anciennes granges où s'entassaient de vieux souliers venus de toute l'Allemagne. Elles devaient les découdre à la main, en retirer les semelles de cuir et mettre de côté les pièces réutilisables. C'était un travail difficile et pénible, rendu pire encore par les mauvais traitements que leur infligeaient constamment les SS. Lientje et Anne trouvèrent la tâche impossible. « Nos mains commencèrent à s'ulcérer. Plusieurs personnes moururent de septicémie. Anne et moi avons été les premières à devoir cesser le travail. Margot et ma sœur ont tenu un peu plus longtemps, mais elles partageaient leurs portions avec nous. [...] Cela nous donnait droit à un peu plus de soupe trop claire et à un bout de pain. [...] Anne et moi avons alors commencé à « organiser » les choses, à voler à la cuisine ou à quémander. Si on était pris, on était bon pour les coups, mais on ne s'est pas fait prendre. [...] On s'en sortait mieux que ceux qui travaillaient. Mais on ne volait jamais à un autre détenu ; on volait aux nazis [15]. »

Fin novembre, Auguste Van Pels arriva d'Auschwitz. Anne et Margot ne l'avaient pas revue depuis leur départ de Westerbork, deux mois plus tôt. Elle se joignit à leur petit groupe qui, outre les sœurs Brilleslijper, comprenait Deetje et Hannelore Daniels, ainsi qu'une jeune fille du nom de Sonya – « une enfant gaie et douée [16] » – toutes des Pays-Bas. Elles veillaient les unes sur les autres. « L'une de nous guettait l'arrivée de la nourriture, se souvient Lientje. Il fallait se précipiter, sans quoi elle disparaissait aussitôt. Auschwitz était un enfer organisé, mais la section de Belsen dans laquelle nous étions était un enfer non organisé [17]. » Anita Lasker-Wallfisch faisait également partie d'un groupe : « Nous nous observions mutuellement, guettant comme un aigle le moindre signe de défaillance. Qu'il était tentant de ne pas se déshabiller pour se laver chaque matin en plein air, dans le froid glacial de l'hiver. Nous maigrissions à vue d'œil et partagions le peu de nourriture que nous pouvions nous procurer. [...] Nous n'avions rien à faire [18]. » Rien d'autre à faire qu'à exister.

Le 2 décembre 1944, Josef Kramer fut nommé commandant de Belsen. On l'avait fait venir d'Auschwitz, accompagné de ses acolytes les plus sadiques. Il introduisit le système des kapos à Belsen, débarrassa le camp de ses derniers vestiges d'autogestion juive, priva les détenus de nourriture plusieurs jours de suite, organisa des commandos de travail pour tous et retira leurs derniers privilèges aux Juifs appelés à servir de monnaie d'échange. Si la nourriture était le « principal sujet de conversation » depuis la mi-1944, elle devint une obsession lorsque les rations furent réduites à « un bol quotidien de " soupe ", des navets à l'eau sans viande ni matière grasse, et une petite tranche de pain [19] ». « On maigrissait à vue d'œil, raconte Lientje. Les yeux d'Anne semblaient lui manger le visage... des yeux avec une lueur verte [20]. »

Dans cette situation critique, les détenues firent de leur mieux pour fêter Noël et Hanoukkah : « Nous avions mis de côté des petits bouts de notre maigre ration de pain, se souvient Lientje, et on nous distribua une ration spéciale d'un quart de fromage du Harz. Anne avait trouvé de l'ail je ne sais où. J'avais chanté quelques chansons dans un autre bloc et on m'avait remerciée par une petite choucroute. Les sœurs Daniels, qui étaient avec nous, avaient préparé des betteraves et des carottes. Avec nos six couvertures, nous avons improvisé une table et nous avons fait un vrai repas de Noël. On avait mis de côté un peu d'ersatz de café du petit déjeuner et on l'a fait réchauffer discrètement sur un poêle. On a fait aussi rôtir des épluchures de pommes de terre. Voilà notre fête de Noël. " Et nous célébrons Hanoukkah en même temps ", a dit Anne [21]. » Blotties les unes contre les autres sous le toit des baraques, les femmes chantèrent leurs chansons préférées. « Des chansons juives, se souvient Lientje, et nous avons pleuré. Anne avait les yeux brillants. Elle nous a raconté des histoires. Nous nous sommes dit que ce devait être de vieilles histoires que nous ne connaissions pas. Mais je sais aujourd'hui que c'étaient des histoires de son cru. Margot a commencé à raconter une histoire elle aussi, mais elle n'a pas pu continuer, et c'est Anne qui l'a terminée pour elle. Elle a dit que son père connaissait des histoires bien mieux, et Margot s'est mise à pleurer, demandant s'il était encore en vie. Anne avait confiance : " Bien sûr que oui [22]. " »

La désolation régnait aux Pays-Bas. Le gaz et l'électricité avaient été coupés. Un hiver terrible aggrava la misère causée par l'absence de lumière et de chauffage et la pénurie de vivres. Les citadins faisaient des kilomètres de marche pour se rendre à la campagne, où la situation n'était guère plus enviable, et supplier les paysans de leur vendre des vivres et des combustibles. De jour en jour, les rations furent réduites, jusqu'à ce que chaque personne n'eût plus droit qu'à 500 calories journalières. Une épidémie de typhoïde et de malaria balaya le pays.

Les Allemands mettaient la main sur tout, du bétail aux vêtements, pour l'envoyer en Allemagne. Alors même qu'il semblait impossible d'imaginer pire, les Allemands firent sauter les écluses d'Ijmuiden. L'eau des canaux monta, le système d'égouts fut complètement disloqué et les rats infestèrent Amsterdam. L' « hiver de la faim » fit 22 000 victimes.

Le 30 décembre 1944, Victor Kugler fut transporté au village de Wageningen. Il y travailla quelque temps comme électricien puis devint traducteur, chargé de remettre des messages à une organisation qu'employait l'armée allemande pour creuser des tranchées et installer des obstacles antichars. Travaillant dans un bureau, Kugler reçut une bicyclette, des papiers d'identité et un ruban vert qui lui permettait de se déplacer à travers les villages évacués. Au bureau, il était pour ainsi dire libre de ses mouvements puisque le commandant était rarement présent. Il retira certains prisonniers des champs pour en faire des collaborateurs et leur assura ainsi un salaire et des papiers d'identité.

Pendant ce temps, à Amsterdam, Kleiman cherchait à savoir si Van Maaren, le magasinier, était responsable de la série de vols commis en novembre et en décembre. Il fit part de ses soupçons à la police, mais une fouille à son domicile ne donna rien. Se souvenant que Van Maaren s'était vanté de ses bonnes relations avec le SD, Kleiman mit l'affaire de côté tout en surveillant chacun des faits et gestes de Van Maaren.

En novembre, il avait neigé sur Auschwitz. Le camp était recouvert de congères, qui étouffaient les bruits et les déplacements. À l'hospice, les détenus mouraient en masse du typhus ou de la diphtérie. « On m'envoya dans les baraques de l'hôpital, où j'ai revu Mme Frank, se souvient Rosa de Winter. Je dormais à côté d'elle. Elle était très faible et avait cessé de s'alimenter. Elle n'avait plus tous ses esprits. Tout ce qu'on lui donnait à manger, elle le fourrait sous sa couverture, expliquant qu'elle le mettait de côté pour son mari, parce qu'il en avait besoin – et le pain a fini par moisir. Je ne sais pas si elle était si affaiblie parce qu'elle mourait de faim, ou si elle avait cessé de manger parce qu'elle n'en avait plus la force. Il n'y avait plus moyen de parler [23]. » Évoquant les derniers jours de sa femme, Otto écrivit plus tard : « Les deux filles furent envoyées dans un autre camp. Dès lors, ma femme fut tellement désespérée et abattue qu'elle en perdit peu à peu toute volonté de vivre [24]. »

Edith Frank est morte à Auschwitz le 6 janvier 1945 [25].

Pierre après pierre, on démantelait le centre d'extermination du camp. Les gazages avaient cessé en novembre 1944, et les nazis, soucieux d'effacer les traces de la « Solution finale », avaient ordonné la destruction des chambres à gaz et des fours crématoires. Dans le courant de l'hiver 1944-1945, ils démolirent les chambres à gaz 4 et 5, abattirent les clôtures entourant deux crématoriums, démantelèrent le vestiaire du crématorium n° 3, et firent sauter tous les crématoriums, sauf un. Le dernier four crématoire demeura en service pour incinérer ceux qui mouraient à l'hôpital. Les systèmes et les conduites de ventilation furent expédiés à Mauthausen, tandis que les pièces restantes étaient acheminées vers d'autres camps de concentration. Les fosses contenant des monceaux de cendres humaines furent ratissées et recouvertes d'herbe. Les salles de dissection, démolies. Ils n'en laissèrent qu'une seule en activité. Ils mirent le feu à vingt-neuf entrepôts de vêtements et bâtiments divers et détruisirent une masse de documents. À la mi-janvier 1945, les SS abandonnèrent le camp.

Otto Frank était au nombre des 32 000 détenus qui vivaient encore à Auschwitz. Il était hospitalisé depuis novembre. Sa santé avait souffert de son travail dans l'équipe de travaux de voirie, puis des mauvais traitements des gardes qui supervisaient la corvée de pommes de terre. Souffrant de la faim et de la diarrhée, il succomba à une grave dépression. Mais le pire était encore à venir. « Tout cela m'avait profondément affecté, raconte-t-il ; mon moral en avait pris un coup. C'était un dimanche matin, et j'ai dit : " Je ne peux pas me lever. " Et alors mes camarades – tous des Hollandais, bien entendu, parce que j'étais le seul Allemand, mais j'étais totalement accepté par tous les autres – m'ont dit : " C'est impossible : si tu ne te lèves pas, tu es perdu. " » Ses codétenus firent venir un médecin juif hollandais : « Ce médecin hollandais est venu me voir dans la baraque : " Levez-vous. Venez demain dans la

baraque des malades. J'en toucherai un mot au médecin allemand, et vous serez sauvé. " Et c'est ce qui s'est passé : voilà
comment j'ai été sauvé[26]. »

Peter Van Pels avait été affecté aux services postaux, ce qui
lui donnait droit à quelques rations supplémentaires. Lorsqu'il
alla voir Otto à l'hôpital, celui-ci fit son possible pour persuader Peter de se cacher là avec lui, plutôt que d'accompagner les
milliers de détenus évacués du camp. Terrorisé par le châti-
ment auquel il s'exposait s'il était découvert, Peter refusa. Il
n'est pas le seul qui dut prendre cette décision : « Trop faibles
pour se déplacer, beaucoup durent être laissés là; d'autres
choisirent de rester. Le bruit courait que les Russes approchaient (d'aucuns disaient qu'ils n'étaient qu'à une quinzaine
de kilomètres). Rester dans le camp, c'était courir le risque
d'être fusillé par les gardes qui battaient en retraite, mais beaucoup n'y voyaient qu'un moindre mal. [...]. Sans doute le choix
entre rester ou partir se fit-il rarement sur des bases logiques.
L'un restait, l'autre partait, sans qu'on sache bien pourquoi[27]. »

Le 16 janvier, Peter quitta Auschwitz avec des milliers
d'autres pour une marche de la mort. À travers l'Europe
entière, des colonnes de survivants traversaient la campagne
sous bonne garde à destination des camps allemands. Belsen,
Dachau, Sachsenhausen, Buchenwald et Ravensbrück en
accueillirent certains, mais beaucoup furent chassés. Ces
marches de la mort étaient grosses de tous les dangers. Parfois,
les soldats russes les prenaient pour des Allemands et
ouvraient le feu sur eux. La majorité des marcheurs moururent
d'épuisement, mais d'aucuns furent fusillés : « Les convois lais-
saient derrière eux une épouvantable traînée de prisonniers au
crâne fracassé ou criblé de balles, aux visages réduits en bouil-
lie[28]. »

Le groupe de Peter finit par arriver à Mauthausen. Inauguré
en mai 1933, puis construit au fil des années suivantes par
40 000 Républicains espagnols et juifs au sommet d'un sentier
de montagne, le camp ressemblait à une ancienne place forte.
Les détenus étaient logés dans des baraques de bois : pour
l'essentiel des Juifs, des Tziganes, des prisonniers de guerre

soviétiques, des Espagnols, des Témoins de Jéhovah et des homosexuels. On les faisait travailler jusqu'à ce que mort s'ensuive dans les carrières du camp.

Peter Van Pels est mort à Mauthausen le 5 mai 1945. Trois jours plus tard, le camp était libéré [29].

À Auschwitz, Sal de Liema avait perdu tout contact avec « papa Frank ». Le 27 janvier, apprenant que les Russes arrivaient, il sortit clopin-clopant des baraques. À distance, il crut voir des petits chiens, puis il entendit les balles siffler autour de lui. Leurs libérateurs avaient tiré des salves pour les prévenir de leur arrivée.

Dans une autre section du camp, Otto vit aussi les Russes approcher. La vision de leurs « manteaux de fourrure blancs comme neige » resta à jamais gravée dans sa mémoire. « C'étaient de braves gens, nos libérateurs. Peu nous importait qu'ils fussent ou non communistes. La politique ne nous intéressait pas : seule nous importait notre libération. Les Russes nous donnèrent des vivres, alors qu'ils n'avaient pas grand-chose à manger eux-mêmes [30]. » Les soldats prirent des rations et des vêtements dans les anciens magasins des SS pour les distribuer aux détenus, puis séparèrent les malades chroniques de ceux qui avaient une chance de survivre. Otto fut placé dans une nouvelle baraque avec une multitude d'autres détenus : régulièrement arrivaient des femmes de Birkenau à la recherche de parents et d'amis. Eva Schloss (alors Eva Geiringer) fut du nombre. Sa mère et elle avaient évité les marches de la mort : « Vers la fin, alors qu'elles évacuaient le camp, nous avons fait notre possible pour rester à Auschwitz et ne pas être emmenées dans l'un de ces groupes. On se disait qu'ils nous fusilleraient si on allait avec eux. Et nous avons bien fait, parce que la plupart de ceux qui ont quitté le camp sont morts. Mon père et mon frère ont été conduits à Mauthausen et ils en sont morts [31]. »

À cette date, cependant, Eva ne savait rien du destin de son père et de son frère, et elle était venue au camp des hommes pour les retrouver. Elle aperçut Otto sur son châlit, les yeux dans le vide, l'air abattu : « C'était un homme d'âge moyen, il ne restait pour ainsi dire plus rien de son visage, sinon un crâne d'où vous fixaient des yeux marron clair interrogateurs. " Je vous connais ", dis-je en hollandais, presque certaine au fond de ma tête de l'avoir déjà vu. Il se leva lentement et doulou-reusement, grand et toujours digne. Il s'inclina légèrement :

– Je suis Otto Frank, fit-il en esquissant un faible sourire. Vous êtes Eva Geiringer, n'est-ce pas ? La petite amie d'Anne.

Sur ce, il me prit dans ses bras et me serra sur son cœur.

– Anne est-elle avec vous ? Les avez-vous vues, elle ou Mar-got ? demanda-t-il avec impatience, mais je dus lui dire que je n'avais revu dans le camp aucune de mes amies de Mer-wedeplein.

[...] Je m'assis un moment sur son lit et lui racontai tout ce que je savais. Il trouva que c'était une bonne idée d'aller à Auschwitz, où les Russes avaient installé leur QG permanent et allaient s'occuper des prisonniers. Je promis de revenir le voir [32]. »

Otto commença peu à peu à se rétablir et à reprendre des forces. Le 23 février, il put écrire aux siens qui vivaient en Suisse :

« Très chère mère,

J'espère que ces lignes vous parviendront, vous apportant à toi et à tous ceux que j'aime la nouvelle : j'ai été sauvé par les Russes, je vais bien et mon moral est excellent ; on s'occupe bien de moi à tous égards. Je ne sais où sont Edith et les enfants. Nous avons été séparés le 5 septembre 1944. La seule chose que j'aie apprise, c'est qu'elles ont été déportées en Alle-magne. J'espère les revoir saines et sauves. Fais savoir, je t'en prie, à mon beau-frère [33] et à mes amis de Hollande, que j'ai été libéré. Je suis impatient de vous revoir tous et espère que ce sera possible. Si seulement *vous* allez tous bien. Mais quand pourrai-je recevoir de vos nouvelles ?

Avec toute mon affection, mes salutations et mes baisers.

Ton fils,

Otto [34]. »

Les derniers prisonniers de guerre avaient été évacués de Bergen-Belsen pour faire place aux survivants des marches de la mort et aux convois en provenance des autres camps de concentration. La seconde section du camp des prisonniers de guerre devint alors le camp des femmes, tandis qu'un autre camp d'hommes remplaça le camp initial des femmes. Malgré cet élargissement, le problème de la surpopulation ne fit que croître. « Suivant les normes de notre armée de terre, explique un lieutenant-colonel britannique en décrivant une baraque du camp de Belsen, elle était faite pour quatre-vingt-trois soldats : nous en avons retiré 1 426 femmes, et je ne compte pas les morts [35]. »

Anne était toujours très curieuse des nouveaux arrivants. « On nous a déplacées dans une autre partie du camp, se souvient Lientje, où l'on a retrouvé un groupe de femmes plus âgées et des enfants. Anne était tout excitée : " Allons-y, peut-être qu'on trouvera des amis, on dit que ce sont toutes des Hollandaises. " Elle voulut y aller tout de suite. À cet instant, je crois, c'était l'Anne que nous connaissons par le *Journal*, vive et pleine de vie ; d'autres fois, je ne la voyais que grave et triste. Il y avait en effet des garçons et des filles qu'Anne connaissait : Carry Vos, Rossje Pinkhof... Mais l'abattement reprit le dessus. Ses amis figuraient sur les listes d'échange et auraient dû être envoyés dans un pays neutre, au lieu de quoi ils avaient atterri à Belsen. Elle demanda des nouvelles d'autres amis et apprit que Lies, une bonne copine à elle, était tout près, qu'elle pourrait lui parler dans la soirée si elle faisait attention. De Lies, elle reçut de petits cadeaux, qui lui firent grand plaisir. Elle voulait tout partager, mais on lui a dit que c'était pour elle et Margot [36]. »

Les retrouvailles d'Anne et de Lies sont l'un des événements les plus remarquables des derniers mois qu'il lui restait à vivre. Après la mort de sa mère en couches, en 1942, Lies avait vécu à Amsterdam chez les derniers membres de sa famille. Le 20 juin 1943, ils avaient tous été arrêtés au cours de la dernière grande rafle d'Amsterdam et déportés à Westerbork puis, trois mois plus tard, à Bergen-Belsen, pour servir de « monnaie d'échange ». Ils pouvaient se voir toute la journée mais, le soir, Hans Goslar devait regagner les baraques des hommes. Il tomba gravement malade dans les premiers jours de 1945.

Début février, Lies apprit que plusieurs convois de Hollandaises étaient arrivés d'Auschwitz. Un soir, pataugeant dans la neige pour aller voir si elle connaissait quelqu'un, Lies tomba sur Mme Van Pels, qui lui apprit qu'Anne se trouvait aussi dans le camp. Quelques minutes plus tard, elle entendit une voix : Anne l'appelait. Debout contre les barbelés, Lies aperçut Anne : « gelée, affamée, le crâne rasé, elle n'avait plus que la peau sur les os... Nous n'avions que quelques instants pour parler [37] ». Anne expliqua qu'ils n'étaient jamais allés en Suisse, mais qu'ils s'étaient cachés à Amsterdam. « Elle m'a raconté que son père avait été tué – sa mère aussi, pensait-elle, se souvient Lies. Quel dommage qu'elle ait cru que son père était mort. Elle l'idolâtrait tellement qu'elle aurait peut-être gardé l'espoir de vivre si elle avait su qu'il vivait encore [38]. » Elles discutèrent longuement des deux années écoulées, et Anne parla des chambres à gaz d'Auschwitz. Puis elle dit qu'elle n'avait rien à manger. Lies recevait encore des colis de la Croix-Rouge dans sa baraque et promit à Anne d'essayer de lui venir en aide.

Elles se retrouvèrent la nuit suivante : Lies avait apporté à son amie un gilet de laine, des biscuits, du sucre et une boîte de sardines. Elle lança le balluchon par-dessus les barbelés, mais lorsqu'il retomba, « j'entendis un cri d'angoisse. Quand je lui demandai ce qui se passait, Anne me répondit qu'une autre femme l'avait pris et ne.voulait pas le rendre [39] ». Le lendemain soir, Lies lui lança un autre paquet que, cette fois, Anne attrapa. Les deux amies ne devaient plus se revoir. Les Golsar crurent qu'ils allaient quitter Belsen mais, le matin même du départ supposé, Lies apprit que son père était mort dans la nuit. Lies et Gabi furent informées que leur transfert était annulé. Lies essaya en vain de retrouver Anne. Fin mars, elle apprit le décès de sa grand-mère. Et, dans les derniers jours du camp, elle contracta le typhus.

La mère de Trees, l'amie de Margot, croisa aussi le chemin d'Anne à Belsen : « Je l'aperçus par-delà les barbelés. Là-bas, les conditions étaient encore pires que parmi nous. [...]

– Anne, ne t'en va pas ! Attends !

J'ai couru à la baraque et j'ai ramassé tout ce qui me tombait sous la main; j'en ai fait un paquet et suis retournée aussi vite aux barbelés. Mais la distance était trop grande, et nous étions si faibles. Alors qu'on se demandait comment faire passer le balluchon de l'autre côté, M. Brill est arrivé. Il vivait avec nous. Comme il était grand, je lui ai dit :

– M. Brill, j'ai ici une vieille robe avec du savon et un morceau de pain. Vous voulez bien lancer tout ça de l'autre côté ? Vous voyez la gamine, là-bas.

M. Brill commença par hésiter, se demandant si c'était bien sûr, parce qu'un garde pouvait nous voir. Mais en la voyant, il a surmonté son appréhension... Il a pris le paquet et l'a lancé de toutes ses forces de l'autre côté [40]. »

Dans d'autres baraques, non loin de là, se trouvait un groupe d'enfants hollandais que les nazis traitaient avec une relative clémence, incapables de trancher s'ils étaient juifs ou non. Janny, Lientje, Anne et Margot venaient souvent les voir. Elles leur chantaient des chansons et leur racontaient des histoires pour leur remonter le moral. Janny et Lientje se portèrent volontaires pour être infirmières dans les nouvelles baraques pleines de femmes et d'enfants hollandais mourants. Elles demandèrent à Anne et à Margot si elles voulaient donner un coup de main, mais ni l'une ni l'autre n'étaient assez fortes pour s'occuper de qui que ce soit. Les Brilleslijper pillèrent la pharmacie des SS pour distribuer les médicaments à leurs compagnes, mais perdirent tout contact avec Anne et Margot, qui avaient été retirées de leur baraque. Par les sœurs Daniels, Lientje sut où elles étaient : « Margot avait fait une sale crise de dysenterie et ne tenait plus debout; à cause de l'épidémie de typhus, elle devait rester dans l'ancien bloc. Anne s'en occupait de son mieux. Nous nous sommes débrouillées pour leur faire porter à manger. Quelques jours plus tard, nous avons appris qu'elles étaient dans la section des malades. Nous y sommes allées et leur avons dit de ne pas rester là, sans quoi elles y passeraient. Mais au moins il y faisait chaud, et elles n'étaient que toutes les deux.

– Nous sommes ensemble et nous sommes tranquilles, expliqua Anne.

Margot n'ouvrit guère la bouche. Elle avait une forte fièvre et souriait sans se plaindre. Déjà, elle n'avait plus toute sa tête [41]... »

D'Auschwitz, Otto continua à écrire en Suisse, tout en sachant bien que ses lettres et ses cartes postales ne parviendraient pas aux siens avant longtemps. Début mars, les survivants du camp montèrent dans « des trains russes, grands et larges [42] » à destination de Katowice. Un court billet écrit de Katowice, le 15 mars, le révèle bien résolu à voir le côté positif des choses : « C'est un miracle que je sois encore en vie : j'ai eu beaucoup de chance et devrais en être reconnaissant [43]. » Mais dans un autre billet, il écrit simplement : « Nous n'avons plus rien. J'espère que vous irez bien lorsque vous lirez ces lignes. Je vous écrirai de nouveau bientôt. Toute mon affection, Otto [44]. »

Le 18 mars, il écrivit à son cousin Milly, à Londres : « [...] Je suis un mendiant, j'ai tout perdu sauf la vie. Il ne me reste plus rien de mon foyer, pas une photo, pas une lettre de mes enfants, rien, rien, mais je ne veux pas penser à la suite ; pourrai-je de nouveau travailler ? On est si nombreux dans la même situation. [...] J'ai toujours été optimiste et je fais encore de mon mieux [45]. » Dans une autre lettre écrite ce même jour, Otto se demande ce qu'il doit dire à sa mère : « Je n'arrive toujours pas à décider si je dois t'informer plus complètement de quelques-unes de mes expériences ; l'essentiel est que tu saches que je suis encore en vie et en bonne santé. Je suis constamment torturé par le fait que j'ignore tout de ce que sont devenues Edith et les enfants. Sans doute comprends-tu. J'espère cependant les revoir toutes en bonne santé et je ne veux pas perdre espoir [46]. » Dans la même lettre, il s'étend sur certains événements récents : « Si je n'avais pas été hospitalisé pour cause de faiblesse – je pesais 52 kg – sans doute ne serais-je plus en vie. J'ai eu beaucoup de chance et quantité d'amis. Peter Van Pels a passé deux ans avec nous et il s'est conduit comme un fils avec moi. Chaque jour, il m'apportait un complément de nourriture [47]. » Et pour finir, il ajoute : « Je n'imagine guère de relations normales. Je ne veux pas encore réfléchir à l'avenir. Ici, je suis un mendiant et j'en ai les apparences. Mais j'ai encore du ressort et mon corps s'est rétabli, essentiellement parce que nous ne sommes pas obligés de travailler. J'espère pouvoir t'envoyer d'autres nouvelles [48]. [...] »

Deux jours plus tard seulement, Otto envoyait d'autres nouvelles, mais des nouvelles que personne, lui le premier, n'avait envie d'entendre. Rosa de Winter, qui était arrivée d'Auschwitz en train avec Eva et Fritzi Geiringer, était tombée sur lui à Katowice. « Quand je suis entrée, raconte-t-elle, M. Frank était assis seul à une longue table et on s'est reconnus.

– Je ne sais rien des enfants, lui ai-je dit. On les a emmenées.

Au bout d'un moment, je lui ai dit que sa femme était morte, dans un lit, juste à côté de moi. M. Frank demeura impassible. Je le regardai dans les yeux, mais il tourna la tête. Puis il a fait un geste. Je ne me souviens plus exactement quoi, mais il me semble qu'il a posé sa tête sur la table [49]. » Plus tard, Otto consentit un suprême effort pour écrire à sa mère :

« Très chère mère,
Je tiens à t'écrire quelques lignes tandis que nous attendons une fois de plus d'être déplacés. Je ne puis écrire beaucoup, parce que les nouvelles d'Edith, du 6. 01. 45, que j'apprends maintenant, m'affectent tant que je ne sais pas bien où j'en suis. Les pensées de la carte m'ont réchauffé [50]. Edith est morte de faiblesse à l'hôpital pour cause de malnutrition, son corps l'avait lâchée. En réalité, c'est encore une victime des Allemands. Si elle était parvenue à tenir quinze jours de plus, tout aurait été différent après la libération par les Russes. Je me demande si nous pouvons regagner la Hollande *via* [mot illisible], je ne sais pas. J'espère cependant que ce sera possible, bien que la Hollande ne soit pas encore libérée.
Je ne souhaite pas écrire davantage aujourd'hui.
Je te dis toute mon affection.

Otto [51]. »

Début février, Victor Kugler se retrouva parmi les 600 hommes désignés pour aller travailler en Allemagne. La colonne s'ébranla par une journée chaude et ensoleillée. Kugler emporta une bicyclette avec lui et conseilla à un ami d'en faire autant. Les deux hommes restèrent à l'arrière, cherchant un moyen de s'échapper. Dans la petite ville de Zevnaar, près de la frontière allemande, la colonne se fit mitrailler par des Spitfires britanniques. Kugler et son ami profitèrent de ce que tout le monde se mettait aux abris pour fuir à travers champs. Leur bicyclette à la main, ils se planquèrent dans un corps de ferme, le temps de s'assurer qu'il n'y avait plus de soldats allemands dans les parages. Puis ils commencèrent leur long voyage de retour, aidés par des paysans et des villageois qui leur donnèrent des vivres, des habits et un toit pour la nuit. Arrivé à Hilversum, Kugler sonna à la porte de son domicile : sa femme ne répondit pas. Un ancien voisin apparut et lui dit que sa femme était tombée malade et vivait chez eux. Le lendemain, Kugler commença à s'aménager une planque au cas où les Allemands se mettraient à sa recherche. Ces mesures se révélèrent inutiles : quelques jours plus tard, les troupes allemandes stationnées à Wageningen se rendirent. Victor Kugler était libre.

Fin mars, Otto traversa la Pologne en train pour regagner Amsterdam. Seul l'espoir qu'Anne et Margot étaient encore en vie tempérait son chagrin d'avoir perdu sa femme. Il n'avait plus qu'une idée en tête : les retrouver. « Je n'ai pu découvrir ce qu'étaient devenues les enfants au cours de ce périple, devait-il raconter de longues années plus tard. Mais je n'ai cessé de poser des questions, surtout lorsque nous croisions d'autres détenus libérés :

– Vous n'auriez pas vu ma femme et mes filles, Anne ou Margot Frank ?

Personne ne put me renseigner sur elles. Une fois, à l'occasion d'un arrêt du train, une petite camarade de jeux d'Anne à Amsterdam me reconnut. Elle me présenta à sa mère, qui s'enquit de son mari. [...] J'essayai d'obtenir des renseignements sur les enfants. Mais en vain [52]. » La fille et sa mère étaient, bien entendu, Eva et Fritzi Geiringer. Eva se souvient : « J'avais revu le père d'Anne, Otto Frank, au cours du voyage de Katowice à Czernowitz. Il était debout, seul. Il avait l'air usé et triste. Mutti était avec moi et me demanda de faire les présentations. Elle savait qu'il venait d'apprendre par Rosa que sa femme était morte, et elle en éprouvait pour lui une grande compassion. Je la conduisis à lui, et ils échangèrent des politesses, mais il n'y avait pas grand-chose qui pût le consoler ; rien ne l'intéressait. Il paraissait vouloir se tenir à l'écart et rester seul avec son chagrin [53]. »

Le 31 mars, de Czernowitz, Otto écrivit de nouveau en Suisse :

« Très chers,
Je pense souvent à vous et brûle de vous revoir tous. Il se peut que les gens d'ici puissent voyager, mais nul ne peut dire quand nous serons de retour en Hollande. En vérité, il semble que la guerre approche à grands pas de la fin. Je vais bien et je tiens le coup, malgré la douloureuse nouvelle de la mort de ma femme. Mon seul espoir est de retrouver mes enfants à la maison !

Otto [54]. »

Entre le 1er décembre 1944 et la mi-mars 1945, 25 000 détenus évacués de divers camps de concentration arrivèrent à Bergen-Belsen. Nombre des 45 000 prisonniers du camp souffraient du typhus. Ils avaient droit à une petite cuiller de beurre, à une tranche de fromage ou à une saucisse deux fois par semaine et à une goutte de « café ». Le pain était rare. Les prisonniers faméliques arrachaient de l'herbe qu'ils faisaient bouillir et, lorsqu'on portait dans les baraques des cuves de soupe putride, les « gens se jetaient frénétiquement sur le sol immonde pour laper la moindre goutte répandue par terre ; les porteurs devaient se faire accompagner de cinq gardes pour empêcher de brutales attaques des internés affamés [55] ». Des jours durant, le camp manqua d'eau. À la pompe, les « gens mouraient par centaines : ils rampaient vers elle, délirant et poussant de petits cris, tandis que les brutes qui montaient la garde les rouaient de coups ; et pendant ce temps, d'autres gardes continuaient à tirer, si bien qu'à la fin ce kilomètre carré de camp était l'endroit sur terre où se trouvaient concentrées le plus de souffrances [56] ». Des camions traversaient le camp dans un bruit de tonnerre et emportaient les corps vers le crématorium ; à la mi-février, alors que des milliers de personnes mouraient chaque jour, l'incinérateur ne suffisait plus à la demande. On brûla alors les cadavres sur des palettes de bois arrosées de diesel, mais l'armée qui s'entraînait sur un terrain voisin se plaignit de la puanteur, et l'administration des forêts interdit l'usage du bois pour brûler les cadavres. Dès lors, on se contenta d'abandonner les corps sur place ou de les entasser dans des baraques : à la fin, le camp « comptait plusieurs milliers de cadavres, verts et gonflés sous l'effet du soleil printanier, à tous les stades de la décomposition [57] ». Avec la faim, il y eut des cas de cannibalisme tandis que d'autres perdirent la raison tant ils avaient soif.

Le 6 février, Auguste Van Pels fit partie des détenus transférés de Belsen à Buchenwald. Le 9 avril, elle reprit son errance, en train ou à pied, pour rejoindre le camp de Theresienstadt. On n'est pas sûr de sa destination finale, d'aucuns affirmant qu'on la vit pour la dernière fois à l'usine d'avions de Raguhn, où l'on faisait travailler maints détenus.

La seule chose qui soit certaine, c'est qu'Auguste Van Pels est morte en Allemagne ou en Tchécoslovaquie peu de temps avant le 8 mai 1945 [58].

À Belsen, l'épidémie de typhus prit une telle ampleur que seule une minorité échappait encore à la maladie. Tout le monde semblait mourir de quelque chose. « L'immense majorité, raconte Presser, dépérit et succomba à l'une des maladies qui faisaient rage. La crasse était indescriptible. Vers la fin, tout le monde ou presque avait des poux ; partout, les gens en étaient couverts, jusque sur les sourcils. [...] Pour comble de malheur, les Allemands s'amusaient souvent à leur couper l'eau. "L'accumulation de matières fécales dans certains lavoirs, écrit un expert médical, était tellement indescriptible que les gens s'en tenaient à l'écart ; presque tout le monde souffrait de dysenterie, au point que les murs de toutes les baraques en étaient dégoulinants [59]. " » Des milliers de personnes moururent de faim alors que les colis de vivres de la Croix-Rouge et les boîtes d'Ovomaltine s'entassaient par centaines dans le magasin du camp.

Dans l'une de ces baraques surpeuplées et en putréfaction, Margot et Anne agonisaient. Elles se mouraient du typhus au pire endroit possible, sur un lit placé juste à côté de la porte, jour et nuit exposées à la morsure des courants d'air. Rachel Van Amerongen-Frankfoorder, qui ne les avait pas revues depuis Westerbork, fut épouvantée en voyant combien elles avaient changé : « Les filles Frank étaient presque méconnaissables parce qu'on leur avait coupé les cheveux. Elles étaient beaucoup plus chauves que nous ; comment c'était possible, je ne me l'explique pas. Et elles étaient transies, comme nous toutes. [...] De jour en jour, elles s'affaiblissaient. Tous les jours, elles ne s'en traînaient pas moins jusqu'à la clôture du camp dit libre, dans l'espoir de recevoir quelque chose. Elles étaient si déterminées. [...] De temps en temps, elles mettaient la main sur un paquet qu'on leur lançait. Elles rentraient alors détendues, très heureuses, et s'asseyaient pour manger ce qu'elles avaient reçu avec un grand plaisir. Mais on voyait bien qu'elles étaient très malades. Les Frank étaient si émaciées. C'était terrible à voir. Elles étaient couvertes de petites pustules dues à leur maladie : il était clair qu'elles avaient le typhus. [...] Elles avaient le visage décharné, plus que la peau sur les os. Et elles avaient terriblement froid. [...] Elles ne cessaient de crier : " La porte ! La porte ! La porte ! ", et de jour en jour, leur voix était plus faible. Elles dépérissaient à vue d'œil. [...] Elles s'épuisaient peu à peu, succombant à une sorte d'apathie, avec quelques sursauts ; puis elles devinrent si malades que tout espoir était perdu [60]. »

Provoqué par la morsure de poux contaminés par leurs déjections, le typhus se propagea comme une traînée de poudre à Belsen parce qu'il n'y avait rien pour le combattre. Les principaux symptômes en sont des « démangeaisons cutanées, suivies de fièvres, de migraines aiguës et de douleurs aux articulations ; puis l'obstruction des petits vaisseaux sanguins provoque des gangrènes et affaiblit la résistance à d'autres maladies comme la pneumonie [61] ». Lorsque l'organisme porteur de la maladie atteint le système nerveux central, il provoque une « agitation particulière suivie par un délire, tandis qu'une chute de la tension et une accélération du pouls indiquent que la maladie s'est propagée au système circulatoire. Dans cet état, le malade est promis à une mort terrible, accompagnée de convulsions et de hurlements d'agonie dans les vingt-quatre heures [62] ». Anne et Margot avaient tous les symptômes de la maladie. « Nous sommes retournées voir [Anne et Margot] avec Rossje Pinkhof, se souvient Lientje Brilleslijper. Margot était tombée du lit et gisait sur le sol, à demi consciente. Anne était déjà très fébrile. Elle était très douce et affectueuse : " Margot va bien dormir et, quand elle dormira, je n'aurai plus besoin de me lever. " [...] " Oh, je suis si bien, il fait si chaud ", murmura Anne. Elle semblait parfaitement heureuse [63]. »

Margot était trop faible pour survivre à cette chute sur le sol glacial. Le choc la tua. On ne sait pas la date exacte de sa mort, mais Margot Frank est morte à Belsen dans la deuxième quinzaine de mars 1945 [64].

Sa sœur morte, la frêle Anne n'opposa plus la moindre résistance au typhus. « Anne était malade, se souvient Janny Brilleslijper. [...] Mais elle resta sur pied jusqu'à la mort de Margot ; c'est alors seulement qu'elle céda à la maladie. [...] Un jour, sur la fin, Anne se dressa devant moi, enveloppée dans une couverture. Elle n'avait plus de larmes à verser. [...] Et elle me dit qu'elle avait une telle horreur des poux et des puces qu'elle avait jeté tous ses vêtements. [...] Elle s'était enveloppée dans une couverture. Je rassemblai tout ce que je pus trouver pour qu'elle puisse se rhabiller. Nous n'avions pas grand-chose à manger, et Lientje était terriblement malade, mais je donnai à Anne une partie de notre ration de pain [65]. »

« J'avais retrouvé mon père à Auschwitz, raconte Eva Schloss. Il était venu me chercher. À l'époque, j'avais été séparée de ma mère à la suite d'une sélection, et je savais ce que ça voulait dire d'habitude. Je ne savais pas alors qu'elle était encore en vie :

– Comment va ta mère ? me demanda-t-il.

– Elle est allée à la chambre à gaz...

Je crois que c'est ça, c'est ça qui l'a brisé. Lorsque mon frère est mort, mon père s'est dit qu'il resterait seul, parce qu'il a cru que ma mère était morte, et probablement pensait-il que je ne survivrais pas non plus. Il était seul. Voilà pourquoi il a renoncé. S'il avait su que ma mère et moi étions toutes deux en vie, je crois qu'il aurait tenu bon, mais il ne savait pas. Il fallait avoir une certaine motivation, savoir qu'il y avait quelqu'un, là-bas, pour vous. C'est ce qui est arrivé à Anne, j'en suis sûre. Lorsque Margot est morte, Anne était déjà convaincue que sa mère et son père étaient morts. Et elle s'est laissée aller [66]. »

La mort de Margot était plus qu'Anne n'en pouvait supporter. Elle s'est dit qu'elle n'avait plus aucune raison de vivre. Son père se démenait de tous côtés pour la retrouver, mais elle ne le savait pas.

Au milieu ou à la fin du mois de mars 1945, Anne est morte à Belsen, seule [67].

Hilde Jacobsthal, qui avait fait partie du groupe des jeunes de la synagogue, dans le Quartier de la rivière, avec Margot Frank et Peter Van Pels, arriva fin mars à Belsen. « Il y avait beaucoup d'enfants hollandais, là-bas, se souvient-elle. J'ai demandé s'il y avait quelqu'un d'Amsterdam, et on m'a répondu qu'il y avait Anne, mais qu'elle était morte quelques jours plus tôt [68]. » Lorsque Janny et Lientje retournèrent dans la baraque, le châlit d'Anne et Margot était vide. « Nous savions ce que cela voulait dire, écrivit Lientje dans ses souvenirs. Nous les avons cherchées et trouvées. À quatre, nous avons déposé leurs corps décharnés sur une couverture pour les porter jusqu'à la grande fosse ouverte. Nous ne pouvions pas faire plus [69]. »

Le 15 avril 1945, soit deux ou trois semaines seulement après la mort d'Anne Frank, les troupes britanniques libéraient Belsen.

Peu avant leur arrivée, les SS cherchèrent en vain à effacer les traces de leur sinistre besogne. De l'aube jusqu'à une heure avancée de la nuit, 2 000 détenus, à moitié morts de faim, durent traîner les cadavres jusqu'à d'immenses fosses de dix mètres de fond et de dix-huit mètres carrés. Kramer, le commandant du camp, exigea que deux orchestres jouent de la musique pour accompagner le cortège des baraques jusqu'aux fosses communes : « Une affreuse danse macabre, si cauchemardesque que jamais un poète ne saurait imaginer pareille vision [70]. »

Belsen fut libéré après qu'un cessez-le-feu local fut conclu par les deux camps, soucieux d'arrêter au plus vite la progression de l'épidémie. L'enfer de Belsen et de plusieurs autres camps libérés fut « la dernière grande épidémie de typhus de l'histoire [71] ». Dix mille cadavres attendaient encore d'être inhumés. Les vainqueurs obligèrent les SS à le faire. Les libérateurs n'en croyaient pas leurs yeux. Le lieutenant-colonel Gonin, de la 11e Light Field Ambulance, a décrit la scène : « On voyait des femmes se noyer dans leurs vomissures parce qu'elles étaient trop faibles pour se retourner et des hommes manger des vers en empoignant une demi-miche de pain parce qu'ils avaient besoin de manger et qu'ils ne faisaient guère la différence entre les vers et le pain. Des tas de cadavres, nus et obscènes, et une femme qui ne tenait plus debout et qui s'adossait à eux tout en faisant cuire sur un feu la nourriture qu'on lui avait donnée. Des hommes et des femmes qui se traînaient n'importe où pour se soulager de la dysenterie qui leur rongeait le corps ; une femme, nue comme un ver, qui se lavait au savon et à l'eau d'un réservoir dans lequel flottaient les restes d'un enfant [72]. »

Les internés étaient si affamés et malades que, dans bien des cas, il était impossible de déterminer leur sexe. Certains étaient blottis sur leur lit aux côtés de compagnons morts depuis plusieurs jours. Dehors, les caniveaux étaient jonchés de cadavres, de même que toutes les allées du camp. Bientôt, il devint impossible de les enterrer à la main. On dut recourir à des bulldozers pour les pousser par vingtaines vers de grandes fosses. Cette solution expéditive était le seul moyen d'empêcher les cadavres de s'entasser et la maladie de se propager. Les aumôniers militaires et les rabbins récitaient des prières pour les morts.

Les habitants du voisinage prétendaient ne rien savoir : on les obligea à venir dans le camp et à faire le tour des baraques. Le colonel Spottiswoode leur adressa un petit discours : « Ce que vous allez voir ici est la condamnation définitive, sans appel, du parti nazi. Cela justifie toutes les mesures que prendront les Nations unies pour exterminer ce parti. Ce que vous allez voir ici est une telle honte pour le peuple allemand que son nom même mérite d'être effacé de la liste des nations civilisées [73]... »

Le 24 avril commença l'évacuation du camp. À la mi-mai, il ne comptait plus que 300 anciens détenus et la garnison britannique de Belsen. Un officier britannique les rassembla et leur déclara : « Voici la fin d'un chapitre, dont les pages sont pleines de l'histoire la plus ignoble de cruauté, de haine et de bestialité jamais écrite par une nation [74]... » Lorsqu'il eut terminé, on mit le feu aux baraques et aux constructions de Bergen-Belsen. Les anciens internés et les libérateurs les regardèrent brûler l'une après l'autre. Parmi elles, la baraque où Margot et Anne Frank étaient mortes. Leurs corps reposaient à quelques mètres sous terre, dans une fosse commune.

JE NE VEUX PAS AVOIR VÉCU POUR RIEN

1945 – 1964

9.

« Après la guerre, je veux [...] publier un livre intitulé " L'Annexe "... »
Journaux d'Anne Frank, 11 mai 1944.

« Bâle, Suisse, 20 mai 1945.
Très cher monsieur Kleiman,
On nous a dit qu'il y avait une autre possibilité d'entrer
en contact avec vous, aussi je tente ma chance. Nous avons
si longtemps attendu cette occasion de vous demander des
nouvelles de ceux que nous aimons. C'est dans la crainte et
avec beaucoup d'inquiétude que nous attendons votre
réponse, laquelle, je l'espère, ne tardera pas trop et appor-
tera des nouvelles rassurantes. Il va sans dire que nos pensées sont constamment avec vous, surtout pour ce qui est
de votre santé. Nous allons tous bien ici et j'essaye d'être
aussi courageuse que possible. Je vous envoie mes meilleures salutations; s'il est en votre pouvoir de le faire,
dites, s'il vous plaît, à mes enfants combien je me fais du
souci pour elles. Les dernières nouvelles de vous datent du
22 juin 1944 – depuis près d'un an, je n'ai eu aucunes nouvelles. Merci beaucoup pour votre amitié, avec tous mes
meilleurs vœux,

votre Alice Frank[1]. »

261

À la mi-avril, le nord-est des Pays-Bas avait pour l'essentiel retrouvé sa liberté : ainsi, d'Arnhem, le 14 avril, et, dans le reste du pays, on savait qu'il n'y en avait plus que pour quelques jours.

De nombreux camps avaient déjà été libérés, dont Buchenwald, Nordhausen, Gross Rosen et Belsen. Janny et Lientje Brilleslijper étaient toujours à Belsen lorsque les Britanniques arrivèrent, mais Lies et Gabi Goslar, avec 7 000 autres personnes, avaient été envoyés à Theresienstadt. Un voyage de quinze jours dominé par la famine et la terreur qui s'acheva le 23 avril 1945, avec l'intervention des soldats russes dans le petit village allemand de Trobitz. Lies et sa sœur étaient au nombre des survivantes. Berlin se rendit le 2 mai. Quelques jours plus tard, les Pays-Bas célébrèrent leur libération officielle. Alors qu'à Amsterdam des foules joyeuses convergeaient vers le Dam, les Allemands ouvrirent le feu, tuant 22 personnes et en blessant plus de 100. À ce moment-là, Hitler s'était déjà suicidé dans son bunker de Berlin, avec sa nouvelle épouse Eva Braun.

Le 25 avril, le train transportant Otto Frank et ses compagnons rescapés d'Auschwitz arriva dans le port d'Odessa, sur la mer Noire, où les attendait un bateau néo-zélandais, le *Monoway*. Ils mirent la barre sur Marseille le 21 mai. On donna des cabines aux femmes, tandis que les hommes dormaient sur le pont, dans des hamacs, partageant leurs quartiers avec d'autres survivants des camps et des prisonniers de guerre français et italiens. Des officiers de marine en uniforme blanc impeccable s'occupèrent d'eux, se donnant beaucoup de mal pour qu'ils ne manquent de rien et soient bien nourris. Le 26 mai, Otto écrivit à sa mère :

« [...] Nous ne savons pas encore si nous pourrons retourner en Hollande ou si nous devrons rester quelque temps en Angleterre. L'essentiel, pour moi, est d'avoir quitté la Russie et d'avoir ainsi la possibilité d'être à nouveau auprès de ceux que nous aimons. Tu n'imagines pas combien j'aspire à être à nouveau auprès de vous. Tout mon espoir est dans mes enfants. Je m'accroche à la conviction qu'ils sont en vie et que nous pourrons de nouveau être ensemble, mais je ne réponds de rien. Nous avons tous vécu trop de choses... Seuls les enfants, *seuls les enfants* comptent. J'espère à chaque instant découvrir comment elles vont... peut-être y a-t-il des gens qui ont des nouvelles des filles... Je devrai rester en Hollande, parce que je n'ai aucun papier – en dehors d'un matricule – et je ne peux espérer te retrouver que plus tard. L'essentiel, maintenant, est que nous sachions que nous allons nous revoir bientôt. Avec toute mon affection, je t'embrasse [2]... »

Le lendemain, le *Monoway* entra dans le port de Marseille, où une foule importante et deux orchestres militaires étaient venus accueillir les prisonniers de guerre français. Les passagers du bateau déclinèrent leur identité devant des employés assis derrière des tables à tréteaux installées sur le pont : ceux-ci les informèrent des trains qu'ils devraient prendre le lendemain, après une nuit de repos dans un hôtel des environs. Otto mit à profit la brève escale pour envoyer à sa sœur un télégramme l'informant de son arrivée. Au matin du 28 mai, il prit le train en direction des Pays-Bas. Il voyagea sans encombre à travers la France et la Belgique, mais fut stoppé à Maastricht, où les ponts avaient sauté. Pendant ce temps, Rosa de Winter avait retrouvé sa fille Judy ; une raison d'espérer pour ceux qui, comme Otto, n'avaient toujours pas de nouvelles de leur famille. Au bout de deux jours, des ponts provisoires avaient été construits, et ils continuèrent leur voyage jusqu'à Amsterdam en car.

Jan Gies avait été transféré de son bureau de la Marnixstraat à la gare centrale, où il accueillait et renseignait les gens qui revenaient des camps de travail et des camps de concentration. Il s'enquérait fréquemment des huit personnes qu'il avait aidé à protéger deux années durant. Enfin, le 3 juin, un homme lui dit qu'il avait vu Otto Frank. Jan fonça à la maison pour en informer Miep, au moment même où Otto débarquait à la gare centrale. Il se présenta à un autre employé et reçut de l'argent pour prendre un taxi jusqu'au Quartier de la rivière. Tandis qu'ils roulaient à travers la ville, Otto serrait contre lui un petit ballot de vêtements : son seul bien, désormais. Le taxi s'arrêta devant l'appartement de Miep et Jan, et Otto se dirigea lentement vers la porte. Elle s'ouvrit toute grande avant qu'il n'ait eu le temps de sonner, car Miep l'avait aperçu par la fenêtre. Les premiers mots d'Otto furent : « Edith ne reviendra pas. » Les yeux noyés de larmes, Miep lui dit d'entrer. Il ajouta : « Mais j'ai grand espoir pour Margot et Anne. » Elle acquiesça. Il lui dit qu'il n'avait aucun endroit où aller. Miep lui prit son ballot de vêtements et l'assura qu'il pourrait rester chez eux le temps qu'il voudrait. Au dîner, Otto raconta tout ce qui était arrivé depuis le 4 août 1944.

Dans son Mémoire, Otto fait le récit de son retour à Amsterdam : « Mes premiers pas me portèrent chez Miep et son mari et, comme je n'avais plus de chez-moi, je suis resté là. C'est alors que j'ai appris qu'elle et Bep n'avaient jamais été arrêtées, et que mes amis Kleiman et Kugler étaient revenus des camps de concentration où ils avaient été envoyés. Nous avions tous beaucoup d'histoires à raconter sur nos tristes expériences – ils pleurèrent la mort de ma femme avec moi – mais nous gardions l'espoir que les enfants reviendraient[3]. »

Otto avait une chambre à lui chez les Gies, et il retourna travailler au Prinsengracht. L'Annexe se trouvait deux étages au-dessus de son bureau, mais elle était toujours condamnée et se délabrait tandis qu'il commençait à rassembler les pièces éparses de sa vie. Il fut très ému, le 8 juin, par l'arrivée de la carte postale que sa mère avait envoyée à Kleiman, et il lui écrivit aussitôt après l'avoir lue, expliquant « le plaisir qu'il avait eu de voir [son] écriture ». Il poursuivait : « Nous voici enfin de nouveau en contact ! Comme mes différentes lettres ne sont pas arrivées ici, je ne sais ce que tu as reçu et j'en suis réduit à des suppositions, puisque, après juin 1944, il n'y avait plus qu'un fil pour nous relier les uns aux autres. Cela a dû te faire un choc de recevoir mon télégramme. Je t'écris du bureau. Tout est comme un rêve étrange. Je ne m'y retrouve pas encore. Je n'ai même pas envie de beaucoup écrire... Je ne sais pas où se trouvent Edith et les enfants, mais j'y pense tout le temps... Je suis seul – inutile d'ajouter quoi que ce soit. Je retrouve ici mes vieux amis ; Kleiman a été très malade pendant que j'étais en prison et en camp de concentration, et Kugler n'a été libéré qu'il y a quinze jours. Tout cela à cause de nous. Tout ce que nous possédions nous a été volé. J'avais mis certaines choses à l'abri dans d'autres lieux, mais pas grand-chose. Je n'ai ni chapeau, ni imperméable, ni montre, pas même de chaussures, hormis ce que d'autres m'ont prêté, et on ne trouve rien ici, il n'y a pas le strict nécessaire. Je vis chez Miep Gies. J'ai maintenant assez d'argent, je n'ai de toute façon pas besoin de grand-chose. J'aspire à être avec vous tous. Donne-moi s'il te plaît l'adresse des garçons [4]. J'attends de tes nouvelles rapidement, des nouvelles de tout le monde – surtout de ceux dont nous n'avons su que peu de choses depuis si long-temps. Je crains de n'avoir écrit qu'une courte lettre à Robert [5], car je ne peux pas entrer dans les détails. Je ne suis pas encore normal, je veux dire que je ne trouve pas mon équilibre. Mais physiquement, je suis en forme. Otto [6]. »

Miep n'avait pas encore dit à Otto qu'il restait quelque chose de son passé. Elle était bien résolue à ne remettre son *Journal* qu'à Anne elle-même ; d'ici là, il resterait sous clef et sous bonne garde.

Le 12 juin était, bien entendu, l'anniversaire d'Anne. C'eût été son seizième anniversaire, et Otto avait espéré jusqu'au bout qu'elle serait de retour pour le fêter. Il n'avait toujours pas de nouvelles d'aucune de ses filles, en dépit de ses efforts incessants pour découvrir où elles se trouvaient. Il avait entre-temps reçu des nouvelles de son frère aîné, Robert, qui lui avait écrit à propos d'un malentendu né de l'envoi du télégramme d'Otto de Marseille, le 27 mai. Ce télégramme avait été le pre-mier signe que la famille recevait de lui, malgré les nombreuses lettres qu'il avait envoyées depuis sa libération d'Auschwitz. Lorsque Otto avait écrit : « Nous sommes arrivés... », ils en avaient déduit qu'il voulait dire : moi, Edith et les enfants, car ils ne savaient pas qu'Edith était morte, ni qu'il avait été séparé de Margot et d'Anne. Exultant, Alice Frank se mit à informer tout le monde que son fils, sa bru et ses deux petites-filles étaient sains et saufs. À l'évidence, ils savaient maintenant la vérité, car Robert écrit :

« [...] Peut-être peux-tu imaginer ce que nous avons ressenti quand maman nous a dit que vous alliez tous bien... Je veux que tu saches que nous sommes incapables d'exprimer ce que nous ressentons après tout ce qui est arrivé. Je ne puis te dire combien nous déplorons la perte d'Edith, et combien nous sommes avec toi pour partager ton angoisse concernant tes enfants, même si nous ne connaissons qu'une partie de tout ce que tu as enduré ces dernières années. Puisse Dieu faire que tes enfants te reviennent vite et en bonne santé. Tout autre problème paraît sans importance comparé à celui-là. Tu dis que c'est un miracle que tu sois en vie, et comme toi je remercie le Ciel que tu sois en bonne santé et prêt pour une nouvelle vie. Je suis sûr qu'après toutes les épreuves que tu as traversées, les questions économiques ne te tracassent pas outre mesure. Elles rentreront dans l'ordre et je peux te promettre notre aide et celle des Stanfield [7]. [...] Lottie [8] est partie, [...] tu sais qu'elle aimait énormément Edith; elle souffre terriblement à la pensée qu'elle est morte [...] [9]. »

Le 18 juin, Lottie elle-même écrivit à Otto depuis la région des lacs, où elle prenait un peu de repos :

« [...] Mon cœur est avec toi, cher Otto, avec ta peine pour la disparition d'Edith et tes inquiétudes pour tes enfants. Je suis profondément affectée du sort d'Edith; tu sais combien je l'ai toujours aimée et comme nous nous comprenions bien. J'admire ton courage et ta ténacité, et je prie et j'espère que tes chères enfants seront avec toi bientôt. Il ne rime à rien de te dire que le temps t'aidera à guérir tes plaies, mais, crois-moi, les horribles souvenirs que tu dois avoir disparaîtront peu à peu, et, avec l'aide de tes enfants et de nous tous, tu seras capable de construire une nouvelle vie. [...] Nous sommes impatients d'apprendre que tu es à nouveau réuni avec tes enfants, et nous espérons te revoir dans un avenir pas trop lointain [10]. »

Le flot de lettres continua. Le 21 juin, Otto expliquait à sa sœur et à son beau-frère comment il essayait de supporter l'absence de nouvelles de Margot et d'Anne :

« [...] Il n'y a aucune communication avec les territoires occupés par les Russes et c'est pour cette raison que je ne parviens pas à obtenir la moindre nouvelle des enfants, car elles pourraient être en Allemagne. Jusque-là, j'étais convaincu de les revoir un jour, mais je commence à douter. À qui n'a pas enduré une telle horreur, il est impossible d'imaginer ce qu'étaient les choses en Allemagne ! [...] Pour ce qui est des enfants, je sais qu'il n'y a rien à faire. Nous devons attendre, c'est tout. Je vais au bureau tous les jours, parce que c'est la seule façon de penser à autre chose. Je ne vois pas comment je pourrais continuer sans les enfants, après avoir déjà perdu Edith. Vous ne savez pas comme elles avaient grandi. Mais c'est au-dessus de mes forces de parler d'elles. Bien sûr, j'espère toujours, et j'attends, j'attends, j'attends. Ici, tous mes amis font ce qu'ils peuvent pour m'aider et pour me rendre la vie supportable. Nous tentons de travailler, mais, comme on ne trouve pas même l'essentiel, c'est difficile. Les coûts se maintiennent, mais il n'y a pas de profits. Tant qu'il y a de l'argent liquide, il faut payer les salariés... Physiquement, je vais très bien, je pèse à nouveau 70 kilos. Je suis bronzé aussi. Nous ne nous sommes vus depuis si longtemps que nous serons surpris de voir comme nous avons vieilli [...]. Des 150 000 Juifs de ce pays, je ne crois pas qu'il en reste 20 000. J'espère être capable de vous voir bientôt, mais, pour le moment, tout est dans le chaos [...] [11]. »

Herbert, le frère d'Otto, avait survécu, malgré son internement en France au triste camp de Gurs, sous le régime de Vichy. Le 23 juin, Herbert écrivit à Otto pour la première fois depuis le début de la guerre. Il terminait sa lettre par ces mots :

« Je pense à toi toute la journée et la moitié de la nuit. Je ne puis trouver le sommeil. Mes pensées sont *toujours* avec toi, mon cher Otto. J'ai reçu un télégramme de Julius [le frère aîné d'Edith], avec les frais de réponse pris en charge, mais je n'ai jamais répondu, et je suppose que mère l'a informé de ton terrible destin. Il voulait envoyer de l'argent et des colis [...]. Donne-moi des nouvelles aussi rapidement que possible [...]. Herbert [12]. »

Une semaine plus tard, Otto recevait une lettre de Julius, qui avait appris la mort de sa sœur. Son insistance pour qu'Otto les rejoignît, Walter et lui, en Amérique témoigne de la haute estime en laquelle ils tenaient le mari de leur sœur, et Julius réitérera sa requête après que la mort d'Anne et de Margot eut été confirmée.

« Mon dernier espoir, écrivait-il maintenant, est que tu

retrouves tes enfants. Walter et moi, nous ferons tout pour toi. Au cas où tu voudrais venir aux États-Unis, nous avons de l'argent de côté pour vous trois. Envoie-moi un télégramme quand tu auras trouvé les enfants. Il y a neuf colis de vivres pour toi aux bons soins de Max Schuster. Fais-moi savoir si tu as besoin de nourriture. Nous te l'enverrons. Julius [13]. »

Tous les jours, Otto interrogeait des gens, épluchait des listes, appelait la Croix-Rouge et insérait des avis de recherche dans les journaux dans l'espoir de retrouver ses filles. Lorsqu'il apprit qu'Eva et sa mère, Fritzi, étaient de retour à Amsterdam, il leur rendit visite – en oubliant qu'il avait rencontré Fritzi auparavant. Eva se souvient : « J'ai entendu frapper à la porte d'entrée : c'était Otto Frank. Il flottait dans son costume gris, mais il avait l'air distingué. " Nous avons de la visite ", ai-je dit, en le conduisant vers maman. Il tendit la main. " Mais nous nous sommes déjà rencontrés, dit-elle, sur la route de Czernowitz. " Il secoua la tête. Ses yeux noirs étaient très enfoncés et tristes. Il dit : " Je ne me souviens pas. C'est sur la liste des survivants que j'ai trouvé votre adresse. J'essaye de découvrir ce qui est arrivé à Margot et à Anne. " Il était accablé de ne pas les avoir encore retrouvées, mais il s'assit et parla avec maman assez longuement [14]. »

Otto partageait son temps entre la recherche de ses enfants et le travail au 263, Prinsengracht; il avait réintégré son ancienne fonction de directeur général. Le gouvernement néerlandais en exil avait décidé que les ordonnances visant à l'éviction des Juifs des entreprises étaient « réputées n'avoir jamais eu aucune validité [15] ». Pectacon et Gies & C° poursuivirent leurs activités. Mais la société Opekta était touchée par un décret-loi de 1944 relatif aux propriétés de ressortissants de puissances ennemies [16], car Otto était apatride, mais d'origine allemande. Le problème d'Opekta ne sera résolu qu'en 1947. Le seul changement significatif qui intervint dans les bureaux du Prinsengracht en 1945 fut le renvoi de Van Maaren, surpris en train de voler de la pectine, du sel et de la soude dans l'entrepôt.

En juillet 1945, Janny Brilleslijper se rendit à la Croix-Rouge néerlandaise. Sur une liste qu'on lui soumit, elle marqua d'un « x » le nom de ceux qu'elle savait morts. Quelque temps après, un monsieur plein de dignité se présenta à sa porte. Il lui dit qu'il était Otto Frank et qu'il avait vu la liste de la Croix-Rouge. Il lui demanda ensuite de lui raconter ce qu'il était advenu de ses enfants. Sous le choc, Janny eut un geste d'impuissance : « Elles... ne sont plus. » Horrifiée, elle le vit pâlir et s'effondrer sur une chaise. Elle ne pouvait rien faire pour lui.

Otto avait toujours cru que ses enfants survivraient. Une belle journée d'été venait de lui apporter la plus noire des nouvelles. Dans son Mémoire, il écrit : « Encore et encore, de petits groupes de survivants rentraient de divers camps de concentration et je tentais de glaner auprès d'eux quelques renseignements sur Anne et Margot. À la fin, je trouvai deux sœurs qui avaient été avec elles à Bergen-Belsen, et elles m'ont raconté les ultimes souffrances et la mort de mes enfants. Elles avaient été toutes les deux à ce point affaiblies par les privations qu'elles contractèrent le typhus. Mes amis, qui avaient espéré avec moi, pleuraient avec moi [...] [17]. »

Quand Miep apprit la nouvelle, elle pensa, dans sa douleur profonde, au *Journal* d'Anne. « Lorsque nous sûmes, vers le mois de juillet 1945, qu'Anne comme Margot étaient mortes à Bergen-Belsen, j'ai rendu à M. Frank tous les écrits d'Anne que je possédais. Je lui ai donné tout ce que j'avais rangé dans le tiroir de mon bureau [18]. »

C'est dans les locaux du Prinsengracht que Miep donna le *Journal* à Otto. À ce moment-là, il était assis, la tête entre les mains. Il lui jeta un coup d'œil lorsqu'elle posa les papiers sur son bureau avec ces mots : « Voilà l'héritage que votre fille Anne vous a laissé. » Sur le haut de la pile se trouvait l'innocent petit journal à carreaux rouges. Miep quitta la pièce en silence et referma la porte derrière elle.

Otto ouvrit l'album dont les pages n'avaient pas été touchées depuis que les doigts de sa fille les avaient tournées ; quand elle travaillait à son futur *Het Achterhuis*. Sur sa dernière photographie d'école, Anne lui souriait, sûre d'elle, la lèvre supé-

rieure rabaissée sur son nouvel appareil dentaire encombrant :
« Mignonne cette photo, non ? ? ? ? Je vais pouvoir, j'espère, te
confier toutes sortes de choses, comme je n'ai encore pu le
faire à personne, et j'espère que tu me seras d'un grand soutien. [...] Vendredi 12 juin, j'étais déjà réveillée à six heures, et
c'est bien compréhensible, puisque c'était mon anniversaire [19]. »

Après que la nouvelle de la mort de Margot et d'Anne fut
parvenue à la famille, Otto reçut d'émouvantes lettres de
condoléances, tant des Hollander que des Frank. Le 6 août
1945, sa mère envoya un télégramme : « Reçu mauvaises nouvelles, nous pleurons tous nos chéries, amour et pensées, reste
fort et en bonne santé. Baisers, maman – Elias Frank [20]. »
Le 9 août 1945, les Américains lancèrent une seconde
bombe atomique sur Nagasaki. Le gouvernement japonais
capitula le 2 septembre 1945. La guerre était finie.
Dans les cinémas et dans les journaux, partout apparais-
saient des films et des photographies des camps de concentration ; les gens étaient stupéfaits. Certains ne pouvaient croire
ce qu'ils voyaient et d'autres ne pouvaient se résoudre à regarder. Sur les quelque 110 000 Juifs déportés des Pays-Bas durant
la guerre, 5 000 seulement étaient revenus. Peu à peu, on savait
qui avait survécu et qui était mort.
Otto tenta de contacter tous ceux qu'il avait connus avant la
guerre. Il avait surtout envie de retrouver la trace des amis de
ses enfants. Il apprit que les Ledermann avaient été convoqués
au Hollandse Schouwburg le 20 juin 1943. Franz et Ilse, tenant
par la main leurs filles Sanne et Barbara, passèrent devant la
sentinelle allemande en faction au portail. Soudain, Barbara
lâcha la main de sa petite sœur, tourna les talons et dit au soldat
de la laisser sortir. L'homme la prit pour une petite Allemande,
plutôt que pour une Juive allemande, sans doute en raison de
son allure et de sa façon de s'exprimer, et elle quitta le théâtre
sans un mot. Sanne et ses parents furent envoyés à Westerbork
et de là, le 16 novembre, à Auschwitz. Ilse Ledermann écrivit à
son frère, Paul, alors qu'ils étaient dans le train : « Mon très
cher, nous nous mettons maintenant en route pour notre der-

nier voyage avant longtemps [...]. Nous sommes en chemin maintenant, je t'envoie beaucoup d'amour, de vœux, de l'amour et des baisers, Ilse [21]. » Elle jeta le papier par le train, quelqu'un le trouva et le fit suivre. Ils furent gazés dès leur arrivée à Auschwitz.

Lors de son retour de Trobitz, Ilse Goslar avait été admise dans un hôpital de Maastricht. Sa petite sœur, Gabi, avait été prise en charge par une famille amie. Otto fit quatorze heures de train pour aller voir Lies, à Maastricht. Quand elle le vit, elle s'écria : « J'ai vu Anne ! Elle est vivante ! » Il lui dit très gentiment que ce n'était plus vrai. Ils parlèrent un certain temps, et Lies finit par le croire. « Depuis lors, il est devenu mon père, dit-elle. Il s'est occupé de tout [22]. »

Otto retourna voir Eva et sa mère quand elles eurent réintégré leur ancien appartement de Merwedeplein. Fritzi raconte : « Lorsqu'il revint, quelques semaines plus tard, nous avions déjà appris que nos très chers avaient péri dans le camp autrichien de Mauthausen, et lui avait appris qu'Anne et Margot étaient mortes du typhus à Bergen-Belsen. Nous étions tous profondément affectés [23]. » Eva se souvient : « C'était si dur d'être de nouveau à la maison sans la famille. J'avais seize ans, et je n'avais pas envie de retourner à l'école, mais Otto a dit : « Tu dois retourner à l'école, c'est la seule chose que nous puissions désormais te donner dans la vie, une bonne éducation. » Ainsi j'y suis retournée. Mais je ne pouvais me lier avec personne. Il y avait cette terrible chose : ceux d'entre nous qui étaient revenus, moi et tous les autres que j'ai rencontrés, nous avions un profond besoin de parler de ce que nous avions vécu, nous avions désespérément besoin d'en parler, mais personne ne voulait entendre. C'était une telle tragédie. Je l'ai surmontée, mais je connais beaucoup de gens qui n'y sont pas parvenus. C'était très difficile, et c'est resté difficile très, très longtemps. Des années. La plupart de nos voisins de Merwedeplein n'étaient pas revenus. C'était le vide. Otto fit de son mieux pour m'aider à surmonter l'amertume que je ressentais [24]. »

Le 11 août, Otto écrivit à sa famille en Suisse. Sa lettre parle essentiellement de retrouvailles avec de vieux amis. Il assure à sa mère qu'il « [...] ne se laisse pas aller. Au contraire, j'essaie de me rendre utile, au lieu de rester assis à songer [25] ». Le 19 août, il écrivit de nouveau à sa mère, pour partager le souvenir d'Anne avec elle :

« [...] J'ai reçu tant de courrier de tout le monde, et je ne peux pas toujours répondre immédiatement. Mais je veille à ne pas me laisser trop troubler par tout cela, et je cherche plutôt à rester toujours occupé à quelque chose. J'y arrive habituellement – mais parfois la détresse revient. J'ai déjà écrit qu'il fallait que je travaille, au bureau. [...]. Il faut que j'écrive encore une fois à Buddy. Il ignore qu'Anne a parlé de lui si souvent, et combien elle aspirait à venir vous voir et à discuter avec lui des choses les plus diverses. Les photographies de patinage sont toujours là. Elle s'intéressait très vivement aux progrès qu'il faisait, en partie parce qu'elle aimait tant patiner, mais aussi parce qu'elle rêvait d'aller patiner avec lui. Peu de temps avant que nous ayons disparu, elle avait reçu les patins d'Unstel, son dernier souhait. Le style de Buddy me rappelle aussi la façon d'écrire d'Anne, c'est stupéfiant. Stephan a un style différent [...]. Je lisais des poèmes de Goethe et de Schiller avec Anne, mais aussi *La Pucelle d'Orléans*, *Nathan le sage*, *Le Marchand de Venise*, etc. Elle aimait particulièrement lire des biographies, par exemple celle de Rembrandt, de Rubens, de Marie-Thérèse, de Marie-Antoinette, des rois Charles Ier et Charles II, et de tous les maîtres hollandais ; et aussi *Autant en emporte le vent* et beaucoup de bons romans. Edith et Margot aussi étaient de bonnes lectrices. À part toi, je n'écris pratiquement rien à personne concernant Edith et les enfants [...] [26]. »

Otto évoqua sa famille disparue dans une lettre adressée à Julius et à Walter, à New York. Cette lettre fait état de quelques-unes des difficultés pratiques auxquelles il était confronté dans la vie quotidienne :

« Chers Julius et Walter, de quelles nouvelles pourrais-je vous entretenir si ce n'est de la disparition de mes bien-aimées ? Tout paraît sans importance, dénué de sens. Mais la vie continue et j'essaye de ne pas trop penser et de ne pas nourrir trop de ressentiment. Nous devons tous assumer notre destin. Je peux imaginer vos sentiments, comme vous pouvez imaginer les miens, mais nous ne devons pas continuer sur ce sujet. J'espère avoir bientôt de vos nouvelles, de la vie que vous menez et des gens avec qui vous êtes. Ici, je suis entouré des gens qui étaient avec nous quotidiennement lorsque nous nous cachions, qui risquaient tout pour nous, au mépris de tous les dangers et des menaces des Allemands. Combien de fois Edith et moi-même n'avons-nous pas demandé aux filles de ne jamais oublier ces gens, et de les aider au cas où *nous* ne reviendrions pas. Nous savions que nous leur devions tout ce que nous avions et, avant d'être découverts, nous étions sûrs de nous en sortir sains et saufs. Maintenant, je suis seul, mais je ne veux pas me plaindre [...]. Tout est difficile à trouver ici, et de mauvaise qualité. Robert a envoyé un costume (pas encore arrivé), mais vous pouvez en faire autant, ce serait très gentil, car je n'ai pas grand-chose à me mettre. J'ai reçu des sous-vêtements de Londres. Bien sûr, j'aimerais être utile ici aux miens qui n'ont pas de relations, ainsi si vous pouvez trouver quelques vêtements de femme et des bas, envoyez-les. Les cigarettes et le tabac sont bienvenus aussi. Nous ne recevons pas de nourriture, en dehors des conserves de « viande avec des légumes », et très peu de beurre. On n'a toujours que des ersatz de thé et de café, on a du lait, mais pas assez, donc s'il y a du lait en poudre, il est bienvenu. Vous voyez, je suis sans vergogne, mais je ne veux pas exagérer et je ne sais pas ce que contiennent les colis que vous avez déjà envoyés [...]. Quel bonheur que vous ayez pu partir à temps ! [...]. J'entretiendrai une correspondance régulière avec vous et j'attends impatiemment de vos nouvelles. J'espère avoir bientôt votre réponse et vous redis toute mon affection, Otto [27]. »

Deux jours plus tard, Otto écrivit de nouveau à sa mère, et dans cette lettre, il mentionne pour la première fois l'existence du *Journal* d'Anne :

« Très chère mère, je viens de recevoir ta lettre du 4. Je sais combien tu te fais de souci, combien tes pensées sont avec moi, et comme tu partages ma propre tristesse. Je ne me laisse pas aller et je tâche de rester aussi occupé que possible. Bien sûr, je n'ai pas de photos des dernières années, mais Miep a sauvé un album et le *Journal* d'Anne, que je n'ai pas eu la force de lire. Il ne reste rien de Margot, excepté ses devoirs de latin, parce que toute notre maison a été pillée : toutes les petites choses dont nous nous servions, toutes les babioles qui appartenaient à Edith et aux enfants ont disparu. Je sais qu'il ne rime à rien d'y penser, mais un homme n'a pas seulement une tête, il a aussi un cœur. »

Malgré ses efforts pour « ne pas trop penser [28] », son optimisme était parfois mis à rude épreuve. L'un de ces incidents fut l'arrivée d'une lettre de Betty-Ann Wagner, en provenance des États-Unis, qui, avec sa sœur Juanita, avait hâte de reprendre leur correspondance avec les sœurs Frank, maintenant que la guerre était finie. Otto écrivit à sa mère : « Il y a quelques jours est arrivée une longue lettre d'Amérique pour Margot et Anne, d'une fille avec laquelle elles n'avaient jamais eu de réel contact. Cette fille voulait reprendre leur correspondance. Je lui ai écrit dans des flots de larmes. De telles choses me bouleversent terriblement. Mais ce n'est pas grave [...] [29]. » Betty-Ann Wagner se souvient de ce qu'elle a éprouvé en recevant la lettre d'Otto : « Il nous racontait comment la famille avait péri durant la guerre. Je me suis assise et j'ai pleuré. J'étais alors enseignante, et lorsque j'ai pris connaissance des détails [de la lettre d'Otto], j'en ait fait lecture à mes élèves pour qu'ils comprennent ce qui était arrivé [30]. »

Ces cas mis à part, Otto voulait convaincre sa mère qu'il ne ruminait pas le passé : « Il faut s'occuper des gens qui sont toujours en vie. Les autres ne peuvent plus être aidés. Tu sais que ce fut toujours ma conviction. Il est si difficile de vivre son destin désormais, mais il le faut [...]. J'espère que Berndt [31] réussira. La voie qu'il a choisie [acteur] est semée d'embûches. Je ne peux pas prononcer son nom sans penser à Anne. Je peux comprendre que Stephan veuille partir. Parle-t-il assez bien l'anglais ? Maintenant, seule la jeune génération compte à mes yeux. J'échange constamment des lettres avec Julius et Walter. Edith se faisait toujours du souci pour les yeux de Julius [...] ; on ne peut pas constamment s'accrocher à la pensée des gens qui sont morts. La vie exige davantage [32]. »

En dépit de ses protestations, les lettres suivantes révèlent un Otto de plus en plus obsédé par le souvenir de sa femme et de ses filles. Stephan tomba gravement malade et fut atteint de septicémie, si bien que, lorsque Otto s'inquiéta de son neveu, il pensa à ses filles perdues. Le 14 septembre, il écrivit :

« Dans mon esprit, je vois toujours Stephan en petit garçon, doux et rêveur [...]. Tu as raison à propos des enfants et de lui. Combien de choses je pourrais te raconter [...] Le jour de l'an [33], j'étais avec Hanneli. Je ne vais pas à la synagogue. Le service libéral n'existe plus, sinon j'y *serais* allé, mais l'orthodoxie ne signifie rien pour moi. Je sais qu'Edith n'était pas aussi étroite d'esprit, elle. Elle n'a jamais demandé ou attendu de moi que je jeûne, et elle comprenait très bien que je n'allais à la synagogue qu'à cause d'elle. Avec elle et les enfants, j'y serais allé, mais tout seul, ça n'a pas de sens et ce ne serait qu'hypocrisie. Je resterai à la maison, car j'ai certains projets dont je t'entretiendrai plus tard [...] [34]. »

Les projets d'Otto concernaient le *Journal* d'Anne. Il avait maintenant commencé à le lire, et il avait du mal à s'en arracher. Le 26 septembre, Otto écrivit à Leni : « J'ai trouvé dans le *Journal* d'Anne la description d'une valse sur la glace qu'elle dansait avec [*Buddy*] dans un rêve. Ce que je lis dans son livre est si incroyablement prenant que je le lis encore et encore. Je ne peux pas te l'expliquer ! Je n'ai pas encore fini ma lecture et je tiens à l'achever avant d'en tirer quelques extraits ou d'en faire des traductions pour toi. Elle raconte sa croissance avec un incroyable sens critique. Même si ce n'était pas elle qui l'avait écrit, cela m'aurait intéressé. Quel grand malheur que cette vie-là se soit éteinte [...] [35]. »

Dans son mémoire, Otto raconte : « J'ai commencé à lire doucement, à peine quelques pages chaque jour, parce que j'étais bouleversé par des souvenirs douloureux. Pour moi, ce fut une révélation. Anne s'y révélait très différente de l'enfant que j'avais perdue. Je n'avais aucune idée de la profondeur de ses pensées et de ses sentiments [...]. Je n'avais jamais imaginé avec quelle intensité Anne avait réfléchi au problème et au sens de la souffrance juive au fil des siècles et la force qu'elle avait tirée de sa croyance en Dieu [...]. Comment aurais-je pu deviner l'importance qu'avait pour elle le marronnier, alors qu'elle ne s'était jamais intéressée à la nature [...]. Elle avait gardé tous ces sentiments pour elle [...]. À l'occasion, elle nous faisait lecture d'épisodes et d'histoires drôles [...], mais jamais elle n'a rien lu qui parlait d'elle-même. Ainsi nous n'avons jamais su à quel point elle avait évolué ; elle avait plus de sens critique envers elle-même que n'importe lequel d'entre nous [...]. J'ai découvert aussi combien sa relation avec Peter avait compté [...]. J'ai été parfois très attristé en voyant avec quelle sévérité Anne traitait sa mère. Toute à sa colère, des suites de tel ou tel conflit, elle épanchait ses sentiments sans retenue. Il m'était pénible de la voir se méprendre si souvent sur les vues de sa mère. Mais j'ai été soulagé de lire, dans les derniers passages, qu'Anne avait compris : ses fréquentes disputes avec sa mère étaient parfois de sa faute. Elle regrettait même ce qu'elle avait écrit. [...]. À travers la description exacte que fait Anne de chaque événement et de chacun, tous les détails de notre cohabitation me reviennent très clairement [36]. »

Le 30 septembre, Otto écrivit à sa mère : « Je viens juste de rentrer de la synagogue où se déroulait une fête pour les enfants. Anne et Margot y allaient toujours ensemble, même lorsqu'elles étaient à Aix-la-Chapelle. Extérieurement, je souriais, mais intérieurement, je pleurais amèrement. Je ne peux pas m'arracher au *Journal* d'Anne. C'est si incroyablement prenant. Quelqu'un a commencé à recopier le « livre de contes » qu'elle a écrit ; je ne voulais pas m'en séparer un instant, et l'on est en train de le traduire en allemand pour toi. Le *Journal,* je ne veux pas le perdre de vue *un seul instant*, parce qu'il contient tant de choses que personne d'autre ne devrait lire. Mais j'en tirerai des extraits [...] [37]. »

Otto tenta de persuader Miep de lire le *Journal*, mais elle commença par refuser ; elle se sentait incapable de supporter cette expérience. Elle se souvient qu'Otto « se mit à taper à la machine certains passages du *Journal* qu'il traduisait en allemand, dans sa chambre. Il y travaillait tous les soirs. Il envoya ces passages à sa mère, à Bâle [38] ». Otto s'était découvert un nouveau but. Il travaillait à partir de l'original et de la version qu'elle avait remaniée dans l'intention de la publier, et il mêlait les deux. Il omit certains passages de moindre intérêt, plus intimes, ceux où elle se montrait en colère notamment, et il ajouta des passages du livre de contes, tapant le tout sur des bouts de papier qu'il coupait et collait ensuite ensemble, jusqu'à ce qu'il fût satisfait du résultat [39]. Il mit à contribution son amie Anneliese Schutz pour traduire les textes d'Anne du hollandais en allemand, car sa mère ne lisait pas le hollandais. Otto envoyait les traductions par liasses en Suisse. Sa famille en était stupéfaite. Buddy se souvient : « Nous étions sans voix. Je ne pouvais y croire. Il y avait tant de sagesse et d'humanité dans ce qu'elle écrivait. Mais je dois dire que, aussi formidable qu'ait été le *Journal* d'Anne, je n'avais aucune idée de ce qu'il en adviendrait. Je veux dire que si quelqu'un était venu me dire : " Ce sera un best-seller mondial ", je lui aurais dit de ne pas être ridicule, ce n'était pas possible ! Je le jugeais merveilleux, mais je ne pouvais pas prévoir comment d'autres réagiraient. J'y retrouvais Anne, parce que je la connaissais, mais je ne m'attendais pas à cette écriture. Cette transformation était véritablement phénoménale [40]. »

Dans son excitation, Otto commença à parler du *Journal* à tout le monde. Eva et Fritzi Geiringer furent parmi les premières à le voir. Eva se souvient : « Un jour, Otto est venu chez nous avec le *Journal*. Il nous raconta que, lorsqu'il était rentré, il n'avait aucune idée que le *Journal* avait été sauvé, parce que c'était Miep qui en avait pris soin. Il nous le montra, puis il nous en lut quelques pages, et il fondit en larmes [41]. » Fritzi raconte : « Il mit très longtemps à le lire, parce que c'était une expérience extrêmement bouleversante pour lui. Lorsqu'il eut fini, il nous dit avoir découvert qu'il ne connaissait pas vraiment sa fille [42]. »

En octobre 1945, Otto avait reçu une lettre de son vieil ami Nathan Straus, maintenant directeur de la station de radio WMCA à New York. Straus avait pris des dispositions pour envoyer 500 dollars à Otto : « J'espère que ceci te sera de quelque secours dans ce qui, en dépit de ton refus d'en parler, doit être une situation financière difficile. Ne t'inquiète pas d'en accuser réception. Oublie tout simplement [43]. » Otto était touché par la générosité de son ami, mais il ne garda pas tout l'argent pour lui ; il aida des enfants qui voulaient rejoindre leur famille à l'étranger ou émigrer en Palestine. Dans sa lettre de remerciements à Straus, il ajouta : « En dehors du travail, je suis très occupé à recopier le *Journal* de ma fille cadette (qui a été conservé par chance) et à lui trouver un éditeur. Je t'en ferai savoir plus par la suite [44]. »

Un jour qu'Otto parlait du *Journal* à Werner Cahn, un réfugié allemand qui avait des contacts dans l'édition, celui-ci demanda s'il pouvait le voir. Otto accepta et lui confia quelques-unes des pages dactylographiées. Cahn montra les extraits à sa femme, et ils demandèrent tous deux à en voir davantage. En fin de compte, ils lurent tout le manuscrit. Otto écrivit à sa mère :

« [...] Vendredi, j'étais chez Jetty Cahn et j'ai commencé à lire certains passages du *Journal* d'Anne, pour connaître l'opinion de Werner. Il a travaillé jadis pour l'éditeur Querido, avec qui Jetty a également collaboré. La grande décision interviendra vendredi prochain, mais j'ai déjà mon sentiment : publication sans le moindre doute – tout simplement une grande chose ! Tu ne peux pas imaginer ce que cela signifie pour moi. Le *journal* serait publié en allemand et en anglais, racontant tout ce qui est arrivé dans nos vies pendant que nous étions dans la clandestinité ; toutes les peurs, les disputes, la nourriture, la politique, la question juive, le temps, les humeurs, les problèmes de croissance, les anniversaires et les souvenirs – en un mot, tout. Frau Schutz, à qui j'ai rendu visite hier, veut traduire un récit intitulé *Blury l'explorateur*, l'histoire d'un héros [...]. Anne était toujours si excitée à propos de tout [...] [45]. »

Werner Cahn pensa d'abord à Alice von Eugen-Nahys, de chez Querido, mais elle refusa. Il essaya ensuite un éditeur allemand à Amsterdam, mais lui aussi retourna le *Journal*. Cahn décida d'attendre que le manuscrit soit « toiletté » avant de prendre de nouveaux contacts. Otto apporta le texte dactylographié du *Journal* à son ami Ab Cauvern, qui travaillait comme adaptateur à la Vereniging van Arbeiders Radio Amateurs, à Laren. Otto lui demanda de « contrôler les fautes grammaticales et d'éliminer les germanismes, c'est-à-dire de modifier les expressions que [sa] fille avait calquées sur l'allemand mais qui n'étaient pas du bon néerlandais [46] ». Cauvern se souvient du travail : « J'ai lu la totalité du texte et je n'ai corrigé que les coquilles (dans la marge). Pour finir, j'ai ajouté une postface. Je devais donc savoir dès ce moment-là qu'Otto Frank avait l'intention de le publier. Après cela, Otto Frank l'a emporté et j'ignore ce qu'il en a fait. Mon rôle s'est arrêté là [47]. » En fait, diverses modifications – ponctuation et améliorations grammaticales, formulations et suppressions – furent apportées au manuscrit après l'intervention de Cauvern, mais aucune addition. Certaines sont d'une autre main, pas encore identifiée à ce jour ; Miep et Jan Gies pensaient à Kleiman, qui fut de plus en plus proche d'Otto après la guerre [48]. L'épilogue de Cauvern pour le journal d'Anne s'achevait par ces simples mots :

« Ici s'achève le journal d'Anne.

Le 4 août la police allemande fit une descente dans l'Annexe...

En mars 1945, Anne Frank mourut dans le camp de concentration de Bergen-Belsen, deux mois avant la libération de notre pays [49]. »

Dans une lettre à sa mère du 12 décembre 1945, Otto évoque le travail réalisé sur la transcription du manuscrit, de même que les traductions en cours des *Contes* d'Anne :

« [...] Frau Schutz t'enverra sans aucun doute une traduction du poème d'Anne, " Le rêve d'Eva ", celui qu'elle m'a offert l'année dernière pour mon anniversaire [...]. Demain, je vais à Laren et j'emporte le *Journal* d'Anne pour des corrections et des remaniements. J'en suis là, et j'aimerais que ce soit fini, que je puisse le montrer à des éditeurs. Tu trouveras ci-joint une brève lettre qu'Anne avait écrite à sa grand-mère. Elle a parlé de toi aussi, même si ce n'est qu'au passage, de ta peau douce et ridée, convaincue de l'avoir touchée. Elle a noté aussi qu'elle avait reçu ta lettre le jour même de son anniversaire en 1942. Je ne m'en arrache qu'à grand-peine – et je n'en ai aucune envie d'ailleurs [...] [50]. »

La mise en forme du texte achevée, Isa Cauvern reprit auprès d'Otto son ancien rôle de secrétaire et le dactylographia. Otto le montra à la famille et à des amis, les sondant quant à une éventuelle publication du *Journal*. Bien qu'il fût impatient de le voir imprimé, il avait quelques réserves. Les réactions de certains amis furent mitigées. Parmi ceux qu'Otto consulta, il y avait le professeur de physique du lycée juif où Margot avait étudié. Il se souvient : « Fin 1945, Otto Frank nous emmena à l'Annexe du Prinsengracht et nous montra l'emplacement où les papiers du *Journal* d'Anne avaient été trouvés par les gens qui les avaient aidés à se cacher. Nous n'avons pas vu les journaux, nous n'avons pas non plus demandé à les lire. Nous savions qu'Otto Frank voulait publier le *Journal*, mais je ne sais pas quels étaient ses contacts, qui l'a aidé ou conseillé. Dans les années 1960, le rabbin Soetendorp m'a raconté qu'Otto Frank lui avait fait lire le *Journal* pour avoir son avis. Soetendorp avait dit qu'il n'y avait pas de sens à le publier, parce que personne ne s'y intéresserait [51]. »

Lies Goslar avait déjà quitté les Pays-Bas pour la Suisse, de sorte qu'Otto ne put en discuter avec elle. L'autre bonne amie d'Anne, Jacqueline Van Maarsen, habitait toujours dans le Quartier de la rivière, et elle se souvient de la visite d'Otto apportant le *Journal* : « Un jour, il est venu avec, mais davantage pour le montrer à ma mère, je crois. Je ne l'ai pas lu à ce moment-là, j'y ai seulement jeté un coup d'œil. Et peut-être ne voulait-il pas que je le lise, je ne sais pas. De toute façon, je sentais que je ne devais pas le lire, parce que c'était Anne qui l'avait écrit et que du temps où je l'ai connue il n'était pas question pour elle de le donner à lire. À cette époque, il n'avait aucunement l'intention de le publier. Lorsqu'il déclara plus tard qu'il y pensait, je me suis dit : " Quelle folie ! qui voudrait lire un livre écrit par une si jeune enfant [52] " ? »

Otto avait donné la nouvelle dactylographie à Werner Cahn, qui voulait se faire une deuxième opinion par lui-même. Cahn travaillait à l'encyclopédie *ENSIE*, dont le rédacteur était le Dr Jan Romein, un historien renommé. Cahn se souvient : « J'ai apporté le texte à Annie Romein-Verschoor [l'épouse de Jan Romein], dont l'opinion comptait beaucoup pour moi. Ce soir-là, Jan Romein vit le texte par hasard. Il le lut d'une traite et rédigea immédiatement son article qui parut le lendemain, 3 avril 1946, dans *Het Parool* [53], sous le titre *Une voix d'enfant* ; en voici un extrait :

« [...] Quand je l'eus fini, la nuit était tombée et j'étais stupéfait de constater que l'électricité fonctionnait, qu'il y avait encore du pain et du thé, que je n'entendais pas le vrombissement d'avions dans le ciel ni le martèlement des bottes dans la rue, tant sa lecture m'avait captivé et ramené à ce monde irréel que nous avons quitté depuis près d'un an déjà.

[...] Ce journal apparemment anodin d'une enfant, ce *De Profundis* balbutié d'une voix enfantine incarne toute l'horreur du fascisme, plus que tous les actes réunis du procès de Nuremberg. [...]

À moins que tous les signes ne nous trompent, cette petite fille serait devenue un écrivain de talent si elle était restée en vie. Venue d'Allemagne à l'âge de quatre ans, elle écrivait dix ans plus tard un néerlandais d'une pureté et d'une sobriété enviables et faisait preuve d'un sens des faiblesses de la nature humaine, y compris de la sienne, si infaillible qu'il surprendrait chez un adulte, a fortiori chez un enfant. Mais elle montrait également les possibilités infinies de cette même nature humaine, possibilités offertes par l'humour, la compassion et l'amour, ce dont on doit peut-être s'étonner encore plus et qui pourrait même inspirer un mouvement de recul comme tout ce qui est très exceptionnel si, chez elle, rejet et acceptation n'étaient demeurés si profondément ceux d'une enfant [54]. » »

Un certain nombre d'éditeurs avaient été approchés avant que cet article ne paraisse, dont Querido, une seconde fois, mais aucun ne voulut du livre. Aussitôt après, des éditeurs commencèrent à le contacter. Romein les renvoya à Werner Cahn. L'enthousiasme de Fred Batten, un conseiller éditorial de la maison Contact d'Amsterdam, incita Cahn à lui communiquer le manuscrit. Contact voulait publier le *Journal*, mais à la condition que soient apportés un certain nombre de changements. Ceux-ci concernaient principalement des passages portant sur la sexualité et de petites corrections stylistiques ; en tout, 25 passages furent supprimés à la demande de G. P. de Neve, le P.-D.G. de Contact. En juin 1946, cinq fragments du journal furent publiés dans la revue de gauche de Jan Romein, *De Nieuwe Stem.*

Otto avait encore des inquiétudes quant à la publication du

Journal de sa fille. Le rabbin de la communauté juive libérale y était opposé et le lui dit : « Otto Frank était ce que j'appelle un homme bon, mais il était aussi faible et sentimental. La première fois qu'il me parla du *Journal* de sa fille Anne, le manuscrit était déjà chez l'éditeur, Contact. Il ne venait pas me voir pour que je le conseille, mais plutôt pour se décharger d'un poids émotionnel qui l'accablait toujours quand il s'agissait du *Journal*. Il m'a parlé de la relation entre Peter et sa fille [...]. Je n'ai pas lu *Het Achterhuis* avant qu'il ne soit dans les librairies. Il ne m'a jamais parlé non plus du tapage commercial qui a suivi, et je n'ai jamais apprécié la *Maison d'Anne Frank*. Pas plus que tous les Juifs des Pays-Bas qui se donnent la peine de réfléchir [55]. » La femme du rabbin était du même avis : « Frank est arrivé un matin pour consulter mon mari à propos du *Journal* [...], il était passablement excité. Il disait qu'il allait le publier. Je lui ai alors demandé comment il pouvait faire ça. Je ne comprenais pas (et je ne comprends toujours pas) comment il avait pu recopier les pensées de sa fille adolescente pour les livrer au monde entier. J'étais contre cette publication, et Anne elle-même aurait été contre. Nous devons laisser les morts reposer en paix. Voilà quel était mon avis concernant les projets de Frank. Je ne me souviens plus comment il y a réagi [56]. »

Otto se décida finalement à le publier, parce qu'il était convaincu que *c'était* ce qu'Anne aurait voulu. Eva se souvient : « Quand l'article a paru dans le journal, où le professeur disait que c'était un document important qui ne devrait pas être soustrait au public, Otto s'est dit : " Je le publierai. " Il fallait tenir compte des déclarations d'Anne à ce sujet, au fait qu'elle avait écrit : " Je veux continuer à vivre, même après ma mort [57]. " Mais c'était difficile, parce que c'était un document tellement personnel. Otto supprima quelques-uns des passages les plus désagréables sur sa mère, et ses pensées les plus intimes. Je pense qu'il était bon de procéder de la sorte, bon à ce moment-là [58]. »

Dans son Mémoire, Otto explique lui-même comment il est parvenu à cette décision : « Anne aurait tant aimé voir quelque chose publié [...]. Après avoir tout lu, j'ai ressenti le besoin de parler du *Journal* d'Anne avec des amis proches, par-dessus tout avec nos protecteurs [...]. L'opinion de mes amis était que je n'avais aucun droit de considérer ceci comme un héritage privé, car c'était un document d'une grande richesse sur l'humanité. Au départ, j'étais très réticent, puis, peu à peu, je compris qu'ils avaient raison. Un matin, j'ai lu dans le journal un article à la une dont le titre était *Une voix d'enfant* [...]. Puis un éditeur m'a contacté, et c'est ainsi que la première édition du *Journal* a été publiée en 1947. Anne aurait été si fière [59]. »

Le vendredi 25 juin 1945, Otto Frank écrivit dans son agenda : « LIVRE » [60].

Le livre en question fut tiré à 1 500 exemplaires, avec une préface d'Annie Romein-Verschoor, et un extrait de *Une voix d'enfant* en quatrième de couverture. Son titre était *Het Achterhuis. Dagboekbrieven van 14 Juni 1942–1 Augustus 1944.* L'auteur était Anne Frank. C'était son titre. C'était son livre.

10.

« [...] Rien n'est pire que d'être découvert. [...] »
Journaux d'Anne Frank, 25 mai 1944 (a).

Qui a tué Anne Frank ? était le titre provocateur d'une émission télévisée de la chaîne CBS diffusée le 13 décembre 1963. Otto Frank, Simon Wiesenthal et le Dr Louis de Jong, de l'Institut national néerlandais pour la documentation de guerre furent interviewés pour l'émission, qui fut louée par la critique, mais qui ne répondit pas à la question centrale : qui a trahi les huit personnes cachées au Prinsengracht ?

Dans son livre, *Ashes in the Wind*, Jacob Presser montre à quel point, pendant la Seconde Guerre mondiale, les fugitifs étaient à la merci d'une dénonciation : « Il est évident que des milliers de Juifs ont perdu la vie à cause d'une dénonciation, anonyme ou non, parfois même de leurs protecteurs. [...] La gazette de la police, *Algemeen Politieblad*, ne cessait de publier des listes de Juifs recherchés qu'envoyaient des bourgmestres en appelant à leur capture. Une fois, les Allemands ont même publié un appel aux Juifs qui se cachaient : ceux qui se rendraient seraient pardonnés. [...] Tous ceux qui se sont livrés furent déportés [1]. »

Il y avait deux catégories d'informateurs : les professionnels et les amateurs. Les premiers étaient assez fins pour réaliser qu'on pouvait tirer davantage des Juifs qui se cachaient en les faisant chanter qu'en les livrant immédiatement; les rançons pouvaient augmenter avec le temps. La plus ignoble, dans cette première catégorie, fut la Colonne Heinneicke, dont les activités « entraînèrent la mort de centaines de Juifs. Ces hommes étaient payés à la dénonciation et le prix du sang était passé, en peu de temps, de 7,5 à 37,5 florins par Juif dénoncé [2] ». La Colonne Heinneicke utilisait de l'argent juif pour récompenser les délateurs. Le groupe des amateurs est plus difficile à définir : leurs motivations n'étaient que rarement d'ordre financier, dans la mesure où ils ne faisaient pas assez de dénonciations pour en profiter. Ce qui les animait semblait être d'ordre essentiellement instinctif : les effets de l'antisémitisme, l'antipathie personnelle, la malveillance ou l'adhésion à la doctrine nazie. Les Pays-Bas « regorgeaient de collaborateurs nazis. Alors que beaucoup de Hollandais ont essayé de secourir des Juifs, 11 % seulement de la population juive a été sauvée. Les dénonciations étaient monnaie courante [3] ». 8 000 à 9 000 des 25 000 Juifs entrés dans la clandestinité furent arrêtés. Les rafles organisées par les nazis, les erreurs des fugitifs eux-mêmes, et les bévues de la part des protecteurs en furent autant de facteurs. Quels sont les facteurs qui furent responsables de la descente à l'Annexe?

Kleiman fut le premier à porter l'affaire devant la justice. Peu après la Libération, il se rendit au POD (Service de recherche sur les délits politiques) avec une déclaration écrite qui insinuait très clairement que le traître était Willem Gerard Van Maaren, le magasinier. Kleiman rappelait tous les vols commis par Van Maaren et déclarait : « Lorsque je lui demandai s'il avait su que des gens se cachaient chez [nous], il répondit seulement qu'il s'en était douté. Par contre, le personnel d'une entreprise voisine lui avait une fois affirmé quelque chose de ce genre [4]. »

Les huit personnes cachées avaient souvent évoqué le danger que Van Maaren ne se transforme en informateur. Lorsqu'il avait été engagé pour remplacer le père de Bep, durant l'été 1943, personne ne s'était méfié. Mais Anne avait déjà écrit dans son *Journal*, à propos d'un autre employé : « Nous allons avoir un nouveau magasinier, l'ancien doit partir en Allemagne, c'est triste mais cela nous arrange car le nouveau ne connaîtra pas la maison. Nous avons toujours peur des magasiniers [5]. » C'est Kugler qui recruta Van Maaren ; on imagine difficilement qu'il ait connu la série de ratages financiers de Van Maaren, et la mauvaise réputation qu'il avait, surtout quand il s'agissait d'argent. Il avait une expérience antérieure de magasinier à l'association *Charité selon les moyens*. Ce que Van Maaren s'était gardé de dire à Kugler, c'est que là aussi il avait été pris pour vol par ses employeurs.

Les problèmes commencèrent peu après son arrivée à l'entrepôt. De petites quantités de sucre, d'épices et de fécule de pomme de terre disparurent, et lorsque Van Maaren commença à poser des questions, Kugler et Kleiman se demandèrent s'il avait percé leur secret. Une fois, Kugler le surprit à gratter la peinture bleue qui recouvrait les fenêtres donnant sur l'Annexe et murmurant : « Ça alors, je ne suis jamais allé là-bas. » Lorsqu'il trouva le portefeuille de Van Pels dans l'entrepôt [6] (Van Pels l'avait oublié la veille au soir), il posa des questions à Kugler et lui demanda : « Il y avait aussi un certain M. Frank qui travaillait ici avant ? » Plus inquiétant encore : il disposait des pièges dans l'entrepôt le soir avant de rentrer chez lui : des crayons placés tout au bout d'une table que le moindre mouvement suffisait à déplacer, et de la farine sur le sol pour mettre en évidence des empreintes de chaussures. Lorsqu'on l'interrogea sur son comportement, il déclara très raisonnablement qu'il cherchait à attraper le véritable voleur pour échapper aux accusations qui pesaient sur lui [7]. Il fit de son mieux pour impliquer Bep Voskuijl et son père dans les vols. Quoi qu'il en soit, Kleiman et Kugler recrutèrent un certain J. J. de Kok, pour aider Van Maaren et son assistant, Hartog, dans l'entrepôt, et après la guerre, de Kok reconnut avoir vendu au marché noir le fruit des vols de Van Maaren au Prinsengracht. Aussi bien de Kok que Hartog avaient cessé de travailler à l'entrepôt avant la fin de 1944.

Les occupants de l'Annexe en vinrent très rapidement à se méfier de Van Maaren. L'ampleur du malaise et la rapidité avec laquelle il s'installa apparaissent dans un passage du *Journal* d'Anne en date du 16 septembre 1943 (six mois exactement après que Van Maaren eut commencé à travailler) : « Van Maaren, le magasinier, nourrit des soupçons à propos de l'Annexe. Quelqu'un qui a un minimum de cervelle doit bien se rendre compte de quelque chose, quand Miep dit qu'elle va au laboratoire, Bep aux archives, Kleiman qu'il part à la réserve de produits Opekta, et que Kugler affirme que l'Annexe ne fait pas partie de notre immeuble mais de celui du voisin. Nous resterions totalement indifférents aux opinions de Van Maaren sur la question s'il n'avait pas la réputation d'être un individu peu fiable et s'il n'était pas curieux au point qu'il est impossible de lui raconter des histoires [8]. » Un passage ultérieur montre à quel point sa présence les perturbait : « Samedi s'est déroulé un drame tel qu'on n'en a encore jamais vu ici. Cela a commencé par Van Maaren [...] [9]. » Sa conduite fut à l'origine de nouvelles mesures de sécurité, concernant par exemple le moment où l'on pouvait ou non actionner la chasse d'eau : « Van Maaren ne doit pas nous entendre [10]. » Le 21 avril 1944, Anne écrivit : « Ici nous passons d'un tracas à l'autre, à peine avons-nous bien renforcé les portes d'entrée [11] que Van Maaren recommence à se manifester. Selon toute vraisemblance, il a volé de la fécule de pomme de terre et veut maintenant rejeter la faute sur Bep. [...] Peut-être que Kugler va faire surveiller ce sujet dévoyé [12]. » Ce passage soulève une question : Anne y parle de Van Maaren comme d'un « dévoyé », mais comment en est-elle venue à cette conclusion ? Propos rapportés, pure dramatisation de sa part ou chose vue ? Si nous retournons au *Journal* d'Anne, nous trouvons ce passage du 25 avril 1944 : « Entre-temps il s'est produit une chose très ennuyeuse, qui n'est pas encore résolue. Van Maaren veut rejeter sur Bep la faute de nombreux vols constatés et répand sur elle les mensonges les plus grossiers. Beaucoup de fécule de pomme de terre a disparu et, malheureusement, notre caisse privée a été presque complètement pillée. Selon toute vraisemblance, Van Maaren a aussi des soupçons à notre sujet ; [...] Bep ne part plus non plus la dernière ; c'est Kugler qui ferme. Avec Kleiman, qui est venu ici entre-temps, Kugler et les deux messieurs, on a examiné tous les moyens possibles d'éloigner ce type. Ceux du bureau trouvent la chose trop risquée. Mais la situation actuelle ne l'est-elle pas encore beaucoup plus [13] ? »

Peut-être l'était-elle, car le 4 août 1944, la Gestapo arriva au Prinsengracht. Après l'arrestation de tous les occupants de l'Annexe, de Kugler et de Kleiman, il ne restait que Miep dans les bureaux cet après-midi-là, tandis que Van Maaren continuait son travail à l'entrepôt. On lui avait confié les clefs sur l'ordre de Silberbauer, mais on est en droit de se demander si c'est suffisant pour affirmer qu'il était le traître. Après tout, Silberbauer savait que Miep était proche de ceux de l'Annexe, et il n'y avait personne d'autre à qui il aurait pu confier les clefs. Elle déclara par la suite que Van Maaren avait prétendu être « en bons termes avec le SD [14] », mais il nia ces allégations. Lorsque Kleiman revint travailler dans l'hiver 1944, Van Maaren perdit sa position d'« administrateur ». Les vols augmentèrent et, un jour, des marchandises furent volées dans une remise dont on avait caché l'existence à Van Maaren. Son appartement fut fouillé, mais sans succès, et ce n'est qu'après la Libération que Kleiman parvint à le renvoyer, l'ayant surpris en flagrant délit.

On dit souvent qu'Otto ne tenait pas vraiment à ce qu'on découvre le traître, mais ce n'est pas tout à fait exact. Il avait surtout peur qu'on accuse un innocent. Après qu'il eut appris la mort de ses filles, Otto se rendit au POD avec ses protecteurs. Le 11 novembre 1945, il écrivit à sa mère en Suisse :
« [...] Je veux te parler de quelque chose de très grave [...]. Je suis allé voir les services de police. Nous avons fait tout ce que nous avons pu pour leur faire dire qui nous avait trahis. Il semble maintenant possible de mettre les choses en route, ainsi nous sommes-nous tous rendus hier à la police pour étudier des photographies, pour voir si nous parviendrions à reconnaître ceux qui nous ont arrêtés. Les photos étaient stupéfiantes : nous avons pu identifier deux des hommes. Ils sont toujours en prison et une confrontation va avoir lieu. Comme tu peux l'imaginer, tout cela est très pénible. Ce sont eux – les meurtriers – qui sont responsables de la mort d'Edith et de mes enfants. Mais il importe de rester calme, de manière à amener les gens à parler et à en découvrir davantage. Si seulement ça pouvait marcher ; mais très souvent ces gens eux-mêmes ne

savent pas qui étaient les mouchards, ils faisaient simplement ce que leurs supérieurs au-dessus de tout soupçon leur disaient de faire[...] [15]. »

L'identification à partir des photographies n'aboutit à rien ; les deux hommes nièrent toute connaissance de la rafle. L'affaire ne fut reprise qu'en mai ou juin 1947, lorsque Otto téléphona au Département d'enquête sur les délits politiques, le PRA (*Politieke Recherche Afdeling*). Kleiman renvoya une copie de sa lettre de 1945 en se référant à la visite de M. Frank à cet organisme. En janvier 1948, le PRA entendit Kleiman, Kugler et Miep.

Kleiman leur dit que, le 4 août 1944, l'officier du SD et ses hommes avaient semblé « être parfaitement au courant de la situation, car ils se sont aussitôt rendus à la cachette et ont arrêté les huit personnes présentes [16] ». Il leur parla aussi d'un incident qui s'était déroulé en juillet 1944. La femme de l'assistant de Van Maaren à l'entrepôt, Hartog, avait demandé à la femme de l'un des employés du frère de Kleiman, Genot, s'il était vrai que des Juifs se cachaient au 263, Prinsengracht. Mme Genot avait simplement répondu qu'il fallait faire attention avant de répandre de tels propos. Elle raconta la conversation au frère de Kleiman, qui la rapporta à ce dernier. Il ne pouvait rien faire, sinon espérer que la rumeur se tarisse, mais il savait maintenant que le personnel de l'entrepôt avait vu, ou deviné, le secret de l'Annexe.

Le 2 février 1948, Van Maaren lui-même se rendit au PRA pour protester par écrit de son innocence. Il disait avoir occupé « une position d'homme de confiance au sein de l'entreprise » et n'avoir jamais été mêlé aux vols commis à l'entrepôt. Il déclarait aussi s'être rendu par deux fois à l'Euterpestraat sur les instructions de Miep, une fois pour obtenir la formule chimique d'un produit de conservation, qu'il était effectivement parvenu à obtenir de Kleiman. C'était manifestement un mensonge : Kugler et Kleiman avaient déjà été transférés dans une autre prison. Van Maaren prétendait n'avoir rien su de l'Annexe : en voyant l'accès secret, il avait été « estomaqué par cette ingénieuse trouvaille [...] ; les policiers du SD n'auraient jamais pu trouver la porte secrète s'il n'y avait pas eu de dénonciateur à l'intérieur de l'immeuble. [...] On m'a dit qu'à leur arrivée, les policiers du SD s'étaient rendus directement en haut, s'étaient dirigés vers la bibliothèque et avaient ouvert la porte [17]. » On ne lui demanda aucune précision supplémentaire.

Le 10 mars 1948, les Genot furent entendus à leur domicile, à Anvers. Interrogés sur la déclaration de Kleiman concernant la conversation entre Mme Hartog et Mme Genot, ils confirmèrent les faits. Genot avait débarrassé l'Annexe avant qu'elle ne reçoive ses clandestins. En 1942, il avait compris que Kleiman cachait des Juifs parce qu'il avait été frappé par les quantités de nourriture livrées au bureau. À ses yeux, « Van Maaren était un drôle de personnage et [il] ne savait pas sur quel pied danser avec lui [18] », mais il estimait peu probable qu'il les eût dénoncés. Dix jours plus tard, la police rendit également visite à Hartog, qui déclara avoir lui aussi remarqué les livraisons de nourriture sans jamais rien soupçonner avant que « [...] Van Maaren [...] me raconte, environ deux semaines avant l'arrestation, que des Juifs se cachaient dans l'immeuble ». En ce qui concerne l'arrestation, Hartog déclara : « J'avais été frappé de ce que les policiers venus faire la rafle n'avaient pas eu à chercher les Juifs clandestins, ils étaient pour ainsi dire parfaitement au courant de la situation [19]. »

Le 31 mars, Van Maaren fut interrogé. Il admit que, avant l'arrestation, il avait commencé « [...] à se douter qu'il se passait quelque chose d'anormal dans l'immeuble, sans pour autant encore penser à des Juifs clandestins ». Ses soupçons, comme ceux de Genot et de Hartog, avaient été éveillés par les grandes quantités de nourriture livrées. Il déclara que ses « pièges » étaient destinés à démasquer le voleur du bureau et qu'ils avaient été placés avec l'accord de Kugler. Il poursuivit : « Il n'est pas vrai que j'aie parlé quelquefois avec du personnel de la firme Keg [20] [...] de la présence de Juifs clandestins chez nous. Par contre, j'en ai parlé après l'arrestation des Juifs. [...] Après l'arrestation, Mme Gies m'a effectivement donné les clés, mais je ne sais pas si elle l'a fait sur les instructions des policiers du SD. » Il niait « catégoriquement » être le traître [21].

Le PRA compila le rapport le lendemain et conclut que le

dossier devait être classé[22]. Le 22 mai, le procureur décida qu'aucune poursuite ne serait engagée, mais, en novembre de la même année, le dossier fut rouvert, peut-être parce que Van Maaren estimait n'avoir pas été lavé de tout soupçon. Il bénéficia d'un non-lieu assorti de conditions : il fut soumis à une période probatoire de trois ans et perdit ses droits civiques. Il fit de nouveau appel, et cette fois, il gagna. Le 8 août 1949, il passa devant le juge et maintint qu'il était innocent. Cinq jours plus tard, il était mis hors de cause et réintégré dans ses droits.

Les choses auraient pu en rester là, n'était la résonance que le nom « Anne Frank » allait éveiller au début des années 1960. Anne était maintenant connue de milliers de personnes : une pièce de théâtre et un film avaient tous deux rencontré le succès en s'inspirant du *Journal*, qui était devenu un best-seller mondial. Le père d'Anne avait été reçu au Vatican par le pape, qui avait fait l'éloge du *Journal* ; le président John F. Kennedy avait parlé d'elle avec chaleur, des écoles et des villages portaient son nom ; des plaques et des statues avaient été inaugurées en son honneur ; la maison où elle s'était cachée était rapidement devenue l'un des sites les plus visités des Pays-Bas ; et une pousse du marronnier hollandais qu'elle avait observé de sa fenêtre avait même été plantée en Israël, où se dressait déjà une forêt de 10 000 arbres en son honneur.

En 1958, après que des manifestations antisémites eurent perturbé une représentation de la pièce à Vienne, le chasseur de nazis Simon Wiesenthal entendit un jeune homme dire à ses amis qu'il était navré d'avoir raté la manifestation. Lorsque Wiesenthal l'interrogea, l'étudiant parla du *Journal* comme d'une imposture et dit que, selon toute probabilité, Anne Frank n'avait jamais existé. Il apparut vite inutile de discuter avec le jeune homme et ses amis, mais l'un des jeunes mit Wiesenthal au défi de retrouver l'homme qui l'avait arrêtée. Alors, dirent-ils, ils écouteraient peut-être ce que Wiesenthal avait à dire.

Wiesenthal releva le défi, en utilisant comme point de départ un appendice du *Journal*. Il y trouva le nom de l'officier autrichien du SD sous la forme de « Silbernagel ». Ce nom inexact avait été répandu dans le public sur l'insistance d'Otto Frank ; Silberbauer était un nom très courant en Autriche, et Otto ne voulait pas attirer l'attention sur des gens innocents qui partageaient le même patronyme que l'Oberscharführer SS Silberbauer. Wiesenthal consulta l'annuaire du téléphone et établit une liste de huit « Silbernagel », qui avaient tous été membres du parti nazi. Il réalisa rapidement que l'homme qu'il recherchait ne se trouvait pas parmi eux. En 1963, Wiesenthal se rendit aux Pays-Bas pour une interview télévisée. Il visita la maison d'Anne Frank où, se souvient-il, « je posai la main sur les murs que l'adolescente avait touchés, comme pour y puiser de nouvelles forces pour mon enquête [23] ». Lors d'une seconde visite, il parla de ses recherches à deux amis hollandais. L'un d'eux était un ancien officier de police hollandais qui lui donna une photocopie de l'annuaire téléphonique du SD pendant la guerre. Pendant le vol qui le ramenait à Vienne, Wiesenthal ouvrit le livre, qui contenait plus de 300 noms. Il allait s'endormir lorsqu'il fut frappé par un nom figurant sur une page intitulée « IV B 4, Joden » : Silberbauer.

À Vienne, Wiesenthal consulta de nouveau l'annuaire téléphonique. Il savait que la plupart des hommes qui travaillaient pour le « IV B 4 » avaient été recrutés dans la police allemande et autrichienne. Il soupçonnait que Silberbauer appartenait à cette dernière catégorie, et qu'il avait réintégré son poste après la guerre. Il demanda l'aide de son ami, le Dr Josef Wiesinger, fonctionnaire du ministère autrichien de l'Intérieur. Il ne fut pas difficile à Wiesinger de retrouver la trace de Silberbauer, dont le parcours avait été exactement celui que Wiesenthal avait soupçonné. Karl Josef Silberbauer, fils d'un officier de police, était né à Vienne en 1911. Il avait brièvement servi dans l'armée autrichienne, avant de rentrer dans la police en 1935. Bien qu'il n'ait pas été membre du parti nazi, il entra dans la Gestapo en 1939. En novembre 1943, il fut transféré au SD et muté à La Haye, où il travailla pour la fameuse section IV B 4. En avril 1945, il retourna dans sa ville natale et purgea quatorze mois de prison ; il fut réintégré dans la police viennoise en 1954.

Le 15 octobre 1963, Wiesenthal appela Wiesinger, pour

savoir s'il y avait du nouveau sur Silberbauer. Il lui répondit que non. En fait, Silberbauer avait été suspendu de ses fonctions le 4 octobre, le temps que s'achève l'enquête sur ses activités durant la guerre. Son arme et sa carte de police furent confisquées et il se cacha. C'est le 11 novembre que sortit dans la presse l'histoire du « nazi d'Anne Frank », avec la publication d'un article dans le journal communiste *Volksstimme*. On avait donné l'ordre à Silberbauer de ne pas ébruiter sa suspension, mais il avait raconté à un collègue qu'il avait « quelques ennuis à cause de cette Anne Frank [24] », et le collègue, qui était membre du Parti communiste, porta immédiatement l'information à la *Volksstimme*. On avait également invité Wiesinger, le contact de Wiesenthal, à ne rien dire de toute l'affaire ; c'est donc par la presse que Wiesenthal en eut connaissance. Irrité par des journalistes russes affirmant que des combattants de la résistance et des membres de groupes d'autodéfense étaient à l'origine de la suspension de Silberbauer, Wiesenthal accorda un entretien à un journaliste hollandais et expliqua que c'était grâce à lui que Silberbauer avait été découvert. Otto était mécontent de la tournure des événements ; il avait toujours connu la véritable identité de Silberbauer, et il avait estimé que l'officier du SD avait tout simplement exécuté des ordres. Wiesenthal avait « toujours douté du fait que Frank disait vrai [25] », et il ne considérait pas que Silberbauer n'avait fait que son devoir. Au moins avait-il achevé sa tâche : Silberbauer avait été découvert.

Dans le monde entier, les journaux se saisirent de l'affaire. Le 21 novembre, le *New York Herald Tribune* rapportait : « Selon un fonctionnaire du ministère de l'Intérieur, Silberbauer a déclaré que, " pour lui, la famille Frank n'était que l'une des nombreuses familles juives arrêtées par la Gestapo " ; " Nous sommes tous très ennuyés par cette affaire [...]. Vous ne pouvez donc pas nous laisser tranquilles ? " aurait ajouté sa femme [26]. » Le même jour, le *Los Angeles Times* rapportait ces propos de Silberbauer : « Dans la mesure où aucun Juif n'avait le droit de vivre en liberté, il était logique que l'ordre fût donné d'arrêter les Frank [27]. » Le lendemain, des journalistes affirmèrent que Silberbauer avait donné le nom du traître : Van

Maaren. Le *New York Times* écrivit : « L'ancien officier nazi qui a arrêté Anne Frank et sa famille a déclaré que les Frank avaient été dénoncés à la Gestapo par un Hollandais qui travaillait dans leur entreprise d'Amsterdam. » Un peu plus loin, dans la colonne voisine, on pouvait lire : « Les Hollandais à la recherche de l'informateur : les Hollandais ont déclaré aujourd'hui être à la recherche d'un mystérieux " M. Van M. ", le prétendu informateur pro-allemand dont la dénonciation a conduit à l'arrestation d'Anne Frank. Le nom " M. Van M. " est apparu hier à Vienne, alors que les autorités annonçaient la suspension de Karl Silberbauer des forces de police après qu'il eut reconnu avoir conduit l'arrestation[28]. »

Après le 23 novembre, l'affaire fut momentanément oubliée en raison de l'assassinat de John F. Kennedy, mais, dès la fin du mois, elle faisait à nouveau couler beaucoup d'encre. Un journaliste parvint à rencontrer Van Maaren à son domicile, eut un entretien avec lui et publia son adresse. L'article, intitulé « L'arrestation provoque l'ouverture d'une nouvelle enquête sur l'affaire Anne Frank », affirmait : « Willem Van Maaren, 68 ans, se cache de nouveau derrière des portes closes. Il refuse de recevoir des visiteurs [...]. En Hollande, le dossier a été rouvert à la suite de l'arrestation à Vienne de l'inspecteur de police Karl Silberbauer, 52 ans, qui reconnaît avoir arrêté la jeune fille, agissant, dit-il, selon des informations données par Van Maaren. Et les accusations contre Van Maaren ont repris [...]. [Van Maaren] vit aujourd'hui paisiblement avec sa femme. Il a des cheveux blancs, porte des lunettes et affiche un air patient et résigné. Au sujet des accusations récentes, il déclare : " C'est horrible. Ils m'ont déjà fait tant de mal [...] et maintenant ce type à Vienne [...], c'est inimaginable. Qu'il apporte des preuves, des papiers [...]. Rien ne pourrait me faire plus de plaisir que la découverte du véritable traître. " Le procureur hollandais en charge des affaires de guerre, M. G. R. Nube, qui a ordonné la nouvelle enquête, a l'intention d'envoyer cette semaine un inspecteur de police pour interroger Silberbauer à Vienne. Il a déclaré : " L'affaire Frank est très importante, même si ce n'en est qu'une parmi des milliers. Nous voulons vraiment découvrir qui a trahi ces gens. " » Le journal citait aussi Otto : « Lorsque nous avons été arrêtés, Silberbauer était là. Je l'ai vu. Mais Van Maaren n'était pas là, et je n'ai aucune preuve le concernant [29]. »

Les autorités hollandaises avaient effectivement décidé d'ouvrir une nouvelle enquête. Le 26 novembre fut retrouvé J. J. de Kok, qui, en 1943, avait été pendant une brève période l'assistant de Van Maaren. Il fut interrogé : il avait auparavant reconnu avoir vendu au marché noir les marchandises que Van Maaren avait volées à l'entrepôt, mais ajouta, à propos de son ancien collègue : « Je n'ai jamais remarqué que Van Maaren éprouvait un intérêt pour le national-socialisme ou des sympathies pour l'occupant [30]. »

Quatre jours plus tard paraissait dans la presse hollandaise une interview de Silberbauer. Sa mère avait donné son adresse au journaliste Jules Huf en lui disant : « Il sera très content, il a habité aux Pays-Bas lui-même [31]. » Huf s'entretint avec Silberbauer à son domicile viennois et remarqua qu'il « semblait très nerveux, il tremblait de tout son corps et semblait avoir le plus grand mal à cacher sa peur de ce qui pourrait arriver [32] ». La femme de Silberbauer était également présente et elle se plaignait : « Pour l'amour de Dieu, qu'avons-nous à voir avec cette Anne Frank, tout cela est du passé, nous voulons simplement qu'on nous laisse en paix. Quel intérêt y a-t-il à revenir sur tout cela vingt ans après, mon mari ne mérite pas cela [...] ; demain, tout sera dans les journaux. À votre avis, que diront les voisins ? Et les journaux écriront alors que mon mari est accusé d'être un criminel [33]. » Silberbauer n'était pas d'accord : « Personne ne dit que je suis un criminel [...]. Mais qu'est-ce que tout cela cache ? C'est probablement Wiesenthal, ou quelqu'un du ministère qui cherche à passer la pommade aux Juifs. Le 4 octobre 1963, notre monde s'est effondré [...] [34]. » Sa femme expliqua qu'ils avaient des difficultés financières, « [...] et tout cela à cause de cette Anne Frank. Mon mari n'a jamais été au courant de rien [35] ».

À ce moment de l'interview, Silberbauer sortit son exemplaire du *Journal* d'Anne. « Ça s'arrête avant l'arrestation. Je n'ai pas vu le film ni la pièce, je n'ai réalisé que c'était moi qui l'avais arrêtée qu'après avoir lu les journaux. En 1943, j'ai été transféré de la Gestapo de Vienne au SD à Amsterdam. Mon patron là-bas était Willy Lages. Lages me tapait sur les nerfs dès le début [...] [36]. » Sa femme l'interrompit : « Comment peux-tu dire cela, cet homme l'écrira dans son journal. Et ce sera à nouveau les Allemands contre les Allemands [37]. » Silberbauer poursuivit, après lui avoir demandé de se taire : « Aux yeux de [Lages], j'étais l'Autrichien typique, toujours trop mou avec ses hommes. Je vais vous dire une chose, j'aurais de beaucoup préféré rester chez moi à Vienne avec ma femme [38]. »

Silberbauer parla de l'arrestation : « C'était un jour d'août, ensoleillé et chaud. J'allais partir manger quand j'ai reçu un coup de téléphone m'informant qu'il y avait des Juifs cachés dans une maison du Prinsengracht. J'ai réuni huit hommes hollandais du SD [39] qui étaient toujours à traîner là et je me suis rendu au Prinsengracht avec eux. La porte s'est ouverte et j'ai été assailli par cette odeur d'épices qui traîne toujours dans ce genre d'entrepôts. L'un des soldats néerlandais voulut parler au magasinier, mais l'homme lui fit un signe du pouce, comme pour dire : " Ils sont là-haut. " Nous sommes alors montés l'un après l'autre dans l'escalier étroit jusqu'aux bureaux de la société appartenant à M. Frank [40]. » Il décrivit la scène dans l'Annexe : « Ils s'agitaient dans tous les sens et fourraient leurs affaires dans des sacs. Comme il n'y avait pas beaucoup de place, j'ai dû rester dehors dans le couloir. Quand j'ai vu un homme qui ne faisait rien, je lui ai dit : " Allez, on se remue ! " Il est alors venu vers moi et s'est présenté sous le nom de Frank, et il a ajouté qu'il était officier de réserve de l'armée allemande. Je voulus savoir depuis combien de temps ils se cachaient là. " Vingt-cinq mois ", me répondit-il. Lorsque je lui dis que je ne le croyais pas, il prit par la main la jeune fille qui était à côté de lui – ce devait être Anne – et la plaça devant le montant de la porte [41] où de petits traits montraient clairement combien elle avait grandi. Je pus effectivement vérifier qu'elle avait beaucoup grandi depuis le premier trait [42]. » Silberbauer jeta un coup d'œil à la photographie dans le *Journal* d'Anne : « Elle était bien plus jolie que sur cette photo, et plus grande. J'ai dit à Frank ; " Quelle jolie fille vous avez là ! " Sa mère n'était pas particulièrement attrayante [43]. »

Huf lui demanda pourquoi il n'avait pas envoyé Frank, en tant qu'ancien officier de l'armée allemande, à Theresienstadt. « Nous ne savions jamais ce qui arrivait aux Juifs. Je n'ai aucune idée de ce qui a permis à Anne Frank d'écrire dans son *Journal* que les Juifs étaient gazés. Nous n'en avons jamais rien su [...]. À cette époque-là, plus personne ne s'intéressait aux Juifs, tout allait de plus en plus mal pour nous, et si Frank ne s'était pas caché, il ne lui serait rien arrivé. Pour moi, toute l'affaire a été bouclée en une heure. Les huit personnes ont été mises dans un camion et je ne m'en suis plus jamais soucié. Et je ne sais pas ce qui est arrivé après [44]. »

À la fin de l'interview, Silberbauer se tenait sur le pas de la porte avec Huf et déclara : « Regardez cela ! J'ai tout construit de mes propres mains. J'ai mélangé le ciment moi-même, j'ai fait toutes les peintures, et voilà ce qui arrive maintenant ! Je ne sais pas quoi faire. S'il vous plaît, soyez objectif à notre sujet dans ce que vous écrirez, parce que malheureusement je ne peux rien faire tant que l'enquête disciplinaire ne sera pas close. Mais ma moto et le side-car sont là, et si les communistes viennent, je peux toujours atteindre la frontière [45]. »

Le 2 décembre 1963, Otto était entendu par la police judiciaire d'Amsterdam. Il ne put rien ajouter à ses déclarations précédentes, mais dit que lui-même et ses protecteurs « [étaient] de plus en plus persuadés que la dénonciation ne pouvait provenir que de [...] Van Maaren [46] ». Une semaine plus tard, Bep fut à son tour entendue ; elle n'avait rien à ajouter non plus, hormis que « cet homme m'inspirait une peur terrible et je le croyais capable de tout [47] ». Interrogée le 23 décembre, Miep déclara avoir sans doute envoyé Van Maaren au quartier général de la Gestapo, mais uniquement pour que les autorités le croient en charge du 263, Prinsengracht, et ne nomment pas un autre administrateur. Elle ajouta que Van Maaren lui donnait « la très nette impression que, d'une façon ou d'une autre, il avait une certaine influence auprès des Allemands », mais elle était incapable d'« exposer des faits ou des circonstances [...] permettant d'affirmer sans le moindre doute qu'il était l'homme qui a dénoncé la cachette des huit Juifs clandestins au SD [48] ».

L'enquête se poursuivit en 1964. Le chef de la sûreté et du SD à Amsterdam durant la guerre, Willi P. F. Lages (dont Silberbauer avait mentionné le nom dans sa conversation avec Jules Huf), fut interrogé dans la prison de Breda, où il était incarcéré. Policier confirmé, Lages avait été nommé représentant personnel de Wilhelm Harster, le chef de la Gestapo à Amsterdam, et il était responsable de la Zentralstelle. L'une de ses connaissances le décrivit comme un « intellectuel criminel ». Il avait peu de choses intéressantes à déclarer, si ce n'est cette précision : « [...] Vous me demandez s'il est logique qu'après un appel téléphonique révélant la cachette d'un ou plusieurs clandestins, on se soit immédiatement rendu à l'adresse indiquée afin de procéder à l'arrestation. Je dois admettre que cela ne me semble pas logique du tout, à moins que le tuyau n'ait été donné par un indicateur bien connu de nos services [...] et, en plus, un indicateur ayant toujours donné des informations exactes [49]. » Ce qui tendrait à confirmer les protestations d'innocence de Van Maaren, qui n'était certainement pas un informateur bien connu.

En mars, un inspecteur hollandais se rendit à Vienne pour assister à l'interrogatoire de Silberbauer par un officier de police autrichien. Ses déclarations, et sa déposition écrite antérieure, ne diffèrent pas sensiblement du compte rendu des événements du 4 août 1944 qu'il fit à Jules Huf. Cependant, durant l'interrogatoire de mars 1964, il déclara que l'informateur avait dit que huit personnes se cachaient dans l'Annexe. Si cela est vrai, alors l'informateur, quel qu'il soit, connaissait les faits dans les moindres détails. Silberbauer précisa que c'était son chef, Julius Dettman, qui avait décroché le téléphone, puis demandé à Abraham Kaper, le chef du groupe de Néerlandais travaillant pour le IV B 4, d'accompagner Silberbauer au Prinsengracht. Racontant à nouveau l'anecdote du pouce pointé vers le haut, Silberbauer remarqua, très pertinemment, que le geste pouvait aussi bien désigner la direction de la société. Il décrivit le moment où Kugler a découvert l'entrée de l'Annexe, assurant que Kugler l'avait fait librement, même si plus tard Kugler, et c'est compréhensible, devait donner une version légèrement différente des événements. Silberbauer affirma n'avoir aucun souvenir de Miep, que l'histoire de sa visite au quartier général de la Gestapo en faveur de ses amis était une invention pure et simple, et il fut incapable d'identifier Van Maaren sur une photographie qu'on lui présenta.

L'enquête judiciaire sur Silberbauer fut interrompue en juin 1964, faute de preuves, mais la procédure disciplinaire à son encontre suivit son cours. La commission disciplinaire ne retint pas contre lui le fait qu'il eût caché son passé et leva sa suspension. L'affaire passa en appel, mais l'arrêt fut confirmé et, en octobre 1964, Silberbauer travaillait de nouveau pour la police de Vienne.

Van Maaren fut interrogé une fois de plus le 6 octobre. Cet été-là, la presse avait publié deux longs articles l'accusant d'être le traître ; l'un contenait une photographie en pleine page le montrant sur le pas de sa porte [50]. Durant son interrogatoire, Van Maaren nia toutes les charges pesant contre lui. Il reconnut avoir volé, mais uniquement de petites quantités. Il déclara qu'il ne savait pas qu'il y avait des Juifs cachés dans l'immeuble où il travaillait, bien qu'il ait vu l'Annexe une fois lorsque Kugler et lui étaient allés sur le toit pour réparer une fuite. Il avait remarqué qu'il régnait « dans l'immeuble, avant les arrestations, une atmosphère de cachotteries [...] qu'il n'[avait] jamais vraiment pu expliquer [51] ». Il affirma que son geste en réponse à la question des nazis hollandais avait seulement pour but de leur montrer où se trouvaient les bureaux. Il déclara qu'un ouvrier d'une entreprise située à proximité lui avait un jour demandé s'il y avait quelque chose de caché au 263, à quoi il aurait répondu qu'il ne savait pas de quoi il voulait parler. L'homme dit alors qu'ils feraient bien de faire attention là-bas, parce qu'« ils » sortaient dans la rue le soir et se rendaient chez le pharmacien du Leliegracht ; Van Maaren lui répondit qu'il s'agissait certainement de son patron. En approfondissant la chose, les enquêteurs découvrirent que l'homme dont parlait Van Maaren avait été membre du NSB, et que « son chef de secteur, le frère de cet Abraham Kaper [le chef des Hollandais employés par le IB V 4], l'avait incité " plusieurs fois " " à se montrer plus actif [52] " ». Malheureusement, l'homme en question était mort au moment de l'enquête.

Van Maaren déclara encore que Miep lui avait volontairement remis les clefs et qu'il s'était rendu à l'Euterpestraat sur ses ordres. Il dit que l'un de ses amis, qui travaillait pour la Résistance, avait des contacts avec le SD mais que lui-même n'en avait pas eu. L'ami en question s'était installé en Allemagne après la guerre et les enquêteurs n'ont pu le retrouver. Ils questionnèrent d'autres membres de la Résistance qui déclarèrent que, bien que Van Maaren ne fût pas aimé, son amitié avec ce chef de réseau était réelle, et ils estimaient hautement improbable qu'il fût le traître. Un autre déclara aux enquêteurs que Van Maaren aurait été « acheteur » pour le compte de la Wehrmacht, et qu'il avait accepté une aide de *Winterhulp Nederland*, une organisation néerlandaise de secours dirigée par les nazis. Van Maaren réfuta toutes ces assertions et prétendit également avoir caché son propre fils chez lui pendant toute la durée de la guerre.

Le 4 novembre 1964, la police judiciaire boucla le dossier, qui fut alors transmis au procureur accompagné d'une lettre déclarant que « l'enquête n'avait pu aboutir à aucun résultat concret [53] ». Dans le troisième chapitre de l'édition critique des *Journaux d'Anne Frank*, Harry Paape observe que l'enquête a échoué parce que les recherches étaient par trop centrées sur Van Maaren ; s'ils avaient lancé leur filet plus loin, ils auraient peut-être pris d'autres poissons. Mais Paape se dit convaincu que « Van Maaren devait savoir que des Juifs se cachaient dans l'immeuble [54] ». Il n'est plus possible de poser d'autres questions à Van Maaren : il est mort à Amsterdam en 1971 et il a emporté dans la tombe la vérité sur sa culpabilité ou son innocence.

Otto Frank n'aborde pour ainsi dire jamais le sujet de leur trahison dans son mémoire, excepté pour dire : « Il y avait sans le moindre doute un traître, mais il n'a jamais pu être démasqué [55]. » Il y a toutefois accordé plus d'importance dans un article donné au magazine *Life* un an avant sa mort : « Nous ne savons pas si nous avons été trahis par antisémitisme ou pour de l'argent. Nous n'avons jamais découvert qui nous avait trahis. Nous avions nos soupçons. Un homme qui avait appartenu à la police durant l'occupation avait été suspecté et interrogé. Mais nous n'avons jamais eu de preuve. Cependant, j'ai une théorie. On a dit que c'était une femme qui aurait passé le coup de téléphone qui a conduit à notre arrestation. C'est la raison pour laquelle je soupçonne que le policier qui a été interrogé a pu parler de nous à quelqu'un. Mais tant que je ne pourrai pas le prouver, je n'ai aucun droit d'accuser qui que ce soit. Les vrais coupables sont ceux qui tirent les ficelles tout en haut. On n'obtient pas grand-chose avec des sanctions. Ce qui est arrivé ne pourra jamais être effacé [56]. » Ainsi Otto introduisit dans l'équation deux suspects entièrement nouveaux, dont on ne sait rien de plus.

Au cours de la préparation de l'édition critique des *Journaux d'Anne Frank*, les chercheurs de l'Institut pour la documentation de guerre ont pleinement exploité le dossier de l'instruction de 1963, mais en reconnaissant qu'il était incomplet. Deux lettres, écrites par Kugler en 1963, manquaient au dossier. Elles sont apparues récemment. L'une n'a rien de substantiel à dire sur l'arrestation. L'autre est bien plus intéressante et nous en reproduisons ici pour la première fois un extrait. Kugler écrivait manifestement en réponse à une lettre qu'il avait reçue d'Otto Frank au sujet de la dénonciation :

« [...] Je partage ton point de vue sur Silberbauer. Il est moins intéressant au sens où il nous a arrêtés, et que vingt ans ont passé depuis, mais il est la seule personne qui puisse faire pression sur Van Maaren.

Je t'écris aussi à cause des fenêtres qui étaient peintes en bleu [dans la maison de devant donnant sur l'Annexe]. J'ai souvent réfléchi au fait qu'il m'ait demandé ce qui se passait là-haut quand il a jeté un œil à travers un jour dans les carreaux bleus. Il a dit n'être jamais allé là-haut et a demandé pourquoi il n'en avait pas le droit. Je lui ai répondu que nous n'y étions pas autorisés non plus, et que nous ne savions rien de ce qui se passait là-haut. Quoi qu'il en soit, il ne s'est contenté de cette réponse que peu de temps, parce qu'il a reposé la même question quelques semaines plus tard, et je lui ai dit que je ne savais même pas où se trouvait l'entrée de l'autre immeuble.

– Mais il y a une porte là-haut, celle qui va au grenier [57], vous devez donc pouvoir y aller.

– Je suis désolé, mais lorsque nous avons loué la maison, nous n'avons loué que les locaux que nous connaissons, et rien de plus.

Ainsi, j'espérais couper court à toute autre question.

Plus d'une fois, il a laissé traîner des crayons au coin des tables. De plus, il mettait souvent sur la table d'emballage un petit bâton qui dépassait légèrement. Comme le passage entre la table et les barils de l'autre côté n'était pas très large, on risquait de le bousculer au passage. Il inspectait aussi la poussière pour trouver des empreintes de pas. Chaque fois qu'il tendait un piège de ce genre, sa première question le matin était : "Vous êtes allé dans l'entrepôt?" Ma réponse immédiate était toujours : "Oui, j'y suis allé", ou bien : "J'ai dû y aller, mais je ne me souviens pas." J'étais contraint de faire ces réponses, et Kleiman les confirmait toujours. Une fois, alors que je descendais, il m'a montré un portefeuille. Il m'a demandé s'il était à moi. Sans la moindre hésitation, je lui dis que oui, et que je le cherchais depuis un moment. Lorsque j'en ai parlé en haut, Van Pels m'a dit que c'était *son* portefeuille, et qu'il contenait dix florins. Il m'expliqua que, quelques jours auparavant, il avait grimpé sur la balance dans la salle des grains, et avait retiré sa veste qu'il avait posée sur une pile de sacs en face de la porte. Le portefeuille avait dû tomber à ce moment-là. J'ai remis le portefeuille dans ma poche sans dire un mot, excepté merci. Les dix florins avaient disparu. Le même jour, ou peut-être quelques jours plus tard, un deuxième homme est venu me voir et m'a dit avoir vu Van Maaren ramasser le portefeuille entre des bassines vides quelque part dans le V [mot illisible]. Lorsque j'ai demandé à Van Maaren où il l'avait trouvé, il m'a répondu de manière très confuse. Le jeune homme prétendait l'avoir trouvé là et Van Maaren disait que c'était impossible. Lui [Van Maaren] assurait que c'était un porte-document qu'il avait trouvé là [58]. J'ai toujours ce porte-document. Un objet tout simple, cousu de deux côtés et ouvert sur les deux autres. Tu connais certainement ce genre d'objet, car ils sont très communs. En outre, il posait souvent des objets sur la table d'emballage et marquait l'emplacement où il les avait posés. S'ils avaient été déplacés, même très légèrement, il me posait les mêmes questions.

Sur le témoignage de Silberbauer : quand les hommes qui procédèrent à l'arrestation furent arrivés, il [Van Maaren] pointa le doigt vers en haut. C'est comme ça que la chose figure dans les documents de l'époque. C'est ce que je crois aussi, parce que lorsqu'on nous a tous fait descendre, il était encore là et nous dévisageait, visiblement ravi. Je n'oublierai jamais son visage. Je le vois continuellement devant moi. Nous pouvons nous attendre à ce qu'il nie tout ; il n'est pas du genre à dire : « Je serais heureux de décharger ma conscience de la mort de sept personnes. » Selon les journaux, il ne cesse de se plaindre : « Je n'ai rien à voir dans cette affaire, ils m'ont causé tant d'ennuis. » Silberbauer est effectivement le seul qui puisse faire pression sur lui. Si l'on en croit la presse, la police de Vienne ne l'a toujours pas interrogé. Il a fait ses déclarations à l'occasion de conférences de presse. Certes, la police a dû faire quelque chose entre-temps. La police d'Amsterdam s'est-elle rendue chez lui [Van Maaren] ? Est-elle allée à Vienne parler à Silberbauer ?

Et nous en arrivons à la dernière question : Allons-nous encore punir Van Maaren dans ce cas ? Entre-temps, des criminels bien pires ont été démasqués. Van Maaren n'a fait parler de lui que parce qu'il est en relation avec " l'Affaire Anne Frank " [...] [59]. »

À l'évidence, Kugler croyait Van Maaren coupable. Malheureusement, la précédente lettre d'Otto et sa réponse à Kugler n'ont pu être retrouvées. Il n'y a rien, dans la lettre de Kugler, qui prouve catégoriquement à un lecteur objectif que Van Maaren était le traître, mais la lettre confirme qu'il était extrêmement curieux de l'Annexe et qu'il en avait sans doute percé le secret.

En dehors de Van Maaren, d'autres possibilités existent. Des bruits de l'Annexe auraient pu filtrer dans l'immeuble adjacent. L'un des ouvriers de Keg les aurait-il dénoncés ? L'homme du NSB qui a parlé à Van Maaren (et il n'y a aucune raison de douter de sa version) avait manifestement son idée sur ce qui se passait. Il se peut qu'il en ait informé le frère d'Abraham Kaper, ou qu'il se soit rendu lui-même à la police.

Des visiteurs de l'Annexe ayant remarqué que quelque chose ne tournait pas rond auraient pu faire part de leurs soupçons. Même les clandestins, Jan l'a reconnu, ont pu se montrer imprudents ; ou encore, quelqu'un aurait pu surprendre une conversation de leurs protecteurs.

Il y eut plusieurs cambriolages au cours de cette période cruciale. L'un ou l'autre de leurs auteurs auraient pu renseigner la police sans confesser leurs méfaits. Il est presque certain que l'un des cambrioleurs a vu Hermann Van Pels ; le 28 février 1944, Van Pels était descendu après la fermeture des bureaux pour faire sa ronde de routine, et il fut surpris de voir des papiers dispersés sur les bureaux et par terre. Il essaya de vérifier la porte d'entrée, mais elle était bien en place. Il remonta à l'Annexe en se creusant la tête, mais il ne parla à personne de ce qu'il avait vu. Le lendemain matin, Peter rentra à l'Annexe après sa ronde du matin et déclara que la porte d'entrée était ouverte et que la lampe de poche n'était pas à sa place habituelle dans le placard. Alors Van Pels leur parla de sa découverte de la veille. Le nouveau portefeuille de Kugler avait également disparu. Apparemment, le voleur devait posséder une clef et s'était caché dans l'immeuble après avoir été dérangé par Van Pels. Les clandestins étaient hantés par l'idée que quelqu'un d'autre pouvait avoir une clef et revenir, peut-être avec la police, pour se glisser dans la nuit jusqu'à la bibliothèque tournante. « C'est un mystère, écrivit Anne dans son *Journal*. Qui ici peut bien avoir notre clé ? Et pourquoi le voleur n'est-il pas allé à l'entrepôt ? Si le voleur est l'un des magasiniers, il sait maintenant qu'il y a quelqu'un dans l'immeuble le soir [60]. »

Le cambriolage du 8 avril 1944 fut encore plus dangereux. Ce soir-là, Peter avait effrayé des intrus dans l'entrepôt et s'était rué en haut pour en avertir tout le monde. Après que Peter et son père les eurent fait fuir, ils retournèrent dans leur cachette, convaincus que les voleurs reviendraient. Les occupants de l'Annexe étaient tous rassemblés dans le noir lorsqu'ils entendirent une porte claquer en bas. Personne ne dit mot, tous écoutaient les bruits de pas à travers les pièces de l'immeuble principal, puis dans les escaliers qui menaient des bureaux au couloir. Encore des pas, plus près, et le silence. Soudain, des bruits à la bibliothèque ; quelqu'un la secouait violemment. Anne soupira : « Maintenant nous sommes perdus. » Les secousses continuèrent et quelque chose tomba, puis le bruit cessa. Ils entendirent l'homme s'éloigner à travers l'immeuble. Puis plus rien. Les huit occupants de la cachette aperçurent une lumière de l'autre côté de la bibliothèque. Il n'y eut pas d'autres alertes, mais le veilleur de nuit avait vu sur la porte de l'entrepôt le trou qu'avaient laissé les voleurs, et il signala un cambriolage à la police. Van Hoeven, leur épicier, avait lui aussi vu la porte abîmée, mais, perspicace, il n'appela pas la police, sachant qu'elle ne serait pas la bienvenue.

Un autre suspect possible était l'homme de la NSB qui habitait derrière l'Annexe, au Westermarkt. Une femme qui le connaissait à cette époque-là a déclaré à l'Institut néerlandais pour la documentation de guerre :

« J'avais une tante qui habitait au 4, Westermarkt. De sa maison, on pouvait voir l'Annexe et juste à côté, au n° 6, habitait un certain A. [61], un membre du NSB bien connu (il travaillait pour les Allemands), mais il est mort à la fin de 1943. Les fenêtres de l'Annexe étaient cachées. [...]. Au milieu de 1943, A. me demanda s'il y avait encore des gens qui habitaient là. Je répondis :

– Bien sûr que non. Personne de sensé n'accepterait de vivre dans un endroit pareil.

À cette époque, je ne savais pas que l'Annexe était habitée [62]. »

Bien que l'homme soit mort en 1943, il aurait pu faire part de ses soupçons à quelqu'un.

Dans ces années-là, d'autres personnes habitaient autour de la cour de terre et de gravier et pensaient qu'il se passait quelque chose dans l'Annexe. Au soir du 24 mars 1943, deux jeunes garçons escaladèrent la fenêtre de l'entrepôt par pure espièglerie. L'un des garçons, Wijnberg, se présenta bien des années plus tard et confessa qu'ils n'avaient fait qu'« entrer et sortir, sans aller dans les bureaux [63] ». Alors qu'ils étaient dans l'entrepôt, ils entendirent la chasse d'eau au-dessus, dans l'immeuble supposé abandonné, et ils s'enfuirent terrifiés. La personne qui l'interrogea précisa : « M. Wijnberg n'a pas dit que la maison était habitée, parce qu'il avait appris à se taire ; il y avait plus de gens qui se cachaient dans le voisinage qu'il ne le savait [64]. » Interrogé une nouvelle fois pour le documentaire de Jon Blair, *Anne Frank Remembered*, Wijnberg déclara qu'il avait également vu Anne regarder par la fenêtre depuis le bureau d'Otto : « J'ai vu un visage que j'ai reconnu plus tard, parce que j'ai vu les photographies ; il doit s'agir de celui d'Anne Frank [...]. Je me souviens même de la position dans laquelle j'étais quand je la vis la première fois, parce que je venais de descendre de ce mur, et je me suis d'abord assis puis relevé. Ainsi voit-on un visage sous des angles divers. Et ce visage, je le vois encore. » À la question de savoir si elle l'avait vu, Wijnberg répondit : « Oui, elle s'est reculée. Maintenant je sais pourquoi. Je ne devais pas la voir [...]. Je crois que j'en ai parlé à ma sœur [65]. » Anne avait longuement parlé de l'incident dans son *Journal*. Peut-être les garçons avaient-ils raconté que la vieille maison déserte était hantée, et quelqu'un avait-il fait le rapprochement.

Au fil des ans, les occupants de l'Annexe étaient certainement devenus plus négligents. Anne vit le danger et comprit qu'ils étaient moins stricts qu'ils n'auraient dû sur les règles de sécurité : « La dernière décision de l'Annexe, écrivit Anne fin 1943, est d'allumer le poêle à 7 heures et demie les dimanches, au lieu de 5 heures et demie du matin. Je trouve qu'il y a là un danger. Que vont s'imaginer les voisins en voyant la fumée sortir de notre cheminée ? De même pour les rideaux [...] ; parfois un de ces messieurs ou une de ces dames est pris d'un caprice et veut absolument regarder au-dehors. Conséquence : une tempête de reproches. Réponse : " De toute façon, personne ne le remarque. " Voilà comment commence et se termine toute négligence. " Personne ne le remarque, personne ne peut l'entendre, personne n'y fait attention ", facile à dire, mais est-ce bien vrai [66] ? » Un matin d'avril 1944, Peter oublia d'enlever le verrou de la porte d'entrée : Kugler et les magasiniers trouvèrent la porte fermée en arrivant au travail. L'un des employés de Keg était déjà parti chercher une échelle et il avait presque atteint la fenêtre de Peter lorsque Kugler l'aperçut et entreprit de le convaincre que l'échelle était trop courte. Kugler dut forcer la fenêtre de la cuisine sous le regard des autres. Anne s'inquiétait : « Qu'est-ce qu'ils peuvent bien penser ? [...]. Et Van Maaren [67] ? »

Au bout du compte, tous les chemins semblent ramener à lui.

Paape, l'auteur de « La dénonciation » dans les *L'édition critique des Journaux d'Anne Frank*, conclut son examen des faits par cette remarque : « Beaucoup de temps s'écoula, deux bonnes années, avant que quelqu'un appelle le SD. Nous n'excluons pas que l'appel soit venu de Van Maaren. Jusqu'où la frustration et la rancune peuvent-elles vous mener ? Toutefois, nous estimons qu'il est tout aussi vraisemblable qu'une autre personne soit coupable [68]. »

Il n'y a pas de preuve qui permette de conclure. Mais le 4 août 1944, quelqu'un a composé le numéro de Julius Dettmann à Amsterdam, en sachant que cet appel enverrait un groupe de personnes à une mort certaine. Ce beau matin d'été, il a peut-être aussi regardé curieusement les huit prisonniers et deux de leurs protecteurs monter dans un fourgon de police. Huit personnes envoyées à Westerbork, Auschwitz, Neuengamme, Theresienstadt, Mauthausen, Buchenwald, Belsen. Condamnées à un travail exténuant, à la faim, aux chambres à gaz, à la folie, au typhus et à la mort. Leur dénonciateur a échappé à la justice. Mais, comme disait Otto Frank, « cela ne me rendra pas ma femme et mes filles ».

Épilogue

Lorsque le *Journal* fut publié, Otto en offrit des exemplaires à la famille et aux amis, y attachant à chaque fois des dédicaces personnelles. Voici celle pour Jetteke Frijda : « Enfin, *Het Achterhuis* est paru, et je vous l'envoie en souvenir de Margot et d'Anne. Vous comprendrez pourquoi je reste discret, mais j'espère que nous aurons l'occasion d'en parler bientôt [1]. » Otto était encore en contact avec Werner Peter Pfeffer et lui envoya le livre, mais celui-ci mit un certain temps avant de pouvoir se résoudre à y jeter un coup d'œil : « Je crois l'avoir laissé dormir quelques mois sur une étagère ou sur mon bureau. J'avais peur de l'ouvrir. Puis, l'histoire devenant mieux connue, je me suis dit : " C'est bon, je vais le lire. " Je l'ai lu et je n'ai pas pu, à cette époque, me mettre à la place de mon père... dans le rôle qu'il joue dans le portrait qu'Anne en brosse, je ne crois pas avoir jamais pu aller jusque-là... Je crois que je n'étais pas assez mûr, ou peut-être avais-je trop peur [2]. »

La première édition hollandaise fut épuisée en six mois. Il fallut réimprimer le *Journal* pour répondre à la demande. Encouragé par ce succès, Otto soumit le manuscrit à des éditeurs allemands, mais en vain. « D'une façon générale, se souvient-il, j'attendais que les éditeurs des autres pays prennent contact avec moi et je n'ai donc fait des démarches que dans un seul pays : l'Allemagne. Je me disais que les Allemands devaient le lire. Mais, en 1950, j'ai eu du mal. C'était une époque où les Allemands n'avaient aucune envie de ce genre

309

de lectures. " J'ai lu le livre, m'a répondu Schneider de Heidelberg, et j'estime qu'il faut le publier, mais je ne crois pas que ce sera un succès financier [3]. " » L'instinct de Schneider ne l'avait pas tout à fait trompé : lorsqu'il sortit le premier tirage de 4 500 exemplaires en 1950, il lui fallut déployer des trésors de persuasion pour convaincre les libraires ; mais, lorsqu'ils en firent la promotion, il se vendit bien. En France, le *Journal* fut publié cette même année par les éditions Calmann-Lévy : ce fut un succès, aussi bien critique que commercial.

En Grande-Bretagne, il fut tour à tour refusé par Allen & Unwin, Gollancz, Heinemann, Macmillan et Secker & Warburg avant de paraître finalement, en mai 1952, chez Vallentine, Mitchell & Co. Le mois suivant, il sortit chez Doubleday en Amérique après avoir été refusé notamment par Knopf, Simon & Schuster et Viking. Dans les deux pays, la traduction de Barbara M. Mooyaart-Doubleday parut avec un avant-propos d'Eleanor Roosevelt. Mooyaart-Doubleday ne vit jamais l'original du *Journal*, mais travailla sur un texte dactylographié, qu'elle traduisit à raison de trois pages par jour en quatre mois. « J'étais très, très intéressée et émue, devait-elle rappeler. J'ai commencé un après-midi, profitant que mes petits garçons dormaient, et je m'y suis remise le soir, une fois qu'ils furent couchés. Mon mari (Eduard Mooyaart, un Hollandais qui fut pilote au cours de la Seconde Guerre mondiale) me disait toujours d'arrêter à neuf heures, sans quoi je n'arriverais pas à dormir. J'étais presque dans un état de transe, totalement captivée par le texte. » Elle rencontra Otto à diverses reprises, dont une fois à l'Annexe secrète. Chaque fois qu'il parlait du *Journal*, « il était ému, souvent au bord des larmes [4] ». Son fils Leslie, alors âgé de cinq ans, a gardé le souvenir d'une visite d'Otto : « Son image s'est gravée en moi. Cet homme qui était à la fois si gentil et si triste. On aurait dit que jamais il ne sourirait, dût-il vivre un million d'années [5]. » Salué dans le *New York Times* par un compte rendu saisissant de Meyer Lewin, le livre devint aussitôt un best-seller en Amérique. En Grande-Bretagne, l'accueil fut loin d'être aussi chaleureux. En 1953, le livre était devenu introuvable. Après quelque hésitation, Pan Books décida d'en sortir en 1954 une édition de poche dont les ventes augmentèrent rapidement.

Le *Journal* fut publié en 1952 au Japon, où il eut un succès considérable. Les Japonais avaient « désespérément besoin d'Anne Frank. [...] Les chiffres de vente y furent spectaculaires. Plus de 100 000 exemplaires vendus début 1953. Le *Journal* en était à son treizième tirage. [...] Anne Frank était certes une Européenne, mais, pour les Japonais, elle était devenue une figure de la guerre acceptable et accessible : une jeune victime, mais qui invitait à espérer dans l'avenir plutôt qu'à se désespérer dans un sentiment de culpabilité. Qu'il s'agît d'une jeune fille ne faisait que souligner l'innocence [6]... ». Le livre d'Anne « n'est pas un livre de guerre, avait écrit Otto à Meyer Lewin. La guerre est la toile de fond. Ce n'est pas non plus un livre juif, même si son univers englobe les sentiments et l'environnement des Juifs [7] ». L'éditeur japonais n'en décida pas moins de vendre le *Journal* comme un livre de guerre, en mettant l'accent sur les tragédies provoquées par la guerre. Cette stratégie de vente porta à un immense succès.

En 1955, Otto passait plusieurs heures par jour à répondre aux lettres de lecteurs captivés. « Le *Journal* d'Anne commençait à devenir célèbre dans le monde entier, se souvient le rabbin David Soetendorp, quand Otto Frank rendait visite à mes parents, à De Lairessestraat. À la table familiale, il ne se lassait pas de raconter comment le *Journal* inspirait les enfants de nations très éloignées, à quel point il était devenu une force positive chez de jeunes esprits... Mes parents et lui fondaient en larmes en pensant au fond d'eux-mêmes, " si seulement une telle force avait existé dans les années précédant la Seconde Guerre mondiale [8]... " »

Maintenant qu'il avait une idée claire de sa mission, Otto écouta ceux qui le pressaient d'accepter une adaptation du *Journal* pour le théâtre. Meyer Lewin espérait le convaincre qu'il était l'homme de la situation, mais, après des années de plaidoyer véhément, de menaces et de promesses, Lewin dut s'incliner devant Frances Goodrich et Albert Hackett [9]. La pièce, *The Diary of Anne Frank*, fut à l'affiche du Cort Theatre de New York à compter du 5 octobre 1955. Marilyn Monroe, dont la jeune amie Susan Strasberg était la vedette, assista à la première. Dans une lettre aux acteurs et aux techniciens, Otto expliquait qu'il ne serait pas présent : « Pour moi, cette pièce fait partie de ma vie, et l'idée que ma femme, mes enfants et moi soyons représentés sur scène m'est pénible. Il m'est donc impossible de venir y assister [10]. » Otto ne revint jamais là-dessus, et ce fut, dans un sens, dommage, car malgré le triomphe de la production (qui reçut le prix Pulitzer et le Tony Award en 1956, ainsi que presque tous les grands prix de la critique), Goodrich et Hackett avaient dépeint sa fille comme une « figure universelle dont on pouvait presque ignorer la judéité : Anne Frank était devenue Mademoiselle Tout-le-monde, accessible à tous... Américaine jusqu'au bout des ongles [11] ». Quant aux autres membres de la « famille » de l'Annexe, ils n'étaient guère plus fidèles. Pfeffer, notamment, avait été particulièrement maltraité, et sa veuve, furieuse, reprocha aux dramaturges d'avoir présenté son mari sous les traits d'un « psychopathe [12] ». Certaines interprétations le gênaient, mais il avait demandé à Lewin, du temps où il envisageait encore de lui confier la pièce, de « ne pas en faire une pièce strictement juive. À certains égards, bien entendu, elle doit être juive, et même combattre l'antisémitisme. Je ne sais pas si je me fais bien comprendre [13] [...] ». Son espoir était que le public pût s'identifier aux personnages, ce qui serait impossible si la pièce n'était pas assez « universelle »; son objectif était bien de « transmettre le message d'Anne au plus grand nombre de gens possible [14] », mais l'adaptation de Goodrich et d'Hackett gommait toutes les complexités de la réalité, avec ses « Juifs non-juifs et une ultime rédemption [15] ».

Malgré cette édulcoration du texte, le « message d'Anne » devait remuer les spectateurs qui n'avaient pas encore lu le *Journal*. En Europe, la première eut lieu en Suède, au mois d'août 1956, mais c'est la production allemande qui fit la manchette de la presse internationale. Dans le pays natal d'Anne, la pièce « provoqua une vague d'émotion qui finit par briser le silence dans lequel les Allemands s'étaient murés à propos de la période nazie [16] ». Le correspondant du *New York Times* rapporta avoir entendu, dans une ville allemande, des « sanglots et des pleurs étouffés lorsque le drame atteignit son apogée et son dénouement : le bruit des Allemands frappant à la porte de la cachette. Le public demeura assis plusieurs minutes une fois le rideau baissé. Il n'y eut pas d'applaudissements [17] ». Plus d'un million de personnes virent la pièce en Allemagne, et les ventes du *Journal* montèrent en flèche. Des groupes de jeunes furent créés sous le nom d'Anne Frank, qui fut également donné à des écoles et à des rues ; 2 000 adolescents firent le voyage de Hambourg à Bergen-Belsen pour commémorer sa mort. Enfin, une plaque fut apposée sur le mur de son ancienne maison de la Ganghoferstrasse : « Dans cette maison a vécu Anne Frank, née le 12 juin 1929 à Francfort. Elle est morte en 1945, victime des persécutions nazies, dans le camp de concentration de Bergen-Belsen. Sa vie et sa mort : notre responsabilité. La jeunesse de Francfort. »

En Hollande, la première de la pièce eut lieu le 27 novembre 1956 en présence de la famille royale. Otto assista à la cérémonie organisée à cette occasion, mais pas au spectacle, en compagnie de Jacqueline Van Maarsen, Jetteke Frijda, Miep et Jan, Bep et son mari, ainsi que Kleiman et sa femme. « Après le spectacle, raconte Jetteke, je suis allée voir les acteurs pour leur demander si cette soirée ne leur paraissait pas étrange. Ils me dirent que oui, terriblement, parce que tous les membres du public étaient plus ou moins liés aux personnages de la pièce, ou aux Juifs de Hollande. C'était d'une très grande intensité [18]. » La pièce fit ensuite le tour du monde.

De la scène à l'écran, le passage était naturel. En 1957, commença le tournage du *Diary of Anne Frank* sous la bannière de la Twentieth Century Fox. C'est George Stevens, ancien soldat américain présent à la libération de Dachau, qui réalisa le film dans un studio spécialement aménagé. L'Annexe fut entièrement reconstituée, hormis le mur extérieur, permettant ainsi à la caméra montée sur une grue de se déplacer d'une chambre à l'autre. Les plans extérieurs furent tournés à Amsterdam. Otto et Kleiman suivirent les opérations en qualité de conseillers : « L'équipe du film est très précise, confia Kleiman à un journaliste. J'ai dû envoyer toutes sortes de choses en Amérique. Des crayons, des bouteilles de lait, des sacs à dos, des timbres. M. Stevens, le réalisateur, voulait des photos et des descriptions exactes des moulins à épices. Tout devait être exact dans le film [19]. » « Les horreurs nazies seront absentes du film, insistait Stevens. Il racontera l'histoire valeureuse, souvent pleine d'humour, d'une famille qui se cache en des temps de tourmente ; celle du magnifique triomphe d'une adolescente sur la peur. Si l'espèce humaine a survécu, c'est à des jeunes filles comme Anne Frank qu'on le doit [20]. » Après avoir cherché partout une actrice qui pût jouer Anne, le rôle fut confié à un jeune mannequin du New Jersey, Millie Perkins (19 ans). Otto avait espéré qu'Audrey Hepburn accepterait le rôle, mais elle avait refusé : ayant passé son enfance dans les Pays-Bas en guerre, elle estimait que ce serait trop douloureux de la rejouer à l'écran [21]. Van Hoeven, l'épicier du Leliegracht, joua son propre personnage dans le film. Joseph Schildkraut, qui avait joué le personnage d'Otto Frank sur la scène, le reprit au cinéma, tandis que le rôle de Mme Van Daan valut à Shelley Winters l'Oscar du meilleur second rôle féminin. Le film reçut aussi l'Oscar du meilleur film en noir et blanc et de la meilleure réalisation en noir et blanc. On avait un temps envisagé de terminer le film sur un plan montrant Anne dans le camp de concentration, mais on en resta à l'avant-dernière tirade de la pièce : « Malgré tout, je crois encore que les gens ont vraiment bon cœur. » La première eut lieu à Amsterdam le 16 avril 1959 : Miep, Bep et Mme Kleiman furent alors présentés à la reine et à la princesse Beatrix. À la même époque, en République démocratique allemande, fut également tournée une adaptation du *Journal d'Anne Frank*, relatant en détail la déportation des occupants de l'Annexe et démasquant d'anciens nazis, notamment Gemmeker, l'ancien commandant de Westerbork. Le film reçut un accueil prudent, mais fut « rejeté par la censure cinématographique britannique l'année même où le film d'Hollywood envahissait les écrans [22] ».

Le 4 mai 1960 ouvrit le musée de l'Annexe. Dès la toute première publication du *Journal*, des gens étaient venus frapper à la porte du 263, Prinsengracht, pour demander à visiter l'endroit. Kleiman avait joué les guides. Depuis le temps, les locaux avaient été largement réaménagés. Miep et Bep avaient toutes deux quitté l'entreprise à la fin des années 1940. Bep avait épousé son ami de toujours, Cornelius Van Wijk, et fondé une famille, tandis que Miep voulait se consacrer à son foyer après avoir emménagé dans son nouvel appartement de la Jekerstraat, en janvier 1947. Otto continua à vivre quelque temps chez Miep et Jan (qui devinrent parents en 1950) ; mais après sa retraite d'Opekta, en avril 1953, il partit en Suisse. À Bâle, sa sœur et son beau-frère lui avaient réservé une chambre spacieuse dans leur maison. 1953 fut une année très dure pour Otto, qui perdit sa mère, Alice, morte le 2 mars en Suisse, puis son frère aîné, Robert, décédé le 23 mai à Londres. Mais c'est aussi l'année où il refit sa vie en épousant en secondes noces Fritzi Geiringer. À la fin de 1952, Otto avait confié à des amis qu'il allait se marier l'année suivante. Eva, la fille de Fritzi, n'en fut pas le moins du monde surprise : « Il l'aimait tant. Quand ils se sont connus, Otto allait travailler à bicyclette et maman faisait le même trajet en tram. À chaque arrêt du tram, Otto s'arrêtait à son tour pour lui parler. C'était un homme très romantique [23]. »

Otto et Fritzi se marièrent le 10 novembre 1953 à Amsterdam. Fritzi devait partager sa chambre au dernier étage de la maison de Bâle. Ce fut une union solide, et Fritzi l'aida dans l'immense correspondance liée au *Journal* d'Anne, qu'il déposa dans le coffre d'une banque bâloise. « Il fut très heureux auprès de ma mère, rappelle Eva. Ils formaient une véritable équipe. Lorsqu'ils sont venus s'installer ici, ils ont eu leur chambre à eux, avec un canapé-lit et une table ; tous les matins, ma mère s'asseyait à la table tandis qu'Otto faisait les cent pas en réfléchissant à ses lettres. J'étais un peu jalouse, parce que je voulais que maman sorte avec moi et mes enfants, pour faire les boutiques ou des choses de ce genre, mais Otto la voulait auprès de lui pour l'aider à faire son courrier. En un sens, Anne a couvert ma vie de son ombre. Otto était un homme merveilleux, mais il ne vivait plus que pour sa fille perdue, et il pouvait en parler vingt-quatre heures sur vingt-quatre. J'ai été étouffée par Anne et j'ai assez mal vécu la situation. Mais j'aimais Otto, il était si bon. Nous fêtions toujours Noël en famille et prenions souvent nos vacances ensemble [24]. »

En 1959 mourut Kleiman. À son enterrement, Otto lut une phrase du *Journal* : « Lorsque M. Kleiman arrive, le soleil commence à briller. »

La veuve de Kleiman assista à l'inauguration de la « Maison Anne Frank » le 4 mai 1960 avec Otto, Bep, Miep et Jan. La survie de l'Annexe était un peu en soi un triomphe sur l'adversité. En 1953, un agent immobilier avait acheté les maisons situées à l'angle du Prinsengracht et du Westermarkt, et le propriétaire du 263 se déclara prêt à vendre lui aussi. Mais Otto persuada Opekta de racheter l'immeuble et, à l'issue d'une réunion, les actionnaires décidèrent qu'Otto ou une « fondation désignée par lui » en aurait la propriété dans un proche avenir. Malheureusement, l'immeuble était délabré et les coûts de rénovation astronomiques. En 1954, un agent immobilier racheta la propriété dans l'intention de démolir les maisons voisines : apparemment, il n'y avait plus rien à faire. La presse hollandaise rapporta que la « cachette » était menacée et dénonça l'opération : « L'Annexe secrète [...] est devenue un monument qui témoigne d'une époque d'oppression et de chasse à l'homme, de terreur et de ténèbres. Si cette maison est démolie, ce sera aux Pays-Bas un scandale national. [...] Surtout au vu de l'intérêt considérable suscité à l'intérieur comme à l'extérieur du pays, il y a toute raison d'y remédier aussi vite que possible [25]. » L'Anne Frank Stichting (Fondation Anne Frank) vit le jour le 3 mai 1957 : fer de lance de la campagne pour arrêter la démolition qui se préparait, elle devait aussi organiser la collecte de fonds pour acheter et rénover le bâtiment. En octobre 1957, le propriétaire en fit don à la Stichting. Un ambitieux projet de rénovation fut lancé, tandis que les bâtiments adjacents, à l'angle du Westermarkt, purent être rachetés avec les fonds réunis grâce à une deuxième campagne. Ces nouveaux locaux serviraient à héberger des étudiants et à créer une maison de la jeunesse où pourraient être organisés cours et conférences. Au 263, Prinsengracht, la façade fut profondément modifiée, même si l'on fit tout son possible pour garder l'Annexe dans son état d'origine. Otto voulait qu'elle restât vide, dans l'état où il l'avait quittée après l'arrestation. Deux maquettes furent construites pour donner aux visiteurs une idée des locaux pendant la guerre. Il y eut aussi des propositions pour faire un musée de « l'autre » maison d'Anne Frank, au 37, Merwedeplein, mais le bâtiment resta propriété privée. Le 12 juin 1957, l'école Montessori de la Nierstraat fut rebaptisée « École Anne Frank ». La Stichting est restée propriétaire de l'immeuble du Prinsengracht tout en continuant à lutter contre le racisme et la discrimination.

Otto a eu l'occasion d'expliquer à un journaliste pourquoi il avait quitté les Pays-Bas et quels étaient ses sentiments quand il revenait à l'Annexe : « Si je vis aujourd'hui à Bâle, c'est que je ne peux plus vivre à Amsterdam. J'y vais souvent, mais je ne supporte pas d'y rester plus de trois jours. Je me rends alors au Prinsengracht, où nous avons vécu deux ans cachés. [...] Parfois j'examine notre cachette ; elle n'a pas changé. Les pièces sont presque vides parce que tout a été enlevé après notre déportation. Mais la carte sur le mur, avec les épingles qui montrent la progression des troupes alliées, est encore là. Sur un mur, on voit encore les traits que j'ai tracés pour suivre la croissance des enfants. Les images de stars de cinéma dont Anne décorait le mur de sa chambre sont toujours là, avec d'autres images. Je jette un coup d'œil, puis je m'en vais. Je ne peux supporter cette vue plus longtemps [26]. » En 1962, Otto et Fritzi emménagèrent dans une grande maison à Birsfelden, dans la banlieue de Bâle. En 1966, il créa à Bâle le Fonds Anne Frank afin de protéger le nom de sa fille et gérer les droits des ventes de son *Journal*, qui n'a cessé de trouver des lecteurs fervents partout où il a été publié. Les profits ont été et sont encore aujourd'hui consacrés à quantité d'œuvres de charité.

Étant donné la multitude des lecteurs, il était inévitable que les révisionnistes et autres néo-nazis cherchent à discréditer le *Journal*. Au fil des ans, Otto dut engager diverses poursuites contre ceux qui voyaient dans l'œuvre de sa fille une menace fabriquée pour contrer leur idéologie fasciste. Tous les dommages et intérêts obtenus furent normalement reversés à la Stichting d'Amsterdam.

Otto resta en contact avec ceux qui l'avaient secouru et avec les amis qui avaient survécu à la guerre. Fritzi et lui se rendirent souvent en Israël pour voir Lies, qui avait épousé un militaire dont elle avait eu trois enfants. De même poursuivit-il une correspondance régulière avec les frères d'Edith, en Amérique. Walter et Julius avaient « mis assez d'argent de côté pour couler une retraite paisible, mais ils ne vécurent pas assez longtemps pour en profiter[27] », Julius mourant en octobre 1967, Walter en septembre 1968. Outre Edith, quatorze membres de la famille Hollander avaient trouvé la mort dans les camps.

Otto aura mis plus d'acharnement que quiconque à propager les idéaux, tels qu'il les comprenait, exprimés dans le *Journal* de sa fille. Si, comme le croit Jon Blair, à qui on doit une biographie filmée d'Anne, il n'a pas « toujours servi au mieux ses ambitions ni le testament littéraire de sa fille à cause de sa détermination, obstinée et tout à fait louable, à propager son interprétation personnelle de sa vie et de celle des victimes de l'Holocauste » et parce qu'il a « passé de mauvais accords[28] », il n'en a pas moins atteint les objectifs qu'il s'était fixés : la gloire posthume d'Anne, la reconnaissance de ses talents d'écrivain et, de manière plus générale, la mise en valeur du travail qu'elle aura accompli « pour le monde et l'humanité ». « C'est un rôle étrange, disait-il en parlant de son rôle de gardien de la flamme du *Journal*. Dans une famille normale, c'est l'enfant d'un parent célèbre qui a l'honneur et la charge de poursuivre la tâche. Dans mon cas, le rôle est inversé[29]. »

Après la guerre, Otto devait écrire divers articles. Dans l'un d'eux, « L'Allemagne a-t-elle oublié Anne Frank ? », il déclara qu'il avait toujours été et serait toujours optimiste : « Je connais beaucoup de Juifs qui ne veulent plus rien avoir à faire avec les Allemands, mais j'aime les jeunes Allemands. Je suis un homme positif. On ne peut rendre à la vie ceux qui ont été assassinés[30]... » « Tout ce que je fais désormais, je le fais pour Anne, confia-t-il à un journaliste. J'ignore la haine. C'est un sentiment que je n'ai jamais connu. Pourquoi mon enfant est-elle morte, pas d'autres ? Du *Journal* d'Anne sont sorties tant de choses positives. Je ne suis jamais retourné à Auschwitz ni à Belsen. Il n'y a rien là-bas. Nous devons penser aux vivants[31]. »

Otto connut une longue période d'activité. Il s'est éteint dans la soirée du 19 août 1980 à son domicile bâlois victime d'un cancer foudroyant. Il avait quatre-vingt-onze ans. Suivant sa volonté, il fut incinéré et ses cendres inhumées dans un cimetière non juif, près de sa maison. Il partage sa dernière demeure avec son neveu, Stephan Elias, disparu juste cinq jours plus tard.

Victor Kugler s'est éteint le 16 décembre 1981, au Canada. Deux ans plus tard, après un mariage heureux qui lui avait donné les enfants dont elle avait toujours rêvé, Bep Voskuijl-Van Wijk est morte à son tour. La disparition de Jan Gies, le 26 janvier 1993, a fait de Miep l'unique survivante des cinq « aides ». En Israël, Yad Vashem a reconnu leur contribution en les honorant du titre de « Justes entre les nations ».

Dans son testament, Otto légua les écrits d'Anne à l'État hollandais. En novembre 1980, le *Journal* fut donc rapporté à Amsterdam et remis à l'Institut national néerlandais pour la documentation de guerre (RIOD). En 1986, « afin de réduire au silence les cercles malveillants qui mettaient en cause l'authenticité du livre [32] », fut donc publiée *L'Édition critique*, réunissant le *Journal* original d'Anne (à quelques omissions près), sa propre version remaniée et le texte paru en 1947, ainsi qu'un « abrégé du rapport d'expertise du Laboratoire judiciaire ». Naturellement, les preuves formelles de l'authenticité du *Journal* n'ont pas dissuadé ses détracteurs.

Alors qu'il poursuivait ses travaux sur le livre, l'Institut reçut d'un donateur anonyme, *via* le magazine ouest-allemand *Stern*, des lettres, des photographies, une grammaire française et un pendentif qui avaient appartenu à Anne bébé. Nombre de ces photos devaient être présentées à la grande exposition internationale organisée en 1985 par l'Anne Frank Stichting sous le titre d' « Anne Frank dans le monde ». Les documents auraient été retrouvés dans les meubles des Frank que la Gestapo avait expédiés en Allemagne. Sur le marché aux puces de Waterlooplein, à Amsterdam, Joke Kneismeyer, qui travaillait alors pour la Fondation, découvrit une nouvelle série de photos – de Pfeffer, cette fois. Les albums comptaient parmi les objets trouvés au domicile de Lotte Pfeffer après sa mort, en 1985.

« Un jour, écrit Otto dans son *Mémoire*, je demandai à mon éditeur pour quelles raisons, à son avis, le *Journal* avait trouvé tant de lecteurs. Il me répondit que le *Journal* aborde tant d'aspects de la vie que chaque lecteur peut y trouver quelque chose qui le touche personnellement. Et ça paraît juste. [...] Des parents et des enseignants y apprennent combien il est difficile de vraiment connaître leurs enfants ou leurs élèves. [...] Les jeunes s'identifient à Anne ou voient en elle une amie. " Je veux continuer à vivre après ma mort ", écrivait Anne, et on peut dire que son vœu s'est réalisé, parce qu'elle vit dans le cœur d'une multitude de gens [33]. » L'incroyable succès des *Journaux* publiés, le nombre de visiteurs qui se pressent à la « Maison Anne Frank », l'exposition itinérante et la création de diverses autres organisations « Anne Frank » en apportent la confirmation. Mais il y a aussi ceux qui ont cherché à faire du nom d'Anne Frank un fonds de commerce. En Espagne, une entreprise voulait vendre des jeans « Anne Frank », tandis qu'à Singapour un homme d'affaires voulait donner son nom à une société d'import-export. Dans les deux cas, le Fonds Anne Frank de Bâle s'y opposa.

L'Anne Frank Stichting elle-même n'y a pas échappé [34]. Ainsi a-t-elle opposé une fin de non-recevoir à Willy Lindwer, éminent cinéaste qui préparait un documentaire sur la vie d'Anne dans les camps : « Ces informations, lui répondit-on, ne cadrent pas avec l'image d'Anne qui a les préférences de la Fondation [35]. »

Gerrold Van der Stroom, l'un des maîtres d'œuvre de l'*Édition critique* affirme que « passer délibérément sous silence le dernier chapitre de la courte vie d'Anne Frank [...] revient à falsifier l'histoire [36] ».

La romancière Cynthia Ozick est l'une des voix qui ont dénoncé avec le plus de véhémence la manière dont on a travesti l'image d'Anne et de son *Journal* : il aurait mieux valu, est-elle allée jusqu'à soutenir dans *The New Yorker*, que son *Journal* ait été détruit [37].

Pour certains, la petite Anne Frank n'est plus que « l'affiche de l'Holocauste [38] » ; pour d'autres, la prépondérance des auteurs et des publicistes qui ne se lassent pas de répéter que les « gens ont vraiment bon cœur » a fait de sa mort « non pas l'assassinat qu'elle a subi, mais une mort d'opéra où l'on ferme simplement les yeux, comme un ange qui quitterait cette terre sans douleur ni dégradation [39] ».

D'autres soulignent combien les passages humoristiques et pleins de vie du *Journal*, confrontrés aux passages plus sombres et pessimistes, renforcent d'autant la valeur du témoignage.

Une chose demeure certaine : le désir qu'Anne avait de continuer à vivre après sa mort s'est réalisé. Quand, dans sa chambre aux volets clos, elle se demandait : « Serai-je jamais capable d'écrire quelque chose de grand [40] ? », elle ne se doutait pas de l'impact qu'aurait son témoignage, elle n'imaginait pas non plus que, du vivant même des amis qui lui ont survécu, ce serait « à ce jour la source de connaissances la plus importante du monde concernant l'Holocauste » ; le « livre le plus lu de la Seconde Guerre mondiale » ; l'un « des textes clés du XXe siècle [41] » et un texte étudié dans les écoles du monde entier. Le mince volume de nouvelles, dont son père disait qu'il était pétri d'un « idéalisme enfantin [...] si typique d'Anne [42] », est aussi devenu un petit classique.

Sa gloire repose cependant sur son *Journal*. Sans doute est-ce en partie parce que l'absence de « vraie » fin – la mort d'Anne à Bergen-Belsen – laisse au lecteur le sentiment que, si l'écrit a survécu, son auteur aussi, d'une certaine façon.

Postface à l'édition française

« Il me semble que, plus tard, ni moi ni personne ne s'intéressera aux confidences d'une écolière de treize ans. »
Les Journaux d'Anne Frank, 20 juin 1942 (b).

Au printemps 1998, alors que je préparais ce livre, j'ai appris qu'un certain nombre de pages jusque-là inconnues du *Journal* d'Anne Frank avaient refait surface. Ces textes sont actuellement en possession de M. Cornelius Suijk, qui affirme les avoir reçus d'Otto Frank, un ami de longue date. Otto lui avait apparemment remis ces pages en 1980, alors que deux néo-nazis allemands, Ernst Romer et Edgar Gaess, étaient jugés pour avoir dénoncé dans le *Journal* l'œuvre d'un faussaire. Les deux hommes furent reconnus coupables et, lorsque leur affaire vint en appel, les autorités fédérales allemandes confièrent à une équipe d'historiens le soin d'évaluer l'authenticité des notes du *Journal*. Otto les autorisa à examiner les œuvres de sa fille, mais non sans en avoir préalablement retiré cinq pages qu'il voulait garder confidentielles. C'est celles-ci qu'il remit à Cornelius Suijk, lequel affirme que l'intention d'Otto, ce faisant, était de pouvoir dire, sans mentir, aux parties intéressées, qu'il n'avait pas d'autres pages du *Journal* en sa possession.

Après la mort d'Otto, en 1980, Suijk conserva les cinq pages et se garda d'en signaler l'existence au RIOD quand *L'Édition critique* était en préparation, alors même que, dans son testament, Otto avait légué la totalité des écrits d'Anne à l'institut hollandais. Le silence de Suijk, à l'en croire, s'expliquerait par son souci de protéger Fritzi, la veuve d'Otto. Or les responsables de *L'Édition critique* ont bel et bien consulté Fritzi Frank au cours de leur travail. Celle-ci leur demanda de couper un certain nombre de lignes dans le passage daté du 8 février 1944. Le passage en question commence par une nouvelle dispute entre Anne et Edith, au cours de laquelle Anne écrit lui avoir dit, « pour rire » : « Tu es quand même une vraie marâtre » *(Rabenmutter)*. La fin du paragraphe est suivie par toute une série d'allusions, tandis qu'une note en bas de page précise : « Dans les 47 lignes supprimées, Anne Frank donne une description très déplaisante et en partie fausse de la relation entre ses parents. À la demande de la famille Frank, le passage a été supprimé [1]. » David Barnouw, l'un des maîtres d'œuvre de *L'Édition critique*, suppose aujourd'hui que les pages confiées à la garde de Suijk constituent une suite à ce passage supprimé : « La numérotation des pages avait été faite après la suppression des pages, si bien que nous ignorions qu'elles avaient disparu. Je crois cependant que ces cinq pages sont en fait une version remaniée d'un passage plus bref du 8 février 1944, qui portait également un regard critique sur le couple que formaient ses parents [2]. »

Dans le courant de l'été 1998, la presse mondiale s'est fait l'écho de cette disparition. L'intérêt du public pour cette histoire étant considérable, la presse s'est longuement interrogée sur la teneur des pages secrètes. Voici quelques mois, après avoir lu les pages dans lesquelles Anne évoque la vie de couple de ses parents, j'en suis cependant arrivée à la conclusion que l'existence de « nouveaux » fragments était certes d'une grande importance étant donné leur auteur, mais que leur contenu n'était pas une révélation. Il n'est rien, dans les pages manquantes (écrites sur des feuilles volantes), qui change la physionomie du *Journal*. Le thème essentiel – et celui qui a le plus excité la curiosité – en est le couple Otto-Edith, qu'Anne trouvait très en deçà de l'image idéale que ses parents tentaient de préserver. Elle jugeait leur relation romantiquement inégale : sa mère était brisée par le peu de passion et d'amour que lui manifestait Otto. Aux yeux d'Anne, il lui témoignait du respect et de la tendresse, mais pas, comme elle disait, de l'amour « plein ». Autrement dit, son amour n'avait rien de « romantique ». Elle y fait aussi allusion (mais là encore, ce n'est pas nouveau) à une liaison qu'avait eue son père avant son mariage avec Edith, laissant entendre que cet épisode avait été le grand amour de sa vie. Anne avoue encore admirer sa mère, qui a su si bien s'accommoder d'un mariage de pure forme, et se demande si elle peut l'aider d'une façon ou d'une autre, avant de conclure que le fossé entre elle et sa mère est trop large pour qu'elle puisse prendre la moindre initiative de cet ordre.

À cet égard comme à d'autres, il ne faut pas perdre de vue dans quelles circonstances Anne a été amenée à « disséquer » le couple que formaient ses parents. Sa vision de l'amour n'était encore tempérée par aucune expérience concrète, et elle n'était jamais plus critique que lorsqu'elle évoquait son existence auprès de personnes avec lesquelles elle vivait dans une proximité constante, presque insupportable. Qu'Anne fût ou non injuste, on peut probablement avancer, sans trop de risque de se tromper, que la situation même devait mettre la vie du couple à rude épreuve : la réclusion, le stress, la peur, l'absence d'intimité (Margot partageait la chambre de ses parents). Quel couple n'en aurait souffert ? Quoi qu'il en soit, Otto avait trente-six ans lorsqu'il s'est marié. Il serait irréaliste et naïf d'imaginer qu'il n'ait jamais posé les yeux sur une autre femme avant de rencontrer Edith. En quoi ces spéculations d'adolescente pourraient-elles avoir valeur de révélation ou choquer ?

On a fait grand cas de l'idée qu'Anne se montrait plus bienveillante envers sa mère dans les pages manquantes que partout ailleurs dans le *Journal* : je n'ai pas ce sentiment. Anne avait déjà compris que mieux valait coucher par écrit ses pensées moins charitables sur sa mère que de les exprimer directement. Elle avait aussi décidé de ne pas mettre le doigt sur leurs problèmes conjugaux : « Le chagrin qu'elle ressentirait alors, je veux le lui éviter [3]. » Anne aurait-elle continué son *Journal* au-delà du mois d'août 1944 que ses bouffées de colère envers sa mère, moins vives avec l'âge, auraient probablement disparu. Ainsi en va-t-il de la rébellion chez la plupart des adolescents.

Dans les autres pages supprimées, Anne écrit qu'elle veillera à soustraire ces papiers à la vue des siens, que ses secrets n'appartiennent qu'à elle. De là est née cette conjecture fébrile : Anne n'aurait pas aimé que son *Journal* fût publié. Une fois encore, il ne faut pas oublier son inconstance : d'un jour à l'autre, ses opinions et ses idées changeaient. « Je n'ai pas l'intention de jamais faire lire à qui que ce soit ce cahier cartonné paré du titre pompeux de " journal " [...] », écrit-elle dès les premières pages [4]. Il est impossible de dire aujourd'hui si elle aurait aimé voir son *Journal* publié sous la forme qu'il avait dans sa première édition, mais il n'est guère douteux que son désir le plus cher – et avoué – était d'être un écrivain. Que son état d'esprit ait changé d'une période à l'autre, elle avait bel et bien commencé à remanier la totalité du document en vue de le publier. Elle y travaillait encore quand la Gestapo est arrivée.

Pourquoi Otto Frank a-t-il dissimulé ces pages aussi long-temps ? Je ne pense pas qu'il ait voulu préserver son image aux yeux des lecteurs du *Journal* ; et je ne crois pas davantage que leur contenu eût choqué Fritzi Frank : elle n'était plus une jeune fille quand elle a épousé Otto. La vraie réponse se trouve dans ce passage des souvenirs d'Otto : « J'ai été parfois très attristé en voyant avec quelle sévérité Anne traitait sa mère. Toute à sa colère, des suites de tel ou tel conflit, elle épanchait ses sentiments sans retenue. Il m'était pénible de la voir se méprendre si souvent sur les vues de sa mère. Mais j'ai été sou-lagé de lire, dans les derniers passages, qu'Anne avait compris : ses fréquentes disputes avec sa mère étaient parfois de sa faute. Elle regrettait même ce qu'elle avait écrit [5]. » C'est en raison du désarroi dans lequel le plongeait la mésentente entre son épouse et sa fille cadette qu'Otto, j'en suis convaincue, a omis ces passages du *Journal*. Il entendait préserver l'image de sa fille aux yeux de ses lecteurs comme aux siens. Anne n'était pas une sainte, il le savait ; mais, en sa qualité de père, son instinct lui dicta d'écarter les passages où Anne exprimait sa colère avec le plus de véhémence, en particulier lorsque celle-ci avait pour cible la femme qu'il avait perdue. Quoi que puissent dire ses détracteurs, Otto Frank n'était pas un homme vaniteux.

À l'heure où j'écris ces lignes, au début de décembre 1998, Cornelius Suijk est toujours en possession de ces pages et il est impossible d'en donner des citations. Suijk a promis de les remettre finalement au RIOD, qui envisageait déjà de mettre à jour *L'Édition critique*. Les pages manquantes y seront natu-rellement incluses, comme dans toutes les nouvelles éditions du *Journal*. « Dix années ont passé depuis que nous avons discuté [de ces omissions], explique David Barnouw, et nous pensons que l'heure est venue. Nous ne mettrons pas de note en bas de page. Il appartiendra aux lecteurs de se faire une raison[6]. »

NOTES

Prologue

1. Karl Josef Silberbauer interviewé par Jules Huf, *in* Simon Wiesenthal, *Justice n'est pas vengeance*, Paris, Robert Laffont, 1989, p. 355-356.
2. Tous les participants à cette descente sur le Prinsengracht qui ont survécu à la guerre ont multiplié les interviews, les déclarations écrites et les témoignages sous serment à propos des événements. Il subsiste un certain nombre de décalages entre ces versions, essentiellement dus au temps passé, aux oublis et aux divergences de perspective. La version des événements ici retenue est la plus fréquemment rapportée. Toutes les citations directes sont naturellement dûment signalées.
3. Bep Voskuijl, *in* Ernst Schnabel, *The Footsteps of Anne Frank*, Londres, Pan Books, 1976, p. 101.
4. Bep Voskuijl, *in Les Journaux d'Anne Frank*, Paris, Calmann-Lévy, 1989, p. 33.
5. *Ibid.*
6. Ernst Schnabel, *op. cit.*, p. 104. On n'a jamais établi le nombre exact de nazis hollandais qui accompagnaient Silberbauer. L'édition critique du *Journal* d'Anne Frank indique quatre ou cinq.
7. Déclaration de Miep-Gies-Santrouschitz par-devant notaires à Amsterdam, 5 juin 1974. Collection du RIOD.
8. Victor Kugler, *The Reminiscences of Victor Kugler, the « Mr. Kraler » of Anne Frank's Diary*, souvenirs confiés à Eda Shapiro, Jérusalem, Yad Vashem Studies, XIII, 1979, p. 358.
9. *Ibid.*
10. *Ibid.*, p. 358-359.
11. Déclaration de Miep Gies-Santrouschitz, *loc. cit.*
12. Miep Gies, transcription des entretiens pour le documentaire de Jon Blair, *Anne Frank Remembered*, Jon Blair, 1995. Collection privée de Jon Blair.

13. Otto Frank, *in* Ernst Schnabel, *op. cit.*, p. 105.
14. Victor Kugler, *op. cit.*, p. 359-361.
15. Otto Frank, *in* E. C. Farrell, « Postscript to a Diary », *The Global Magazine*, 6 mars 1965.
16. Miep Gies, avec la collaboration d'Alison Leslie Gold, *Elle s'appelait Anne Frank*, Paris, Calmann-Lévy, 1987, p. 246.
17. Otto Frank, *in* Jane Pratt, « The Anne Frank We Remember », *McCalls Magazine*, janvier 1986.
18. Gies et Gold, *op. cit.*, p. 246.
19. Otto Frank, *in* Ernst Schnabel, *op. cit.*, p. 111.
20. Témoignage de Kleiman, *ibid.*
21. *Les Journaux d'Anne Frank*, 28 septembre 1942 (a), p. 232 et 322.
22. Album photo des Frank, mai 1941. Avec l'autorisation du Fonds Anne Frank de Bâle.
23. *Les Journaux d'Anne Frank*, 29 octobre 1943 (b), p. 450.
24. *Ibid.*, 17 avril 1944 (a), p. 649.

Chapitre 1

1. In *Contes*, Paris, Calmann-Lévy, 1959 ; Livre de Poche, p. 24.
2. Anne Frank, *in* Ernst Schnabel, *The Footsteps of Anne Frank*, Londres, Pan Books, 1976, p. 89 ; également *Les Journaux d'Anne Frank*, 2 mai 1943(a), p. 396. Toutes les citations du *Journal* sont extraites des *Journaux d'Anne Frank*, Paris Calmann-Lévy, 1989. Les lettres entre parenthèses indiquent la version du *Journal* citée. A est la version originale d'Anne, B sa version révisée, et C la version publiée par les soins de son père.
3. Amos Elon, *Founder : Meyer Amschel Rothschild & His Time*, Londres, Harper Collins, 1996, p. 20.
4. Renseignements tirés des archives municipales de Landau et des brochures disponibles auprès de la Maison Frank-Lœb'sches, *Some Historical Facts About the House* et *Facts Relating to The Jews of Landau*. En 1940, les Juifs qui restaient encore à Landau furent cantonnés chez eux en attendant leur déportation à Auschwitz. Après la guerre, il fut question de la baptiser « La maison Anne Frank ». Officiellement ouverte au public sous son nom actuel le 7 mai 1987, elle abrite désormais une exposition permanente consacrée à l'histoire des Juifs de Landau ainsi que des objets d'art et sert de centre culturel.
5. *Journaux d'Anne Frank*, non datés mais probablement du 28 septembre 1942, p. 232.
6. *Ibid.*, 8 mai 1944 (a), p. 672.
7. Otto Frank, *in* Ernst Schnabel, *op. cit.*, p. 17.
8. Otto Frank, *in* Cara Wilson, *Love, Otto : The Legacy of Anne Frank*, Andrews & McMeel, 1995, p. 136-137.

Notes

9. *Journaux d'Anne Frank*, 8 mai 1944 (a), p. 672. Ici, il semble qu'Anne se trompe. Il n'y avait pas d'Hermann à Luxembourg. Très certainement fait-elle allusion à Arnold, le frère de Jacob.

10. À cette date, Nathan Straus était encore connu sous le nom reçu à sa naissance, Charles Webster Straus (il dut son nom à une première association avec Macy); mais vers vingt et un ans, désireux d'entrer dans la vie politique, il décida d'employer le nom plus reconnu de « Nathan Straus » et changea donc légalement de nom. « Il laissa trois mois à sa famille pour qu'elle prenne l'habitude de l'appeler Nathan, écrit l'historien de la famille Straus, et il ne répondait pas au nom de Charlie. La seule qui continua à l'appeler Charlie, ce fut sa belle-sœur Flora Stieglitz Straus, qui avait épousé son frère Hugh Grant Straus. » En vérité, Flora *n'était pas* la seule. Dans toutes leurs correspondances, Otto donne à Nathan du « Charley »..., mais son ami signait toujours Nathan. Afin d'éviter toute confusion, j'ai employé le nom de Nathan Straus Jr. tout au long du texte. Je dois ces indications à l'historien de la famille Straus, e-mail à l'auteur, 16 janvier 1998.

11. Historien de la famille Straus, e-mail à l'auteur, 3 décembre 1997.

12. La famille n'a aucun souvenir de la cause du décès de Michael Frank.

13. Lettres d'Otto Frank, 1909-1910, collection privée de Buddy Elias.

14. Lettre d'Otto Frank, août 1915, collection privée de Buddy Elias.

15. Lettres d'Otto Frank, 1915-1918, collection privée de Buddy Elias.

16. Lettre d'Otto Frank, 18 février 1916, collection privée de Buddy Elias.

17. Lettre d'Otto Frank, 21 juin 1917, collection privée de Buddy Elias.

18. Otto Frank, lettre, 1975, *in* Anne Frank Stichting, *Anne Frank Magazine*, Amsterdam, Anne Frank Stichting, 1998, p. 39.

19. Otto Frank, citation sur un panneau de l'exposition, Anne Frank Educational Trust UK, exposition *Anne Frank : A History for Today*, 1997.

20. Otto Frank, *in* Ernst Schnabel, *op. cit.*, p. 16.

21. Miep Gies, avec Alison Leslie God, *Elle s'appelait Anne Frank*, Paris, Calmann-Lévy, 1987, p. 68-69.

22. Otto Frank, lettre du 11 février 1966, *in* Cara Wilson, *Love, Otto : The Legacy of Anne Frank*, Andrews & McMeel, 1995, p. 26-27.

23. Ces renseignements sur la famille Hollander viennent de l'arbre généalogique que je dois à l'amabilité du Dr Trude K. Hollander, d'Eddy Fraifeld et de Dick Plotz.

24. Eddy Fraifeld, e-mail à l'auteur, 2 décembre 1997.

25. Dr Trude K. Hollander, lettre à l'auteur, 25 mars 1997. Le Dr Hollander va jusqu'à dire qu'Edith « était notoirement une femme intelligente, fidèle à la tradition familiale et attachée aux vraies valeurs » et affirme que les Hollander « ont été grossièrement passés sous silence dans toutes les éditions des livres d'Anne. [...] Après les corrections, les mises en forme et les ajouts intéressés du père d'Anne, qui était le seul survivant, Otto était devenu le mentor d'Anne, son modèle, exerçant sur sa vie une influence incontestée. Cela peut passer pour de l'amertume, mais le fait est notoire dans la famille – de la part d'une famille qui n'a plus maintenant voix au chapitre ».

26. Par la suite, Margot lui donna elle aussi du « Berndt », tandis qu'Anne l'appelait « Bernd ».

27. Livre de bébé de Margot, 14 mars 1926. Cité avec la permission du Fonds Anne Frank de Bâle.
28. *Ibid.*, 12 mai 1926.
29. *Ibid.*, 14 juin 1926.
30. *Ibid.*, décembre 1927.
31. Historien de la famille Straus, e-mail à l'auteur, 16 janvier 1998.
32. Nathan Straus Jr., carte postale, 23 juillet 1928. Collection privée Buddy Elias.
33. Ernst Schnabel, *op. cit.*, p. 19.
34. *Der Stürmer*, cité par A. C. Roodnat et M. de Klijn, *A Tour of the Anne Frank House in Amsterdam*, Amsterdam, Anne Frank Stichting, 1971, p. 20.
35. Kathi Stilgenbauer, *in* Ernst Schnabel, *op. cit.*, p. 24.
36. Milly Stanfield, *Newsday : The Woman Who Would Have Saved Anne Frank*, 16 mars 1995, par Cal Fussman.
37. *Ibid.*
38. Buddy Elias, entretien avec l'auteur, Cheltenham, octobre 1997.
39. *Ibid.*
40. Anne Frank, « Paula's Plane Trip », *in Tales from the Secret Annexe*, Londres, Penguin, 1988, p. 25 ; texte absent de l'édition française citée en note 1, *supra*.
41. *Ibid.*
42. Ernst Schnabel, *op. cit.*, p. 19.
43. *Ibid.*, p. 19-20.
44. Album photo de Margot, années 1930. Fonds Anne Frank, Bâle.
45. Ernst Schnabel, *op. cit.*, p. 21.
46. Signature illisible.
47. Otto Frank, lettre du 2 avril 1932. Collection privée Buddy Elias.
48. Ernst Schnabel, *op. cit.*, p. 27.
49. Otto Frank *in* Ernst Schnabel, *op. cit.*, p. 24-25, et Anna G. Steenmeijer et Otto Frank, *A Tribute to Anne Frank*, New York, Doubleday, 1971, p. 13.
50. Cité par R. Peter Straus in *Moment*, décembre 1977.
51. Otto Frank, lettre du 19 juin 1968, *in* Cara Wilson, *op. cit.*, p. 50.
52. Buddy Elias, entretien avec l'auteur, Cheltenham, octobre 1997.
53. « ... originaire de Francfort-sur-le-Main », in *Journaux d'Anne Frank*, chap. 1, p. 14.
54. Buddy Elias, entretien avec l'auteur, Cheltenham, octobre 1997.
55. Eva Schloss, entretien avec l'auteur, Londres, janvier 1998.
56. Buddy Elias, entretien avec l'auteur, Cheltenham, octobre 1997.
57. *Ibid.*
58. Eva Schloss, entretien avec l'auteur, Londres, janvier 1998.
59. Gertrud Naumann, *in* Ernst Schnabel, *op. cit.*, p. 24.
60. Cité *in* Karen Shawn, *The End of Innocence : Anne Frank and the Holocaust*, New York, Anti-Defamation League of B'nai B'rith, 1989, p. 11.
61. Edith Frank, lettre non datée, *in* Ernst Schnabel, *op. cit.*, p. 25.
62. Miep Gies, avec Alison Leslie God, *op. cit.*, p. 27.
63. *Ibid.*, p. 32-33.
64. *Ibid.*, p. 37 et 44.

Notes

65. *Journaux d'Anne Frank*, 15 juin 1942 (a), p. 182. Margot eut huit ans en février 1934 – d'où l'allusion d'Anne aux cadeaux d'anniversaire.
66. Edith Frank, lettre de mars 1934, *in* Ernst Schnabel, *op. cit.*, p. 25.

Chapitre 2

1. « Le Merry » : Anne parle du Merwedeplein.
2. Van Gelder, *in* Ernst Schnabel, *The Footsteps of Anne Frank*, Londres, Pan Books, 1976, p. 40-41.
3. *Journaux d'Anne Frank*, 15 juin 1942 (a), p. 221.
4. Hanneli Pick-Goslar, *in* Willy Lindwer, *The Last Seven Months of Anne Frank*, New York, Pantheon, 1991, p. 14.
5. Ernst Schnabel, *op. cit.*, p. 33.
6. Willy Lindwer, *op. cit.*, p. 15.
7. Ernst Schnabel, *op. cit.*, p. 26.
8. Miep Gies avec Alison Leslie Gold, *Elle s'appelait Anne Frank*, Paris, Calmann-Lévy, 1987, p. 38, 46, 49.
9. Juliane Duke, « Anne Frank Remembered », *The New York Times,* 11 juin 1989.
10. *Ibid.*
11. *Ibid.*
12. *Ibid.*
13. *Ibid.*
14. Lettre d'Otto Frank, 9 avril 1934, in *Journaux d'Anne Frank*, p. 19.
15. Carte postale d'Otto Frank, 1934, exposition *Anne aus Frankfurt*, Centre Anne Frank, Francfort, mars 1998.
16. Je n'ai pas été en mesure de retrouver la source de cette citation.
17. Lucy S. Dawidowicz, *The War against the Jews 1933-1945*, Londres, Penguin, 1987, p. 100-101.
18. *Ibid.* p. 99.
19. À compter du 26 novembre, les Gitans et les Noirs furent également soumis à l'interdiction des mariages « mixtes ».
20. Lettre du 26 mars 1935, exposition Anne Frank, *Anne aus Frankfurt.*
21. *Ibid.*
22. Edith Frank, lettre non datée, *in* Ernst Schnabel, *op. cit.*, p. 26.
23. *Ibid.*
24. *Ibid.*
25. Edith Frank, lettre non datée, exposition citée.
26. Otto Frank, cité par E. C. Farrell « Postscript to a Diary », *The Global Magazine*, 6 mars 1965 ; R. Peter Straus, « *Journal* : The living Legacy of Anne Frank », septembre 1967, *Moment*, décembre 1977.
27. Otto Frank, *Mémoire*, collection privée de Buddy Elias.
28. Edith Frank, lettre non datée, *in* Schnabel, *op. cit.*, p. 26.

29. Hanneli Pick-Goslar, *in* Willy Lindberg, *op. cit.*, p. 17
30. *Journaux d'Anne Frank,* 27 novembre 1943 (b), p. 461.
31. Alison Leslie Gold, *Memories of Anne Frank : Reflections of a Childhood Friend*, New York, Scholastic Press, p. 15-16. Ce renseignement est tiré de Willy Lindwer, *op. cit*, p. 17.
32. A. L. Gold, *op. cit.*, p. 29-30.
33. Hanneli, *in* Willy Lindwer, *op. cit.*, p. 16-17.
34. A. L. Gold, *op. cit.*, p. XII.
35. Hanneli, *in* W. Lindwer, p. 16-17.
36. Anne Frank, lettre du 18 décembre 1936, *in Stern*, 21 mai 1982.
37. Ruud Van der Rol & Rian Verhoeven, *Anne Frank. Beyond the Diary*, Londres, Puffin Books, 1993, p. 25.
38. M. Gies, *Elle s'appelait Anne Frank*, p 45-46.
39. *Ibid.*, p. 47.
40. *Ibid.*
41. *Ibid*, p. 48-49.
42. *Journaux d'Anne Frank*, 6 janvier 1944 (a), p. 487.
43. Sol Kimel, « Heart to Heart », *Hadassah Magazine.*
44. Willy Lindwer, *op. cit.*, p. 16-17
45. Cf. Anna Steenmeijer & Otto Frank, *A Tribute to Anne Frank*, New York, Doubleday, 1971, p. 18.
46. Buddy Elias, entretien avec l'auteur en octobre 1997 ; et « Past Lives Again Because of Little Girl », *Dayton Daily News*, 2 octobre 1960.
47. *Ibid.*
48. Entretien cité avec l'auteur, et « I knew the Real Anne Frank », *The Mail on Sunday. You Magazine*, 2 février 1997.
49. Entretien avec l'auteur, octobre 1997.
50. *The Mail on Sunday...*, 2 février 1997.
51. Otto Frank dans Wolf von Wolzogen, *Anne aus Frankfurt*, Francfort, Musée historique, 1994, p. 102.
52. Edith Frank, lettre de 1937, exposition Francfort, mars 1998.
53. *Der Stürmer*, cité *in* Anne Frank Stichting, *Anne Frank in the World 1929-1945*, catalogue d'exposition, Amsterdam, Bert Bakker, 1985, p. 47.
54. L. S. Dawidowicz, *op. cit.*, p. 136.
55. M. Gies, *Elle s'appelait Anne Frank*, p. 56-57.
56. *Ibid.*, p. 57.
57. *Ibid.*, p. 57.
58. *Ibid.*, p. 58.
59. Photo Album d'Anne Frank, 1938 ; Fonds Anne Frank, Bâle.
60. Milly Stanfield, *in* Carl Fussman « The Woman Who Would Have Saved Anne Frank », *Newsday.* 19 mars 1995.
61. Fondation Anne Frank, *Anne Frank Magazine 1998*, p. 8.
62. Hermann Röttgen, in *On the Occasion of the " Habimah " Production : My Last Meeting with Anne Frank and her Family.* Je n'ai pas été en mesure de trouver d'autres détails sur cette publication.
63. Anne Frank, « My First Article », in *Tales from the Secret Annexe*, Londres, Penguin, 1982, p. 128.

64. Henny Van Pels, la sœur de Hermann, vivait déjà à Amsterdam depuis 1935, et leur père, Aron, les rejoignit en 1938. Il mourut en 1941.

65. M. Gies, *Elle s'appelait Anne Frank*, p. 58.

66. *Ibid.*

67. Max Van Creveld, in *Anne Frank Magazine* 1998, p. 12-13.

68. *Ibid.*

69. Bertel Hess, in *Anne Frank Magazine 1998*, p. 13.

70. M. Gies, *Elle s'appelait Anne Frank*, p. 59.

71. Pfeffer et Lotte, qui avaient vécu ensemble en couple, furent dans l'impossibilité de se marier après l'occupation des Pays-Bas par les nazis et l'application des lois « raciales » (Lotte n'était pas juive). Ils continuèrent à vivre ensemble, en faisant diverses tentatives infructueuses pour se marier. En 1953, huit ans après la mort de Pfeffer, Lotte vit leur mariage enregistré officiellement à Berlin.

72. Ernst Schnabel, *op. cit.*, p. 49.

73. Conversation avec Bep Van Wijk-Voskuijl, 25 février 1981, Collection RIOD.

74. Ernst Schnabel, *op. cit.*, p. 89

75. Pour une raison inconnue, Edith ne les accompagna pas.

76. Buddy Elias, entretien avec l'auteur, Cheltenham, octobre 1997 ; Mary E. Campbell Cousin of Anne Frank Remembers the Holocaust Well, *The Times*, 17 juillet 1985.

77. Conversation avec Miep Gies, 19 et 27 février 1985. Collection RIOD.

78. Liste nazie des Juifs résidant à Aix-la-Chapelle en 1935, communication de Dick Plotz, e-mail à l'auteur, le 6 décembre 1997.

79. Dr Trude Hollander, lettre à l'auteur, 25 mars 1998.

80. *Journaux d'Anne Frank*, 28 septembre 1942 (a), p. 233.

81. Lettre d'Otto Frank, mai 1939, citée *ibid.*

82. *Ibid.*

83. *Ibid.*, p. 232.

84. *Cf.* Willy Lindwer, *op. cit.*, illustration.

85. L. S. Dawidowicz, *op. cit.*, p. 143.

86. Je n'ai pu retrouver la source originale de ce passage.

87. *Cf.* Ernst Schnabel, *op. cit.*, p. 41.

88. Van Gelder, « In Those Days She Was Called Annelies », *De Telegraaf*, 8 juin 1957.

89. *Cf.* Mme Kuperus, *in* Mathieu Van Winsen, « How I Remember Anne Frank », *PRIVE*, 16 juin 1979 ; Schnabel, *op. cit.*, p. 42-43.

90. Otto Frank, *Mémoire*, collection privée de Buddy Elias.

91. Margot Frank, lettre du 27 avril 1940. Collection Centre Simon Wiesenthal, États-Unis.

92. Anne Frank, lettre et carte postale du 29 avril 1940. Collection Centre Simon Wiesenthal, États-Unis.

93. Juanita Wagner, affidavit in *Autographs, Including Anne Frank Correspondence*, catalogue d'enchères, Swann Galeries, États-Unis, 25 octobre 1988.

94. Betty Ann Wagner, « American Pen-Pals to Auction Anne Frank Cor-

respondence », *Los Angeles Times*, 24 juillet 1988 ; Richard F. Shepard, « Letter by Anne Frank is Being Sold », *New York Times*, 22 juillet 1988.
95. Milly Stanfield, *in* Carl Fussman, « The Woman Who Would Have Saved Anne Frank », *Newsday*, 16 mars 1995.
96. On sait qu'en anglais aussi bien qu'en allemand, myosotis se dit « Ne m'oublie pas », ce que le français ne permet pas de rendre. *(N.d.T.)*
97. Vers d'Anne Frank, *in* « The Jewish Journal », *Anne Frank's Signature*, Peggy Isaak Gluck, 20-26 avril 1990 ; *cf.* également *Holy Land Treasures, Antique Judaica, Rare Anne Frank Autograph Verse*, 1990. L'album a été vendu aux enchères chez Christie's à New York en 1990. Le rabbin Irvin D. Ungar, collectionneur d'objets antiques et de Judaica, l'a acheté et en a fait don au Centre Simon Wiesenthal, États-Unis. Ungar a payé une somme à cinq chiffres en dollars pour l'acquérir.
98. M. Gies, *Elle s'appelait Anne Frank*, p. 69-70.
99. *Journaux d'Anne Frank*, p. 263, après le 14 août 1940.
100. *Ibid.*, 18 octobre 1942, p. 322.

Chapitre 3

1. Entretien avec l'auteur, Amsterdam, mars 1998.
2. Entretien avec l'auteur, Londres, janvier 1998.
3. *Idem.*
4. *Idem.*
5. Eva Schloss & Evelyn Julia Kent, *Eva's Story*, Londres, W. H. Allen, 1988, p. 30
6. *Ibid.*, p. 32.
7. Eva Schloss, entretien avec l'auteur, Londres, janvier 1998.
8. *Ibid.*
9. Entretien, janvier 1998.
10. *Cf.* E. Schloss & E. J. Kent, *op. cit.*, p. 32 ; entretien avec l'auteur, Londres, janvier 1998.
11. Fritzi Frank, *in* Jane Pratt, « The Anne Frank We Remember », *McCalls Magazine*, janvier 1986.
12. Entretien avec l'auteur, Londres, janvier 1998.
13. Eva Schloss, entretien avec l'auteur, Londres, janvier 1998.
14. Laureen Nussbaum, « Life and Death », *The Sunday Oregonian*, 4 octobre 1992.
15. *Ibid.*
16. Ernst Schnabel, *op. cit*, p. 50.
17. *Journaux d'Anne Frank*, p. 232.
18. *Ibid.*, 6 janvier 1944, p. 487-488.
19. Documentaire de Jon Blair, *Anne Frank Remembered*, 1995.
20. Dr Jacob Presser, *Ashes in the Wind. The Destruction of Dutch Jewry*, Londres, Souvenir Press, 1968, p. 12.

Notes

21. E. Schnabel, *op. cit.*, p. 51.
22. Dr Jacob Presser, *op. cit.*, p. 21.
23. E. Schnabel, *op. cit.*, p. 51-52.
24. Toutes ces informations proviennent du chapitre 1 de *L'édition critique*, *op. cit.*, p. 11-32, « ...originaire de Francfort-sur-le-Main ».
25. Le lendemain de l'installation, Otto envoya une lettre aux Bureau des affaires économiques en s'excusant du retard et en fournissant les informations requises sur ses activités.
26. M. Gies et A. L. Gold, *Elle s'appelait Anne Frank*, p. 110.
27. Gabi, la petite sœur de Lies.
28. Lettre de décembre 1940, collection privée de Buddy Elias.
29. E. Schnabel, *op. cit.*, p. 52.
30. Par la suite, la zone sera partiellement rouverte.
31. Anne Frank, lettre du 13 janvier 1941, collection privée de Buddy Elias.
32. Probablement une allusion à la photo de Buddy déguisé en clown lors de son spectacle sur glace.
33. Anne Frank, lettre du 22 mars 1941, collection privée de Buddy Elias.
34. *Les Journaux d'Anne Frank,* p. 22-24.
35. La mère d'Edith.
36. À cause des mesures antijuives.
37. Anne Frank, lettre de juin 1941, collection privée de Buddy Elias.
38. Anne Frank, carte postale, juin 1941, *in* Anne Frank Stichting, *Anne Frank 1929-1945*, Heidelberg, Lambert Schneider, 1979, ill. 28.
39. Un associé d'Otto Frank.
40. Le couple qui dirigeait le camp.
41. Le petit garçon de Heinz et Eva.
42. Anne Frank, lettre de juin 1941, collection privée de Buddy Elias.
43. L'un des nombreux noms qu'Anne donnait à son père.
44. Anne Frank, lettre de juin 1941, collection privée de Buddy Elias.
45. Miep Gies avec Alison Leslie Gold, *Elle s'appelait Anne Frank,* p. 86-87.
46. Dr Jacob Presser, *op. cit.*, p. 75
47. *Ibid.*, p. 93
48. Ernst Schnabel, *op. cit.*, p. 52
49. Jacob Presser, *op. cit.*, p. 35.
50. Mme Kuperus, « How I Remember Anne Frank », *PRIVE,* 6 juin 1979; Mathieu Van Winsen; in Ernst Schnabel, *op. cit.,*. p. 43.
51. *Mémoire* d'Otto Frank, collection privée de Buddy Elias.
52. Laureen Nussbaum, « Life and Death », *The Sunday Oregonian*, 4 octobre 1992.
53. Jacqueline Van Maarsen, entretien avec l'auteur, Amsterdam, février 1998.
54. Jacqueline Van Maarsen, *My Friend Anne Frank*, p. 6.
55. *Ibid.*
56. *Ibid.*
57. Jacqueline Van Maarsen, entretien avec l'auteur, Amsterdam, février 1998.

58. Jacqueline Van Maarsen, *op. cit.*, p. 6; entretien avec l'auteur, Amsterdam, février 1998.
59. *Ibid.*, p. 6.
60. Jacqueline Van Maarsen, *Anne en Jopie*, Amsterdam. Balans, 1990.
61. Documentaire de Jon Blair, *Anne Frank Remembered*.
62. *Ibid.*
63. *Journaux d'Anne Frank*, 6 janvier 1944 (a), p. 482.
64. Jacqueline Van Maarsen, *My Friend Anne Frank*, p. 24.
65. *Ibid.*, p. 21.
66. *Ibid.*, lundi 24 janvier 1944 (a), p. 502.
67. *Ibid.*, 18 mars 1944 (a), p. 584.
68. Otto Frank, « The Living Legacy of Anne Frank », *Journal*, septembre 1967; Hazel K. Johnson, *Father Won't Watch Anne Frank Portrayal*, avril 1959.
69. Jacqueline Van Maarsen, *My Friend Anne Frank*, p. 21-22; entretien avec l'auteur, Amsterdam, février 1998.
70. Jacqueline Van Maarsen, *op. cit.*, p. 23 et 46.
71. Jacqueline Van Maarsen *in* Ernst Schnabel, *op. cit.*, p. 37-38.
72. Jacqueline Van Maarsen, *op. cit.*, p. 24.
73. Jacqueline Van Maarsen *in* Ernst Schnabel, *op. cit.*, p. 39.
74. Otto Frank, carte postale du 14 septembre 1941. Collection privée de Buddy Elias.
75. Anne Frank, carte postale du 14 septembre 1941. Collection privée de Buddy Elias.
76. Laureen Nussbaum, texte de l'entretien réalisé pour le documentaire de Jon Blair, *Anne Frank Remembered*, 1995, collection privée de Jon Blair.
77. Laureen Nussbaum, *loc. cit.*, 4 octobre 1992; transcription d'un entretien pour le documentaire de Jon Blair.
78. *Journaux d'Anne Frank*, 20 juin 1942 (a), p. 225.
79. Hilde Jacobsthal *in* Art Myers, *A survivor's Story*.
80. *Ibid.*

Chapitre 4

1. Lucy S. Dawidowicz, *The War against the Jews, 1933-1945*, Londres, Penguin, 1987, p. 169.
2. *Ibid.*, p. 170.
3. *Ibid.*, p. 171.
4. *Ibid.*, p. 180.
5. Lettres en possession de l'Anne Frank Stichting, Amsterdam.
6. Alice Frank, lettre du 12 janvier 1942. Collection privée de Buddy Elias.
7. *Ibid.*
8. Alice Frank, lettre du 20 janvier 1942. Collection privée de Buddy Elias.

Notes

9. Alice Frank, lettre du 12 avril 1942. Collection privée de Buddy Elias.
10. *Ibid.*
11. Otto Frank, *in* Ernst Schnabel, *The Footsteps of Anne Frank*, Londres, Pan Books, p. 59-60.
12. Hermann Röttgen, « On the Occasion of the " abimah " Production : My Last Meeting with Anne Frank and Her Family ». [*N.d.T.* : Selon la *Haggadah*, pendant la fête de la Pâque, c'est l'enfant le plus jeune qui doit dire le " Manischtana " (« Qu'est-ce qui a changé ? »), car c'est l'innocence qui doit parler.]
13. « ... originaire de Francfort-sur-le-Main », in *Journaux d'Anne Frank*, chap. 1, p. 27. Lewinsohn entra dans la clandestinité et devait survivre à la guerre.
14. Otto Frank, lettre du 10 juin 1971. Collection privée de Buddy Elias.
15. Victor Kugler, in Maxine Kopel, *The Man Who Hid Anne Frank*.
16. « The Man Who Hid Anne Frank », *The Hamilton Spectator*, 23 mars 1974.
17. Miep Gies avec A. Gold, *Elle s'appelait Anne Frank*, Paris, Calmann-Lévy, 1987, p. 111.
18. Le frère de Kleiman avait été également mis dans le secret.
19. Dr Jacob Presser,*Ashes in the Wind : The Destruction of Dutch Jewry*, Londres, Souvenir Press, 1968, p. 222-223.
20. *Journaux d'Anne Frank*, 22 mai 1944 (a), p. 693.
21. *Ibid.*, 9 octobre 1942 (b), p. 314.
22. Eva Schloss, entretien avec l'auteur, Londres, janvier 1998.
23. *Journaux d'Anne Frank*, 20 juin 1942 (a), p. 225.
24. Jacqueline Van Maarsen, entretien avec l'auteur, Amsterdam, février 1998.
25. Toosje, *in* Ernst Schnabel, *The Footsteps of Anne Frank*, p. 58.
26. Anne Frank, *Tales from the Secret Annexe*, Londres, Guild Publishing, 1985, p. 93.
27. Anne Frank, lettre, 1942. Collection privée de Buddy Elias ; traduction française in *Journaux d'Anne Frank*, p. 135-139.
28. Otto Frank, *Mémoire*. Collection privée de Buddy Elias.
29. Dr Jacob Presser, *op. cit.*, p. 112.
30. *Ibid.*, p. 112.
31. *Ibid.*, p. 118.
32. *Ibid.*, p. 120.
33. Miep Gies, *in* Ernst Schnabel, *The Footsteps of Anne Frank*, p. 66.
34. Eva Schloss, entretien avec l'auteur, Londres, janvier 1998.
35. *Ibid.*
36. *Journaux d'Anne Frank*, 20 juin 1942.
37. *Ibid.*, p. 144.
38. Hanneli Pick-Goslar, *in* Willy Lindwer, *The Last Seven Months of Anne Frank*, New York, Pantheon, 1991, p. 18.
39. Jacqueline Van Maarsen, *My Friend Anne Frank*, New York, Vantage Press, 1996, p. 25.
40. Jacqueline Van Maarsen, entretien avec l'auteur, Amsterdam, février 1998.

41. *Journaux d'Anne Frank*, 20 juin 1942 (b), p. 227.
42. Jacqueline Van Maarsen, *op. cit.*, p. 22 et entretien cité.
43. Anne Frank, lettre, mai 1942. Collection privée de Buddy Elias.
44. Buddy Elias, entretien avec l'auteur, Cheltenham, octobre 1997.
45. Otto Frank, lettre, mai 1942. Collection privée de Buddy Elias.
46. Margot Frank, lettre, mai 1942. Collection privée de Buddy Elias.
47. Dr Jacob Presser, *op. cit.*, p. 325-326.
48. *Ibid.*, p. 128-129.
49. *Journaux d'Anne Frank*, 14 juin 1942 (a), p. 220.
50. *Ibid.*
51. *Ibid.*, 12 juin 1942 (a), p. 219.
52. *Ibid.*
53. *Ibid.*, 28 septembre 1942 (a), p. 219.
54. *Ibid.*
55. Hanneli Pick-Goslar, *loc. cit.*, p. 17-18.
56. Jacqueline Van Maarsen, *op. cit.*, p. 27.
57. *Ibid.*, p. 54.
58. *Ibid.*, p. 68.
59. Hanneli Pick-Goslar, *loc. cit.*, p. 31.
60. *Journaux d'Anne Frank*, 19 juin 1942 (a), p. 231.
61. Jacqueline Van Maarsen, entretien avec l'auteur, Amsterdam, février 1998.
62. Edmond Silverberg, entretien téléphonique avec l'auteur, juin 1998.
63. *Idem.*
64. Tina Traster, *The Record, Hackensack : Holocaust Survivor Discloses his Courtship of Anne Frank*, 18 avril 1996.
65. *Journaux d'Anne Frank*, 30 juin 1942 (a), p. 245.
66. Edmond Silverberg, entretien téléphonique cité.
67. *Journaux d'Anne Frank*, 30 juin 1942 (a), p. 243.
68. *Ibid.*, 5 juillet 1942 (b), p. 247.
69. Hanneli Pick-Goslar, *loc. cit.*, p. 18.
70. *Journaux d'Anne Frank*, 1er juillet 1942 (b), p. 247.
71. Mme Van Maarsen, *in* Ernst Schnabel, *The Footsteps of Anne Frank*, p. 36.
72. *Ibid.*, p. 57.
73. Otto Frank, *in* Ernst Schnabel, *The Footsteps of Anne Frank*, p. 67.
74. Victor Kugler, *in* Ernst Schnabel, *The Footsteps of Anne Frank*, p. 81.
75. Victor Kugler, « Nazis Located Anne Frank In Hiding Place 14 Years Ago », *New Haven Evening Register*, 4 août 1958.
76. Dr Jacob Presser, *op. cit.*, p. 140.
77. *Journaux d'Anne Frank*, 8 juillet 1942 (b), p. 249.
78. *Ibid.*, p. 250.
79. Johannes Kleiman, *in* Ernst Schnabel, *The Footsteps of Anne Frank*, p. 67.
80. Otto Frank, *ibid.*
81. Miep Gies avec A. Gold, *Elle s'appelait Anne Frank*, p. 119.
82. *Journaux d'Anne Frank*, 8 juillet 1942 (b), p. 250.

83. Miep Gies avec A. Gold, *Elle s'appelait Anne Frank*, p. 119.

84. Otto Frank, carte postale, 5 juillet 1942. Collection privée de Buddy Elias.

85. Anne Frank, carte postale, 5 juillet 1942. Collection privée de Buddy Elias.

86. Les bicyclettes étaient interdites aux Juifs. Margot avait dû cacher la sienne ou en avait emprunté une.

87. Miep Gies avec A. Gold, *Elle s'appelait Anne Frank*, p. 120.

88. *Journaux d'Anne Frank*, 8 juillet 1942 (b), p. 251.

89. Miep Gies avec A. Gold, *Elle s'appelait Anne Frank*, p. 121-122.

90. *Ibid.*, p. 123-124.

91. Toosje, *in* Ernst Schnabel, *The Footsteps of Anne Frank*, p. 60.

92. Edmond Silverberg, entretien cité.

93. Jetteke Frijda, entretien avec l'auteur, Amsterdam, mars 1998.

94. Hanneli Pick-Goslar, *in* Willy Lindwer, *op. cit.*, p. 19-20.

95. Mme Van Maarsen, *in* Ernst Schnabel, *The Footsteps of Anne Frank*, p. 60-61.

96. Jacqueline Van Maarsen, *op. cit.*, p. 27-28.

Chapitre 5

1. Dr Jacob Presser, *Ashes in the Wind*, p. 141.

2. *Ibid.*, p. 392.

3. *Ibid.*, p. 383.

4. Eva Schloss, entretien avec l'auteur, Londres, janvier 1998.

5. Bruno Bettelheim, « The Ignored Lesson of Anne Frank », *in* Michael R. Marrus, *The Holocaust in History*, Londres, Penguin Books, 1989, p. 131-132.

6. Pour les informations concernant les protecteurs, je me suis beaucoup appuyée sur le Dr Jacob Presser, *op. cit.*, ainsi que sur Eva Fogelman, *Conscience and Courage, Rescuers of Jews During The Holocaust*, Londres, Cassel, 1995.

7. Jacob Presser, *op. cit.*, p. 388.

8. Eva Fogelman, *op. cit.*, p. 159.

9. *Ibid.*, p. 162-163.

10. *Ibid.*, p. 59.

11. Kleiman fait également état de la loyauté de sa fille envers Anne (*in* Ernst Schnabel, *op. cit.*, p. 84-85), et Anne parle dans son *Journal* de visites de Mme Kleiman à l'Annexe; cf. *Journaux d'Anne Frank*, 26 septembre 1942 (a), p. 288.

12. Miep Gies *in* Angela Lambert, « A Portrait of Anne Frank », *The Independant*, 4 mai 1995; la même dans le documentaire cité de Jon Blair.

13. Anne Frank Stichting, *Anne Frank Magazine*, 1998, p. 26-28.

14. Jacob Presser, *op. cit.*, p. 387.
15. *Journaux d'Anne Frank*, 11 juillet 1943(b)., p. 405
16. Eva Fogelman, *op. cit.*, p. 150-151.
17. *Journaux d'Anne Frank*, 28 janvier 1944 (b), p. 511-512.
18. *Ibid.*, 1er octobre 1942 (b), p. 301.
19. *Ibid.*, 5 octobre 1942 (a), p. 308.
20. Jacob Presser, *op. cit.*, p. 389.
21. Le comportement de Van Maaren et son rôle éventuel dans la dénonciation sont discutés à fond dans le dernier chapitre de ce livre.
22. *Journaux d'Anne Frank*, 9 novembre 1942 (b), p. 339.
23. *Ibid.*
24. *Ibid.*, 9 août 1943 (b), p. 428.
25. *Ibid.*, 15 janvier 1944 (a), p. 497.
26. *Ibid.*, 14 mars 1944 (a), p. 567.
27. *Ibid.*, 25 mai 1944 (a), p. 695.
28. *Ibid.*, 27 septembre 1942 (a), p. 298.
29. *Ibid.*, 29 septembre 1942 (b), p. 297.
30. Otto Frank, *Mémoire*, collection privée de Buddy Elias.
31. Otto Frank, lettre du 10 juin 1971, collection privée de Buddy Elias.
32. *Journaux d'Anne Frank*, 22 décembre 1943 (b), p. 467.
33. Fritz Pfeffer, lettre du 15 novembre 1942, *in* Anneke Visser, « Discovery of Letters Written By Man Who Hid in Anne Frank's Annexe », *Handelsblad*, 7 novembre 1987.
34. *Journaux d'Anne Frank*, 22 décembre 1942 (b), p. 369.
35. Werner Peter Pfeffer dans le documentaire cité de Jon Blair.
36. *Journaux d'Anne Frank*, 5 février 1943 (b), p. 374.
37. Otto Frank, *Mémoire*, collection privée de Buddy Elias.
38. *Journaux d'Anne Frank*, 30 septembre 1942 (a), p. 302.
39. Miep Gies avec Alison Leslie Gold, *Elle s'appelait Anne Frank*, p. 208-209.
40. *Ibid.*, p. 212.
41. *Journaux d'Anne Frank*, 17 octobre 1943 (b), p. 446.
42. Otto Frank, *Mémoire*, collection privée de Buddy Elias.
43. L'épouse d'une relation professionnelle.
44. *Journaux d'Anne Frank*, 30 septembre 1942 (a), p. 301
45. *Ibid.*, 1er octobre 1942 (b), p. 302.
46. *Ibid.*, 17 novembre 1942 (b), p. 351.
47. *Ibid.*, 10 décembre 1942 (b), p. 365.
48. Otto Frank, *Mémoire*, collection privée de Buddy Elias.
49. Le chat de Peter.
50. Miep Gies avec Alison Leslie Gold, *Elle s'appelait Anne Frank,* p. 155-156.
51. *Ibid.*, p. 162.
52. *Journaux d'Anne Frank*, 28 novembre 1942 (b), p. 358. Il semble qu'il y ait eu des photographies des Frank et de leurs amis de clandestinité. Lorsque Miep fit visiter l'Annexe à Cara Wilson en 1977, elle expliqua : « C'est ici qu'Anne rédigeait son *Journal*. Juste ici, près de la fenêtre. Dans la pièce où

Notes

nous sommes. Je me souviens qu'un jour je l'ai photographiée en train d'écrire. Elle me regarda, claqua son livre et sortit de la pièce comme un ouragan. Elle était très en colère contre moi d'avoir fait cela. Elle avait un sacré caractère » (*in* Cara Wilson, *Love, Otto : The Legacy of Anne Frank*, Andrews & McMeel 1995, p. 118). Par ailleurs, dans un entretien accordé à *The Holland Herald* en 1970, Kugler montra au journaliste plusieurs photographies parmi lesquelles, apparemment, une photo d'Anne qu'il avait prise à l'Annexe. Malheureusement, en dépit de recherches répétées, aucune photo de cette époque n'a encore pu être découverte.

53. *Journaux d'Anne Frank*, 11 juillet 1942, p. 257.
54. *Ibid.*, p. 259.
55. Otto Frank, *Mémoire*, collection privée de Buddy Elias.
56. *Journaux d'Anne Frank*, 19 novembre 1942 (b), p. 355.
57. *Ibid.*, 13 janvier 1943 (b), p. 371.
58. *Ibid.*, 2 mai 1943 (a), p. 396.
59. *Ibid.*, 25 septembre 1942 (a), p. 283.
60. *Ibid.*, 28 septembre 1942 (a).
61. Jacqueline Van Maarsen, entretien avec l'auteur, Amsterdam, février 1998.
62. *Journaux d'Anne Frank*, 1942 (a), p. 323.
63. Buddy Elias dans le documentaire cité de Jon Blair.
64. *Ibid.*
65. *Journaux d'Anne Frank*, 14 août 1942 (b), p. 262.
66. Buddy Elias, entretien avec l'auteur, Cheltenham, octobre 1997 .
67. *Ibid.*
68. *Ibid.*
69. *Journaux d'Anne Frank*, 24 décembre 1943 (b), p. 469-470.
70. *Ibid.*, 15 juillet 1944 (a), p. 730.
71. *Ibid.*, 26 mai 1944 (a), p. 698.
72. *Ibid.*, 26 mai 1944 (a), p. 697.
73. *Ibid.*, 23 février 1944 (a), p. 536.
74. *Ibid.*, p. 537.
75. Ernst Schnabel, *op. cit.*, p. 91.
76. Johannes Kleiman, *in* Ernst Schnabel, *op. cit.*, p. 97.
77. *Journaux d'Anne Frank*, 21 septembre 1942 (a), p. 277.
78. *Ibid.*, 22 octobre 1942 (a), p. 326.
79. *Ibid.*, 18 octobre 1942 (a), p. 327.
80. *Ibid.*, 17 avril 1944 (a), p. 648.
81. *Ibid.*, 14 octobre 1942 (a), p. 316.
82. Otto Frank, *Mémoire*, collection privée de Buddy Elias.
83. Notes de bas de page dans *Les Journaux d'Anne Frank*, p. 313.
84. *Journaux d'Anne Frank*, 4 octobre 1942 (a), p. 307.
85. Miep Gies, *in* Anne Frank Stichting, *Anne Frank Magazine*, 1998, p. 28-29.
86. Victor Kugler, *in* Maxine Kopel, *The Man Who Hid Anne Frank*.
87. Ernst Schnabel, *op. cit.*, p. 97.
88. Otto Frank, lettre du 19 juin 1968 Bin Cara Wilson, *Love, Otto, op. cit.*, p. 50 ; *Mémoire*, collection privée de Buddy Elias.

89. *Journaux d'Anne Frank*, 20 novembre 1942 (b), p. 356.
90. Otto Frank, lettre de 1975 *in* Anne Frank Stichting, *Anne Frank Magazine*, 1998, p. 39.
91. Lotte Pfeffer, lettre, *in* Judith E. Doneson, *The Holocaust in American Film. The Diary of Anne Frank in Post-War America*, New York, The Jewish Publication Society, 1987, p. 81. Lotte écrivait aux Hackett pour condamner leur portrait de Pfeffer comme d'un Juif ignorant de sa religion.
92. Tous ces passages sont tirés de la lettre du 2 février 1954 d' Otto Frank aux Hackett, *in* Lawrence Graver, *An Obsession with Anne Frank : Meyer Levin and The Diary*, Londres, University of California Press Ltd., 1995, p. 58 ; p. 78-79. La dernière citation est tirée du *Mémoire* d'Otto Frank, collection privée de Buddy Elias.
93. *Journaux d'Anne Frank*, 2 mai 1943 (a). Passage absent de l'édition française.
94. *Ibid.*, 16 février 1944 (a), p. 530-531.
95. *Ibid.*, 7 mars 1944 (a), p. 557.
96. *Ibid.*, 19 novembre 1942 (b) ; p. 355.
97. *Ibid.*, 27 février 1943 (b), p. 376.
98. *Ibid.*, 27 novembre 1943 (b), p. 461.
99. *Ibid.*, 29 décembre 1943 (a), p. 475.
100. *Ibid.*, 12 mars 1944 (a), p. 565.
101. *Ibid.*, 11 avril 1944 (a), p. 638.
102. Fritzi Frank, *in* Jane Pratt, « The Anne Frank We Remember », *McCalls Magazine*, janvier 1986.
103. *Journaux d'Anne Frank*, 28 septembre 1942 (a), p. 264.
104. *Ibid.*, 2 janvier 1944 (b), p. 478.
105. Otto Frank, *Mémoire*, collection privée de Buddy Elias.
106. *Journaux d'Anne Frank*, 5 février 1943 (b), p. 374.
107. *Ibid.*, 14 août 1942 (b), p.
108. *Ibid.*, 7 novembre 1942 (a), p. 331 ; 30 septembre 1942 (a), p. 303.
109. Ernst Schnabel, *op. cit.*, p. 83.
110. *Journaux d'Anne Frank*, 30 janvier 1943 (b), p. 372-373.
111. *Ibid.*, 28 septembre 1942 (a), p. 300.
112. Corrie fréquentait le même hockey club que Jacqueline Van Maarsen.
113. Ernst Schnabel, *op. cit.*, p. 84.
114. Victor Kugler, *in* Maxine Kopel, *The Man Who Hid Anne Frank*.
115. Victor Kugler, *in* Ernst Schnabel, *op. cit.*, p. 82.
116. Otto Frank, *Mémoire*, collection privée de Buddy Elias,
117. *Journaux d'Anne Frank*, 6 janvier 1944 (a), p. 481-482.
118. *Ibid.*, 6 janvier 1944 (a), p. 481.
119. *Ibid.*, 28 février 1944 (a), p. 540.
120. *Ibid.*, 24 janvier 1944 (a), p. 507.
121. *Ibid.*, 6 janvier 1944 (a), p. 490.
122. *Ibid.*, 6 janvier 1944 (a), p. 490.
123. *Ibid.*, 12 février 1944 (a), p. 522.
124. *Ibid.*, 14 février 1944 (a), p. 523.
125. *Ibid.*, 16 février 1944 (a), p. 529.

Notes

126. *Ibid.*, 17 mars 1944 (a), p. 582.
127. *Ibid.*, 2 mai 1944 (a), p. 660.
128. *Ibid.*, 5 mai 1944 (a), p. 666.
129. *Ibid.*, 7 mai 1944 (a), p. 671.
130. Otto Frank, *Mémoire*, collection privée de Buddy Elias.
131. *Journaux d'Anne Frank*, 28 avril 1944 (a), p. 659.
132. *Ibid.*, 3 mai 1944 (a), p. 664-665.
133. *Ibid.*, 15 juillet 1944 (a), p. 729-730.
134. Otto Frank, « Anne Frank Would Have Been 50 This Year », *Life*, mars 1979.
135. Kitty Egyedi, « In Search of Kitty, the Friend of Anne Frank », *Day In, Day Out*, 14 juin 1986.
136. Otto Frank, « Anne Frank Would Have Been 50 This Year », *Life*, mars 1979.
137. Fritzi Frank, *in* Jane Pratt, « The Anne Frank We Remember », *McCalls Magazine*, janvier 1986.
138. Victor Kugler, *in* Maxine Kopel, *The Man Who hid Anne Frank*; Victor Kugler, « Nazis Located Anne Frank in Hiding Place 14 Years Ago », *New Haven Evening Register*, 4 août 1958.
139. *Journaux d'Anne Frank*, 4 octobre 1942 (a), p. 308.
140. Miep Gies avec la collaboration d'Alison Leslie Gold, *Elle s'appelait Anne Frank*, p. 182.
141. *Journaux d'Anne Frank*, 20 octobre 1942 (a), p. 325.
142. Bep Voskuijl, in *Journaux d'Anne Frank*, p. 38.
143. *Journaux d'Anne Frank*, 7 août 1943 (b), p. 426;
144. Anne Frank, « Villains », in *Tales from the Secret Annexe*, Londres, Penguin, 1982, p. 101.
145. *Journaux d'Anne Frank*, 3 février 1944 (a), p. 520.
146. *Ibid.*, 23 février 1944 (a), p. 536 et 19 mars 1944 (a), p. 587.
147. *Ibid.*, 25 mars 1944 (a), p. 608.
148. *Ibid.*, 5 avril 1944 (a), p. 625.
149. *Ibid.*, 3 mai 1944 (a), p. 664-665.
150. *Ibid.*, 13 juin 1944 (a), p. 714.
151. *Ibid.*, 13 juin 1944 (a), p. 714.
152. *Ibid.*
153. Cité au chap. V. de l'édition critique *des Journaux d'Anne Frank*, p. 75-76.
154. *Journaux d'Anne Frank*, 29 mars 1944 (a), p. 616.
155. *Ibid.*, 5 avril 1944 (a), p. 624-626.
156. *Ibid.*, 14 avril 1944 (a), p. 641.
157. *Ibid.*, 21 avril 1944 (a), p. 653.
158. *Ibid.*, 11 mai 1944 (a), p. 683.
159. *Ibid.*, 20 mai 1944 (a), p. 689.
160. *Ibid.*, 17 avril 1944 (a), p. 649.
161. *Ibid.*, chap. V, p. 77, reproduction de la liste qu'Anne avait faite des correspondances de noms.
162. Bep Voskuijl, *in* Ernst Schnabel, *op. cit.*, p. 90.

163. Miep Gies avec la collaboration d'Alison Leslie Gold, *Elle s'appelait Anne Frank*, p. 233-234.
164. *Ibid.*, p. 234.
165. *Ibid.*
166. *Journaux d'Anne Frank*, 1ᵉʳaoût 1944 (a), p. 735.
167. *Ibid.*, 1ᵉʳ août 1944 (a), p. 735. (*N.d.T.* : En français dans le texte.)

Chapitre 6

1. Dr Jacob Presser, *Ashes in the Wind. The Destruction of Dutch Jewry*, Londres, Souvenir Press, 1968, p. 164.
2. Nombreux furent les mouvements de résistance aux Pays-Bas pendant la guerre ; le lecteur intéressé se reportera à l'ouvrage de Presser, *op. cit.* Il existe un Musée de la Résistance à Amsterdam, au 63, Lekstraat.
3. *Vrij Nederland*, cité *in* Presser, *op. cit.*, p. 162.
4. *Ibid.*, p. 273.
5. *Ibid.*, p. 264.
6. Jan Stoutenbeek et Paul Vigeveno, *A Guide to Jewish Amsterdam*, Amsterdam, De Haan, 1985, p. 128.
7. Tous les rescapés de la rafle du Prinsengracht ont accordé d'innombrables interviews, rédigé des chroniques et témoigné des événements qui suivirent. Entre les différentes versions, subsistent un certain nombre de décalages qui s'expliquent par le temps passé, le travail de la mémoire et les différences de perspective. Les pages qui suivent s'appuient sur les récits les plus courants.
8. Miep Gies, citée par H. Paape, « La dénonciation », in *Les Journaux d'Anne Frank,* chap. 3, p. 42-43.
9. Jan Gies, *in* Ernst Schnabel, *The Footsteps of Anne Frank*, Londres, Pan Books, 1976, p. 114.
10. Miep Gies, citée par H. Paape, « L'arrestation », in *Les Journaux d'Anne Frank,* chap. 2, p. 37.
11. Témoignage de Jan Gies à Lubeck, 20 septembre 1959. Collection du RIOD.
12. Minutes de deux conversations avec Jan Gies et Miep Gies-Santrouschitz, Amsterdam, 19 et 27 février 1985. Collection du RIOD.
13. Miep Gies avec Alison Gold, *Elle s'appelait Anne Frank*, p. 248.
14. *Ibid.*, p. 248-249.
15. Stoutenbeek et Vigeveno, *op. cit.*, p. 127.
16. Ernst Schnabel, *The Footsteps of Anne Frank*, Londres, Pan Books, 1976, p. 115-117.
17. *Ibid.*
18. Victor Kugler, *The Reminiscences of Victor Kugler, the " Mr Kraler " of Anne Frank's Diary*, Jérusalem, Yad Vashem Studies, XIII, 1979, propos confiés à Eda Shapiro, p. 360.

Notes

19. *Ibid.*
20. *Ibid.*, p. 360-361.
21. *Ibid.*, p. 361-362.
22. *Ibid.*
23. Eva Schloss, entretien avec l'auteur, Londres, mai 1998.
24. *Ibid.*
25. Récit fondé sur deux conversations avec Jan Gies et Miep Gies-Santrouschitz, Amsterdam, 19 et 27 février 1985, Collection du RIOD ; ainsi que sur H. Paape, « L'arrestation », in *Les Journaux d'Anne Frank*, p. 38-39 ; M. Gies et A. Gold, *Elle s'appelait Anne Frank*, p. 252-254, et E. Schnabel, *op. cit.*, p. 119-120.
26. Miep Gies, citée par H. Paape, « La dénonciation », in *Les Journaux d'Anne Frank,* chap. 3, p. 49-50
27. *Ibid.*, p. 48.
28. Otto Frank, *Mémoire.* Collection privée de Buddy Elias.
29. Otto Frank, *in* Schnabel, *op. cit.*, p. 117.
30. *Ibid.*
31. Jaap Nijstad, *Westerbork Drawings : The Life and Work of Leo Kok, 1923-1945*, Amsterdam, Balans, 1990, p. 27.
32. Presser, *op. cit.*, p. 406.
33. Le cabaret fut démantelé en 1944.
34. Presser, *op. cit.*, p. 450.
35. *Ibid.*, p. 435.
36. Vera Cohn, propos rapportés par Harold Berman, « The Day I Met Anne Frank », *The Anti-Defamation League Bulletin*, juin 1956.
37. *Ibid.*
38. Lenie de Jong-Van Naarden, *in* Willy Lindwer, *The Last Seven Months of Anne Frank*, New York, Pantheon Books, 1991, p. 144.
39. Ronnie Goldstein-Van Cleef, *ibid.*, p. 176.
40. Lientje Brilleslijper-Jaldati, « Memories of Anne Frank », communiqué de presse du film *Ein Tagebuch für Anne Frank*, Berlin, VEB Progress Film-Vetrieb, 1959.
41. Lientje Brilleslijper-Jaldati, *in* Edith Anderson, *A Sequel to Anne Frank's Diary*, 1966.
42. Rachel Van Amerongen-Frankfoorder, *in* Willy Lindwer, *op. cit.*, p. 92-93.
43. Rosa de Winter, *in* Schnabel, *op. cit.*, p. 127.
44. Eva Schloss, entretien avec l'auteur, Londres, mai 1998.
45. Rosa de Winter, *in* Schnabel, *op. cit.*, p. 127-128.
46. Otto Frank, *Mémoire.* Collection privée de Buddy Elias.
47. M. Gies et A. Gold, *Elle s'appelait Anne Frank*, p. 255.
48. H. Paape, « L'arrestation », in *Les Journaux d'Anne Frank*, chap. 2, p. 39.
49. Cité par H. Paape, « La dénonciation », in *Les Journaux d'Anne Frank,* chap. 3, p. 44.
50. M. Gies et A. Gold, *Elle s'appelait Anne Frank*, p. 259.
51. Rosa de Winter, *in* Schnabel, *op. cit.*, p. 128-129.

52. Eva Schloss, entretien avec l'auteur, Londres, mai 1998.
53. Témoin anonyme cité *in* Presser, *op. cit.*, p. 462.
54. *Ibid.*
55. Etty Hillesum, *Letters from Westerbork*, Londres, Jonathan Cape, 1986, p. 462.
56. Lientje Brilleslijper-Jaldati, « Memories of Anne Frank », *loc. cit.*
57. Rosa de Winter, *in* Schnabel, *op. cit.*, p. 129-130.
58. Lenie de Jong-Van Naarden, *loc. cit.*, p. 146-147.
59. Otto Frank, *Mémoire.* Collection privée de Buddy Elias.

Chapitre 7

1. Rosa de Winter, *in* Ernst Schnabel, *The Footsteps of Anne Frank*, p. 130.
2. Eva Schloss, entretien avec l'auteur, Londres, mai 1998.
3. *Ibid.*
4. Anton Gill, *The Journey Back From Hell : Conversations with Concentration Camp Survivors*, Londres, Grafton Books, 1988, p. 26.
5. Janny Brilleslijper, *in* Willy Lindwer, *The Last Seven Months of Anne Frank*, *op. cit.*, p. 56.
6. Eva Schloss, entretien cité.
7. Anton Gill, *op. cit.*, p. 35.
8. Otto Frank, « Anne Frank's Vater : Ich Will Versöhnung », *Welt am Sonntag*, 4 février 1979. Il y a une certaine confusion sur le moment de la mort de Hermann Van Pels, mais selon le dossier officiel de la Croix-Rouge aux archives du RIOD (N° 103586), la date de sa mort se situerait dans la nuit de l'arrivée à Auschwitz du convoi de Westerbork.
9. Anton Gill, *op. cit.*, p. 26-27.
10. Dossier de la Croix-Rouge néerlandaise. Collection du RIOD.
11. Victor Kugler, propos recueillis par Eda Shapiro, in *Yad Vashem Studies*, XIII, Jerusalem, 1979, p. 363-364.
12. *Ibid.*, p. 364.
13. *Ibid.*, p. 366.
14. Miep Gies avec la collaboration d'Alison Leslie Gold, *Elle s'appelait Anne Frank*, p. 262.
15. *Ibid.*, p. 262-263.
16. Rosa de Winter, *in* Ernst Schnabel, *op. cit.*, p. 135.
17. Ronnie Goldstein-Van Cleef, *in* Willy Lindwer, *op. cit.*, p. 186.
18. Rosa de Winter, *in* Ernst Schnabel, *op. cit.*, p. 135.
19. Bloeme Evers-Emden, *in* Willy Lindwer, *op. cit.*, p. 129.
20. Ronnie Goldstein-Van Cleef, *in* Willy Lindwer, *op. cit.*, p. 187.
21. Lenie de Jong-Van Naarden, *in* Willy Lindwer, *op. cit.*, p. 153.
22. Bloeme Evers-Emden, *in* Willy Lindwer, *op. cit.*, p. 129.
23. Lenie de Jong-Van Naarden, *in* Willy Lindwer, *op. cit.*, p. 155.

24. Ronnie Goldstein-Van Cleef, *in* Willy Lindwer, *op. cit.*, p. 191-192.
25. Sal de Liema, dans le documentaire cité de Jon Blair ; Sal de Liema, « Holocaust Survivors Recall Their Hell On Earth », *Watertown Daily Times*, 5 février 1995.
26. Sal de Liema, dans le documentaire cité de Jon Blair.
27. Rapport du service des recherches de la Croix-Rouge. Collection du RIOD.
28. Lientje Brilleslijper-Jaldati, « Memories of Anne Frank », *in* communiqué de presse du film, *Ein Tagebuch für Anne Frank*, VEB Progress Film-Vertrieb, Berlin, 1959.
29. Lientje Brilleslijper-Jaldati, *in* Edith Anderson, « A Sequel to Anne Frank's Diary », *National Guardian*, mai 1966.
30. Rosa de Winter, *in* Ernst Schnabel, *op. cit.*, p. 137.
31. *Ibid.*, p. 137-138.
32. Rosa de Winter, *in* Dick Schaap, *Freedom After Auschwitz : I Knew Anne Frank* ; la même *in* Ernst Schnabel, *op. cit.*, p. 138.
33. Edith Frank, *in* Ernst Schnabel, *op. cit.*, p. 138.

Chapitre 8

1. Rosa de Winter, *in* Dick Schaap, « Freedom After Auschwitz : I Knew Anne Frank ».
2. La sélection se fit le 30 octobre ; et le 1er novembre 1944 un nouveau convoi quittait Auschwitz-Birkenau : sans doute est-ce dans celui-ci que se trouvaient Anne et Margot. On trouvera les chiffres en note *in* Eberhard Kolb, *Bergen-Belsen from 1943-1945*, Göttingen, Sammlung Vandenhoeck, 1988, p. 54.
3. En réalité, Bergen-Belsen resta un camp de détention de 1943 jusqu'au milieu de l'année 1944, puis fut transformé en camp de concentration.
4. Eberhard Kolb, *op. cit.*
5. Croix-Rouge, *ibid.*, p. 35.
6. Lientje Brilleslijper-Jaldati, « Memories of Anne Frank », communiqué de presse pour le film, *Ein Tagebuch für Anne Frank*, Berlin, VEB Progress Film-Vertrieb, 1959.
7. *Ibid.*
8. Janny Brilleslijper, transcriptions de l'interview pour le documentaire de Jon Blair, *Anne Frank Remembered* (Jon Blair 1995). Collection privée de Jon Blair.
9. Eberhard Kolb, *op. cit.*, p. 38.
10. Anita Lasker-Wallfisch, *Inherit The Truth, 1939-1945*, Londres, Giles de Mare, 1996 ; *La Vérité en héritage, la violoncelliste d'Auschwitz*, trad. J. Lahana, Paris, Albin Michel, 1998, p. 129.
11. *Ibid.*, p. 129-130.

12. Lientje Brilleslijper-Jaldati, « Memories of Anne Frank », dans le communiqué de presse du film, *Ein Tagebuch für Anne Frank*, Berlin, VEB Progress Film-Vertrieb, 1959.

13. Christine Lattek, « Bergen-Belsen : From " Privileged " Camp to Death Camp », *in* J. Reilly, éd., *Belsen in History and Memory*, Londres, Frank Cass, 1997, p. 57.

14. Lientje Brilleslijper-Jaldati, citée *in* E. Anderson, « A Sequel to Anne Frank's Diary », *National Guardian*, mai 1966, et « Memories of Anne Frank », *loc. cit.*

15. *Ibid.*

16. Lientje Brilleslijper-Jaldati, *in* E. Anderson, *loc. cit.*

17. *Ibid.*

18. Anita Lasker-Wallfisch, *op. cit.*, p. 131.

19. Christine Lattek, *loc. cit.*, p. 55.

20. Lientje Brilleslijper-Jaldati, « Memories of Anne Frank ».

21. *Ibid.*

22. *Ibid.*

23. Rosa de Winter, *in* Ernst Schnabel, *The Footsteps of Anne Frank*, Londres, Pan Books, 1976, p. 134.

24. Otto Frank, *Mémoire*. Collection privée de Buddy Elias.

25. Dossier de la Croix-Rouge des Pays-Bas. Collection du RIOD.

26. Otto Frank, entretien, archives du documentaire de Jon Blair.

27. Dr Jacob Presser, *Ashes in the Wind. The Destruction of Dutch Jewry*, Londres, Souvenir Press, 1968, p. 526.

28. *Ibid.*, p. 527.

29. Dossier de la Croix-Rouge des Pays-Bas. Collection du RIOD.

30. Otto Frank, « Anne Frank Would Have Been Fifty This Year », *Life Magazine*, mars 1979.

31. Eva Schloss, entretien avec l'auteur, Londres, mai 1998.

32. Eva Schloss et Evelyn Julia Kent, *Eva's Story : A Survivor's Tale by the Step-sister of Anne Frank*, Londres, W. H. Allen, 1988, p. 165.

33. C'est-à-dire à Julius, le frère d'Edith.

34. Otto Frank, lettre du 23 février 1945. Collection privée de Buddy Elias.

35. Christine Lattek, *loc. cit.*, p. 57.

36. Lientje Brilleslijper-Jaldati, « Memories of Anne Frank ».

37. Hanneli Pick-Goslar, *in* Patricia Yaroch, « Her Best Friend Reveals A Surprising New Side of the Little Girl Whose Diary Touched The Heart of The World », 1957. Je n'ai pu trouver davantage de précisions sur cette publication. Au cours d'un entretien accordé à Willy Lindwer, de longues années après, Lies confia qu'elle n'avait sans doute pas vraiment pu voir Anne au cours de cette conversation.

38. *Ibid.*

39. *Ibid.*

40. La mère de Trees, *in* Ernst Schnabel, *op. cit.*, p. 145.

41. Lientje Brilleslijper-Jaldati, « Memories of Anne Frank ».

42. Otto Frank, « Anne Frank Would Have Been Fifty This Year ».

43. Otto Frank, lettre du 15 mars 1945. Collection privée de Buddy Elias.

44. Otto Frank, billet non daté. Collection privée de Buddy Elias.
45. Otto Frank, lettre du 18 mars 1945, *in* Cal Fussman, « The Woman Who Would Have Saved Anne Frank », *Newsday*, 16 mars 1995.
46. Otto Frank, lettre datée du 18 mars 1945. Collection privée de Buddy Elias.
47. *Ibid.*
48. *Ibid.*
49. Rosa de Winter, *in* Ernst Schnabel, *op. cit.*, p. 133.
50. On ne sait pas bien à quoi Otto fait allusion ici. D'après Buddy Elias, Otto ne serait rentré en contact avec sa famille que bien plus tard dans l'année.
51. Otto Frank, lettre non datée. Collection privée de Buddy Elias.
52. Otto Frank, « Anne Frank Would Have Been Fifty This Year ».
53. Eva Schloss et Evelyn Julia Kent, *op. cit.*, p. 196-197.
54. Otto Frank, lettre du 31 mars 1945. Collection privée de Buddy Elias.
55. Christine Lattek, *loc. cit.*, p. 55.
56. *Ibid.*, p. 57.
57. Eberhard Kolb, *op. cit.*, p. 46.
58. Dossier de la Croix-Rouge des Pays-Bas. Collection du RIOD.
59. Presser, *op. cit.*, p. 517.
60. Rachel Van Amerongen-Frankfoorder, *in* Willy Lindwer, *The Last Seven Months of Anne Frank*, New York, Pantheon Books, 1991, p. 103-104.
61. Paul Kemp, « The British Army and the Liberation of Bergen-Belsen, April 1945 », *in* J. Reilly éd., *op. cit.*, p. 146-147.
62. *Ibid.*
63. Lientje Brilleslijper-Jaldati, citée *in* E. Anderson, *loc. cit.*, et « Memories of Anne Frank », *loc. cit.*
64. Dossier de la Croix-Rouge des Pays-Bas. Collection du RIOD.
65. Janny Brilleslijper, *in* Willy Lindwer, *op. cit.*, p. 73-74.
66. Eva Schloss, entretien avec l'auteur, Londres, mai 1998.
67. Dossier de la Croix-Rouge des Pays-Bas. Collection du RIOD.
68. Hilde Jacobsthal, *in* Art Myers, *A Survivor's Story*.
69. Lientje Brilleslijper-Jaldati, *Memories of Anne Frank*, *loc. cit.*
70. *Eberhard Kolb, op. cit.*, p. 47.
71. Paul Kemp, *loc. cit.*, p. 146-147.
72. *Ibid.*, p. 136-137.
73. Je n'ai pu retrouver la source originale de cette citation.
74. *Id.*

Chapitre 9

1. Alice Frank, carte postale du 20 mai 1945, collection privée de Buddy Elias.

2. Otto Frank, lettre du 26 mai 1945, collection privée de Buddy Elias.

3. Otto Frank, *Mémoire*, collection privée de Buddy Elias.

4. Il parle de Buddy et de Stephan.

5. Le frère aîné d'Otto.

6. Otto Frank, lettre du 8 juin 1945, collection privée de Buddy Elias.

7. Des cousins.

8. La femme de Robert.

9. Robert Frank, lettre du 12 juin 1945, collection privée de Buddy Elias.

10. Lottie Frank, lettre du 18 juin 1945, collection privée de Buddy Elias.

11. Otto Frank, lettre du 21 juin 1945, collection privée de Buddy Elias.

12. Herbert Frank, lettre du 23 juin 1945, collection privée de Buddy Elias.

13. Julius Hollander, lettre du 30 juin 1945, collection privée de Buddy Elias.

14. Eva Schloss et Evelyn Julia Kent, *Eva's Story*, Londres, W. H. Allen, 1988, p. 215.

15. « Internement et déportation », chap. IV, *Journaux d'Anne Frank*, p. 70.

16. *Ibid.*

17. Otto Frank, *Mémoire*, collection privée de Buddy Elias. Il existe une autre version. Miep se souvient qu'Otto reçut une lettre lui apprenant la nouvelle, mais comme la lettre est datée du 11 novembre, et qu'Otto savait à la fin août que ses filles étaient mortes, cela semble peu vraisemblable. On ne saurait naturellement exclure une lettre antérieure, mais je me suis appuyée sur la version donnée par Willy Lindwer, *The Last Seven Months of Anne Frank*.

18. Entretien avec Miep et Jan Gies, 18 février 1981. Collection du RIOD.

19. *Journaux d'Anne Frank*, p. 219.

20. Famille Frank-Elias, télégramme du 6 août 1945, collection privée de Buddy Elias.

21. Ilse Ledermann, lettre du 16 novembre 1943, *in* Miki Shoshan, « We are on our Way, Farewell, my Darlings », *Saturday and Sunday*, 4 mai 1985.

22. Hanneli Pick-Goslar, *in* Willy Lindwer, *op. cit.*, p. 33.

23. Fritzi Frank, *in* Eva Schloss et Evelyn Julia Kent, *op. cit.*, p. 221.

24. Eva Schloss, entretien avec l'auteur, Londres, janvier 1998.

25. Otto Frank, lettre du 11 août 1945, collection privée de Buddy Elias.

26. Otto Frank, lettre du 19 août 1945, collection privée de Buddy Elias.

27. Otto Frank, lettre du 20 août 1945, collection privée de Buddy Elias.

28. Otto Frank, lettre du 1er septembre 1945, collection privée de Buddy Elias.

29. Otto Frank, lettre du 6 septembre 1945, collection privée de Buddy Elias.

30. Betty-Ann Wagner, *in* « Anne Frank letter to Iowa Pen-Palo to be sold », *New York Times*, 22 juillet 1988.

31. Buddy.

32. Otto Frank, lettre du 6 septembre 1945, collection privée de Buddy Elias.

33. Le Nouvel An juif.

34. Otto Frank, lettre du 14 septembre 1945, collection privée de Buddy Elias.

Notes

35. Otto Frank, lettre du 26 septembre 1945, collection privée de Buddy Elias.

36. Otto Frank, *Mémoire*, collection privée de Buddy Elias.

37. Otto Frank, lettre du 30 septembre 1945, collection privée de Buddy Elias.

38. Entretien avec Miep Gies-Santrouschitz, 18 février 1981. Collection du RIOD.

39. Le second dactylogramme d'Otto.

40. Buddy Elias, entretien avec l'auteur, Cheltenham, octobre 1997.

41. Eva Schloss, entretien avec l'auteur, Londres, janvier et mai 1998.

42. Eva Schloss et Evelyn Julia Kent, *op. cit.*, p. 222.

43. Nathan Straus, lettre du 25 octobre 1945, collection privée de Buddy Elias.

44. Otto Frank, lettre du 14 novembre 1945, collection privée de Buddy Elias.

45. Otto Frank, lettre du 11 novembre 1945, collection privée de Buddy Elias.

46. *Journaux d'Anne Frank,* chap. V, « Les journaux, le texte néerlandais publié *(Het Achterhuis)* et les traductions », p. 80.

47. Conversation avec Albert Cauvern, 23 janvier 1981, collection du RIOD.

48. Conversation avec Miep et Jan Gies, 18 février 1981, collection du RIOD.

49. *Journaux d'Anne Frank,* chap. V, p. 80.

50. Otto Frank, lettre du 12 décembre 1945, collection privée de Buddy Elias.

51. Entretien avec M. M. G., 8 avril 1981. Collection du RIOD.

52. Jacqueline Van Maarsen, entretien avec l'auteur, Amsterdam, février 1998.

53. Déclaration de Werner Cahn, 12 mars 1981. Collection du RIOD.

54. Jan Romein, « A Child's Voice », *Het Parool,* 3 avril 1946, cité dans *Les Journaux d'Anne Frank,* p. 85-86.

55. Entretien avec le rabbin I. H., 23 février 1981. Collection du RIOD.

56. Entretien avec Mme M. B., 12 janvier 1981. Collection du RIOD.

57. *Journaux d'Anne Frank,* p. 608 (a) et p. 625 (a).

58. Eva Schloss, entretien avec l'auteur, Londres, janvier 1998.

59. Otto Frank, *Mémoire*, collection privée de Buddy Elias.

60. Otto Frank, Journal, 25 juin 1947, photocopie. Collection du RIOD.

Chapitre 10

1. Dr Jacob Presser, *Ashes in The Wind. The Destruction of Dutch Jewry,* Londres, Souvenir Press, 1968, p. 392.

2. *Ibid.*, p. 392.
3. Eva Fogelman, *Conscience and Courage? Rescuers of Jews During The Holocaust*, Londres, Cassel, 1995, p. 72.
4. Johannes Kleiman, lettre non datée, *in* Harry Paape, « La dénonciation », chapitre III, *Journaux d'Anne Frank*, p. 44.
5. *Journaux d'Anne Frank*, 7 mars 1943 (b), p. 378.
6. Porte-documents ou portefeuille ; voir la lettre de Kugler citée dans ce chapitre.
7. Tous ces points sont discutés dans la lettre de Kugler.
8. *Journaux d'Anne Frank*, 16 septembre 1943 (b), p. 444.
9. *Ibid.*, 29 septembre 1943 (b), p. 447.
10. *Ibid.*, 18 avril 1944 (a), p. 650.
11. Suite à un cambriolage.
12. *Ibid.*, 21 avril 1944 (a), p. 653.
13. *Ibid.*, 25 avril 1944 (a), p. 654.
14. Miep Gies, *in* Harry Paape, *loc. cit.*, p. 43.
15. Otto Frank, lettre du 11 novembre 1945, collection privée de Buddy Elias.
16. Kleiman, *in* Harry Paape, *loc. cit.*, p. 44.
17. Toutes ces déclarations de Van Maaren, *in* Harry Paape, *loc. cit.*, p. 46-47.
18. P. J. Genot, *in* Harry Paape, *loc. cit.*, p. 46.
19. Déclarations de L. Hartog, *in* Harry Paape, *loc. cit.*, p. 46.
20. L'une des entreprises voisines.
21. Déclarations de Van Maaren, *in* Harry Paape, *loc. cit.*, p. 46-47.
22. *Cf.* Harry Paape, *loc. cit.*, p. 48.
23. Simon Wiesenthal, *Justice n'est pas vengeance*, Paris, Robert Laffont, 1989, p. 351-356.
24. *Ibid.*
25. Hella Pick, Simon Wiesenthal, *A Life in Search of Justice*, Londres, Weidenfield & Nicholson, 1996, p. 173.
26. *The New York Herald Tribune*, 21 novembre 1963.
27. *The Los Angeles Times*, 21 novembre 1963.
28. *The New York Times*, 22 novembre 1963.
29. Peter Hann, *Arrest Starts New Anne Frank Inquiry*, article de journal non identifié par l'auteur.
30. J. J. de Kok, *in* Harry Paape, *loc. cit.*, p. 49.
31. Jules Huf, « " I Went through a lot of Misery " ; HP'S Huf speaks to SD man Silberbauer », *The Haagse Post*, 30 novembre 1963.
32. *Ibid.*
33. *Ibid.*
34. *Ibid.*
35. *Ibid.*
36. *Ibid.*
37. *Ibid.*
38. *Ibid.*
39. Comme nous l'avons déjà signalé dans les notes du prologue, personne

n'a été en mesure de confirmer le nombre d'hommes qui accompagnaient Silberbauer durant la rafle.

40. Jules Huf, *loc. cit.*
41. Silberbauer se trompe, les traits étaient sur le mur, mais à la porte de la chambre d'Anne.
42. Jules Huf, *loc. cit.*
43. *Ibid.*
44. *Ibid.*
45. *Ibid.*
46. Otto Frank, *in* Harry Paape, *loc. cit.*, p. 49.
47. Bep Voskuijl, *in* Harry Paape, *loc. cit.*, p. 49.
48. Miep Gies, *in* Harry Paape, *loc. cit.*, p. 49-50.
49. Willi Lages, *in* Harry Paape, *loc. cit.*, p. 58.
50. Les articles, signés Carole Kleesiek et Simon Wiesenthal, furent publiés le 26 juin 1964.
51. Van Maaren, *in* Harry Paape, *loc. cit.*, p. 52.
52. Harry Paape, *loc. cit.*, p. 53.
53. *Cf.* Harry Paape, *ibid.*, p. 54.
54. Harry Paape, *ibid.*, p. 59.
55. Otto Frank, *Mémoire*, collection privée de Buddy Elias.
56. Otto Frank, « Anne Frank Would Have Been 50 This Year », *Life Magazine*, mars 1979.
57. Il s'agit probablement de l'étrange porte-fenêtre de la chambre de Peter, que l'on peut voir de la maison de devant.
58. Dans l'entrepôt sans doute.
59. Victor Kugler, lettre sans date, mais de 1963. Collection privée de Buddy Elias.
60. *Journaux d'Anne Frank*, 1er mars 1944 (a), p. 543.
61. Son nom figure sur le document en possession du RIOD.
62. Entretien avec Mme B., 6 février 1981, collection du RIOD.
63. Entretien avec M. H. Wijnberg, 13 octobre 1981, collection du RIOD.
64. *Ibid.*
65. *Ibid.*
66. *Journaux d'Anne Frank*, 3 novembre 1943 (b), p. 452.
67. *Ibid.*, 15 avril 1944 (a), p. 642.
68. Harry Paape, *loc. cit.*, p. 59.

Épilogue

1. Jetteke Frijda, entretien avec l'auteur, Amsterdam, mars 1998.
2. Werner Peter Pfeffer (Peter Pepper), transcriptions de l'interview pour le documentaire de Jon Blair, *Anne Frank Remembered* (Jon Blair 1995). Collection privée de Jon Blair.

3. Otto Frank, cité *in* E. C. Farrell « Postcript to a Diary », *The Global Magazine*, 1965.
4. Barbara M. Mooyaart-Doubleday, in *The Jewish Week*, 19 mai 1995.
5. L. Mooyaart-Doubleday, *ibid.*.
6. Tony Kushner, « I want To Go On Living After My Death : The Memory of Anne Frank », *in* Martin Evans et Kenneth Lunn, éds., *War and Memory in the Twentieth Century*, Londres, Berg Publishers, 1997, chap. 1, p. 10.
7. Otto Frank, lettre de juin 1952, *in* Lawrence Graver, *An Obsession with Anne Frank : Meyer Levin and the Diary*, Londres, University of California Press, 1995, p. 54.
8. Rabbi David Soetendorp, Anne Frank Educational Trust U.K. : Diary 1997, p. 3.
9. Le conflit entre Otto Frank, Meyer Lewin et les autres parties concernées est long et complexe. Les lecteurs intéressés se reporteront à deux livres qui traitent du sujet : L. Graver, *op. cit.*, et Ralph Melnick, *The Lost Legacy of Anne Frank*, Yale University Press, 1977.
10. Otto Frank, lettre, octobre 1955, *in* Anne Frank Stichting, *A History for Today*, Amsterdam, Anne Frank Stichting, 1996, p. 84.
11. T. Kushner, *loc. cit.*, p. 13.
12. R. Melnick, *op. cit.*, p. 168.
13. L. Grawer, *op. cit.*, p. 54.
14. Otto Frank, lettre citée *in* Judith E. Doneson, *The Holocaust in American Film*, États-Unis, The Jewish Publication Society, 1987, p. 71 (dans le chapitre intitulé « The Diary of Anne Frank in Post-War America »).
15. T. Kushner, *op. cit.*, p. 14.
16. « Reader's Supplement », in *Anne Frank : The Diary of a Young Girl*, New York, Washington Press, 1972, p. 79.
17. Compte rendu du *New York Times*, cité *ibid.*, p. 19.
18. Jetteke Frijda, entretien avec l'auteur, Amsterdam, mars 1998.
19. Johannes Kleiman, « The Anne Frank's House », *Snapshot*.
20. George Stevens, in *Anne Frank Comes to Hollywood*. Je n'ai pu trouver davantage de détails sur cette publication.
21. Audrey Hepburn devait par la suite parrainer l'Anne Frank Educational Trust, U.K.
22. T. Kushner, *loc. cit.*, p. 16.
23. Eva Schloss, entretien avec l'auteur, Londres, mai 1998.
24. *Idem.*
25. « Anne Frank Achterhuis wacht op slopershamer », [L'Annexe d'Anne Frank attend les démolisseurs], *Het Vrij Volk*, 23 novembre 1955.
26. Otto Frank, « Anne Frank Would Have Been Fifty This Year », *Life Magazine*, mars 1979.
27. Dr Trude K. Hollander, lettre à l'auteur, 25 mars 1998.
28. Jon Blair, « Compulsion », *The New York Times Book Review*, 28 septembre 1997, p. 3.
29. Otto Frank, *in*, P. Straus, *Moment*, décembre 1977.
30. Otto Frank, « Has Germany Forgotten Anne Frank ? », *Coronet*, février 1960.

Notes

31. Otto Frank, *in* E. C. Farrell, *loc. cit.*
32. G. Van der Stroom, *loc. cit*, p. 1.
33. Otto Frank, *Mémoire*. Collection privée de Buddy Elias.
34. « L'héritage d'Anne », *Reporter*, KRO-TV, 1995.
35. G. Van der Stroom, *loc. cit.*, p. 6.
36. *Ibid.*
37. C. Ozick, « Who Owns Anne Frank ? », *The New Yorker*, 6 octobre 1997.
38. « The Censoring of Anne Frank », *Life Entertainment Story*, 11 octobre 1997.
39. Richard Cohen, « Anne Frank's Book About Hate », *The Washington Post*, 30 octobre 1997.
40. *Journaux d'Anne Frank*, 5 avril 1944 (a), p. 626.
41. T. Kushner, *loc. cit.*, p. 3-16.
42. R. Melnick, *op. cit.*, p. 103.

Postface à l'édition française

1. *Journaux d'Anne Frank*, 8 février 1944 (a), p. 521.
2. David Barnouw, *in* Jay Rayner, « Anne Frank's Father Censored Her Diaries To Protect The Family », *The Observer*, 23 août 1998.
3. *Journaux d'Anne Frank*, 12 janvier 1944 (a), p. 493.
4. *Ibid.*, 20 juin 1942 (b), p. 222.
5. Otto Frank, *Mémoire*. Collection privée de Buddy Elias.
6. David Barnouw, *loc. cit.*

Bibliographie sélective

– Anne Frank Stichting, *Anne Frank 1929-1945*, Lambert Schneider, 1979; *Le Monde de Anne Frank, 1929-1945*, Paris, Calmann-Lévy, 1990.
– *Anne Frank Magazine : 1997*, Anne Frank Stichting, 1998.
– David Barnouw et Gerrold Van der Stroom, éds., *The Diary of Anne Frank : The Critical Edition*, Viking, 1989; *Les Journaux d'Anne Frank*, trad. Ph. Noble et I. Rosselin-Bobulesco, Paris, Calmann-Lévy, 1989.
– Janrense Boonstra et Jose Rijnder, *The Anne Frank House : A Museum with a Story*, Anne Frank Stichting, 1992.
– Lucy S. Dawidowicz, *The War against the Jews 1933- 1945*, Penguin, 1987.
– Judith E. Doneson, *The Holocaust in American Film*, États-Unis, The Jewish Publication Society, 1987.
– Amos Elon, *Founder : Meyer Amschel Rothschild and his Time*, Harper Collins, 1996.
– Martin Evans et Kenneth Lunn, éds., *War and Memory in the Twentieth Century*, Londres, Berg Publishers, 1997.
– Exposition, catalogue en hollandais et en anglais, *Anne Frank In The World 1925 – 1945*, Bert Bakker, 1985.
– Exposition, catalogue en anglais, *Anne Frank : A History for Today*, Anne Frank Stichting, 1996.
– Exposition, catalogue en japonais, *Anne Frank dans le monde*, Anne Frank Stichting, 1985.
– Eva Fogelman, *Conscience and Courage : Rescuers of Jews During The Holocaust*, Cassel, 1995.
– *Anne Frank, Tales from the Secret Annexe*, Penguin, 1982; *Contes*, trad. partielle N. Weinstein, Paris, Calmann-Lévy, 1959; rééd. Livre de Poche.
– Miep Gies et Alison Leslie Gold, *Anne Frank Remembered*, Bantam Press, 1987; *Elle s'appelait Anne Frank*, trad. A. Damour, Paris, Calmann-Lévy, 1987.
– Martin Gilbert, *Auschwitz and the Allies*, Mandarin, 1991; – *Holocaust Journey*, Orion Publishing Group, 1997; – *The Holocaust*, Harper Collins Publishers, 1987.
– Anton Gill, *The Journey Back From Hell : Conversations with Concentration Camp Survivors*, Londres, Grafton Books, 1988.
– Alison Leslie Gold, *Memories of Anne Frank : Reflections of a Childhood*

Anne Frank, les secrets d'une vie

Friend, Scholastic Press, 1997 ; *Mon amie Anne Frank*, trad. I. Bézard, Paris, Bayard, 1998.
– Frances Goodrich et Albert Hackett, *The Diary of Anne Frank*, Blackie & Son, 1970.
– Lawrence Graver, *An Obsession with Anne Frank : Meyer Levin and the Diary*, Londres, University of California Press, 1995.
– Joachim Hellwig et Gunther Deicke, *Ein Tagebuch für Anne Frank*, Verlag der Nation, 1959.
– Etty Hillesum, *Letters from Westerbork*, Jonathan Cape Ltd, 1986 ; *Lettres de Westerbork*, trad. du néerlandais par Ph. Noble, Paris, Seuil, 1988.
– Laurel Holliday, éd., *Children's Wartime Diaries*, Piatkus Ltd, 1995.
– Louis de Jong et Simon Schema, *The Netherlands and Nazi Germany*, Harvard University Press, 1990.
– H. R. Kedward, *Resistance in Vichy France*, Oxford University Press, 1978.
– Eberhard Kolb, *Bergen-Belsen from 1943-1945*, Göttingen, Sammlung Vandenhoeck, 1988.
– Anita Lasker-Wallfisch, *Inherit The Truth : 1939-1945*, Londres, Giles de Mare Publishers Ltd, 1996 ; *La Vérité en héritage, la violoncelliste d'Auschwitz*, trad. J. Lahana, Paris, Albin Michel, 1999.
– Isaac Levy, *Witness To Evil : Bergen-Belsen 1945*, Peter Halban Publishers Ltd, 1998.
– Willy Lindwer, *The Last Seven Months of Anne Frank*, New York, Pantheon Books, 1991 ; *Anne Frank : les sept derniers mois*, trad. M.-N. Fontenat, Paris, Stock, 1989.
– Jane Marks, *Hidden Children : Secret Survivors of the Holocaust*, Transworld Publishers, 1995.
– Michael R. Marrus, *The Holocaust In History*, Penguin, 1989.
– Jacqueline Van Maarsen, *My Friend Anne Frank*, Londres, Vantage Press, 1996)
– Ralph Melnick, *The Lost Legacy of Anne Frank*, Yale University, 1997.
– Bob Moore, *Victims and Survivors : The Nazi Persecution of the Jews in the Netherlands 1940-1945*, St Martin's Press, 1997.
– Dirk Mulder, *Kamp Westerbork*, Herinneringscentrum Kamp Westerbork, 1991.
– Jaap Nijstad, *Westerbork Drawings : The Life and Work of Leo Kok 1923 –1945*, Balans, 1990.
– Hella Pick, *Simon Wiesenthal : A Life in Search of Justice*, Weidenfield & Nicolson, 1996.
– Dr Jacob Presser, *Ashes in the Wind : The Destruction of Dutch Jewry*, Londres, Souvenir Press, 1968.
– Jo Reilly, David Cesarani, Tony Kushner et Colin Richmond, éds., *Belsen in History and Memory*, Londres, Frank Cass, 1997.
– Ruud Van der Rol et Rian Verhœven, *Anne Frank : Beyond The Diary*, Puffin, 1993.
– A. C. Roodnat et M. de Klijn, *A Tour of the Anne Frank House in Amsterdam*, Anne Frank Stichting, 1971.
– Lord Russell of Liverpool, *The Scourge of the Swastika : A Short History of Nazi War Crimes*, Chivers Press, 1989.
– Leopold Diego Sanchez, *Jean-Michel Frank*, Éditions du Regard, 1980.
– Eva Schloss et Evelyn Julia Kent, *Eva's Story : A Survivor's Tale by the Step-sister of Anne Frank*, Londres, W. H. Allen, 1988.

Bibliographie sélective

– Ernst Schnabel, *The Footsteps of Anne Frank*, Londres, Pan Books, 1976.
– Karen Shawn, *The End of Innocence : Anne Frank and the Holocaust*, Anti-Defamation League of B'nai B'rith, 1989.
– Anna G. Steenmeijer et Otto H. Frank, éds., *A Tribute to Anne Frank*, Doubleday, 1971.
– Jan Stoutenbeek et Paul Vigeveno, *A Guide to Jewish Amsterdam*, De Haan, 1985.
– Simon Wiesenthal, *Justice n'est pas vengeance, une autobiographie*, traduit de l'allemand par Odile Demange, Paris, Robert Laffont, 1989.
– Cara Wilson, *Love, Otto : The Legacy of Anne Frank*, Andrews & McMeel, 1995.
– Wolf von Wolzogen, *Anne aus Frankfurt*, Francfort Historical Museum, 1994.

Nous remercions les Éditions Calmann-Lévy de nous avoir autorisés à reproduire les passages extraits des *Journaux d'Anne Frank* (traduit du néerlandais par Philippe Noble et Isabelle Rosselin-Bobulesco ; © Calmann-Lévy, 1950 ; © Calmann-Lévy, 1989).

Remerciements

Je n'étais qu'une petite enfant lorsque je me suis intéressée à Anne Frank. Je l'ai découverte dans un récit vers six-sept ans et j'ai lu son *Journal* quand j'en avais huit. Au fil des ans, et en particulier pendant que j'écrivais ce livre, la question que l'on m'a le plus souvent posée était : mais qu'est-ce qui vous attire donc si fort en Anne Frank ? Je ne pense pas l'avoir su moi-même jusqu'au jour où quelqu'un me posa une autre question : le livre écrit, avais-je découvert quoi que ce soit qui m'ait fait changer d'avis sur Anne Frank et ce qu'elle était pour moi ? Je répondis d'instinct : « Non, pas du tout. Je l'aimais énormément en commençant. Je l'aime encore. » C'est aussi simple que cela.

Nul doute, cependant, que depuis la première fois que j'ai lu le *Journal*, mon intérêt s'est transformé en une fixation dont ce livre est l'aboutissement. Sans l'aide de nombreuses personnes, c'eût été une tâche infiniment plus difficile. La liste est trop longue pour être reprise ici, mais elle compte tous ceux qui ont eu la gentillesse de partager avec moi leur temps et leurs souvenirs, notamment Eddy Fraifeld, Jetteke Frijda, le Dr Trude K. Hollander, Bernard Kops, Herbert Levy, Jacqueline Van Maarsen, Edmond Silverberg, Eva Schloss, Alice Schulmann, Lotte Thyes et Betty C. Wallerstein. À Hanneli Pick-Goslar, avec qui j'ai correspondu, mais que les circonstances m'ont empêchée de rencontrer, je voudrais aussi adresser mes remerciements tout en m'excusant auprès de ceux dont je n'ai pu retenir les témoignages.

Un certain nombre d'archivistes, de bibliothécaires et de particuliers m'ont apporté une aide inestimable, en particulier Horst Hoffman de la Maison Frank-Loeb'sches de Landau, le Dr. Appel des archives municipales de Landau, Joan Adler, Wolf von Wolzogen du Musée historique de Francfort, les organisateurs de l'exposition « Anne aus Frankfurt », Gillian Walnes et Barry Van Driel de l'Anne Frank Educational Trust, Jan Erik Dubbelman de l'Anne Frank Stichting, Fama Mor du Centre Simon Wiesenthal, la Shoah Foundation et Michael Engel, le personnel de la Wiener Library de Londres, David Barnouw et Manon Wilbrink de l'Institut national néerlandais de documentation sur la guerre, le personnel de Yad Vashem en Israël, Aaron T. Kornblum de l'United States Holocaust Memorial Museum et le personnel des musées et centres du souvenir de Belsen et de Westerbork.

Pour les sources et les conseils de recherche, je tiens à dire ma gratitude à Jon Blair, Gerrold Van der Stroom, Dick Plotz et John Francken. Il me faut aussi remercier Christoph Knoch, qui m'a aidée à constituer le dossier photographique.

Ma gratitude va également à Rosalba Venturi, Liz Kim et Anthony Tisbury de K International pour leurs traductions du hollandais en anglais et à David Nuth, pour les traductions de l'allemand en anglais.

Il est une poignée de personnes dont j'ai mis la patience à rude épreuve. En Angleterre, mon agent, Jane Judd, et mon éditeur chez Penguin, Andrew Kidd, ne m'ont pas ménagé leurs conseils, leur enthousiasme et leur soutien. Aux Pays-Bas, Françoise Gaarlandt-Kist et Jan Geurt Gaarlandt de Balans en ont fait autant Je voudrais ici remercier Jan Michael de tout cela, mais aussi de son hospitalité à Amsterdam. Pour m'avoir rappelé que je vis dans le présent aussi bien que dans le passé, je dois remercier ma famille et mes amis, qui tous ont été là quand j'ai eu besoin d'eux.

Enfin, il est cinq personnes sans qui, pour diverses raisons, ce livre n'aurait jamais vu le jour. Ce sont ma mère, mon mari Nick, Buddy et Gerti Elias et, naturellement, Anne Frank. À tous les cinq, je dédie ces « Roses de la terre ».

Table

Cet ouvrage a été réalisé par la
SOCIÉTÉ NOUVELLE FIRMIN-DIDOT
Mesnil-sur-l'Estrée
pour le compte des Éditions Robert Laffont
24, avenue Marceau, 75008 Paris
en janvier 1999

Imprimé en France
Dépôt légal : janvier 1999
N° d'édition : 39505 – N° d'impression : 45114